CHRÉTIEN DE TROYES

PERCEVAL
ou
LE CONTE DU GRAAL

Traduction, présentation, notes,
chronologie, bibliographie et répertoire des noms propres
par
Jean DUFOURNET

GF Flammarion

Du même auteur
dans la même collection

Cligès. Philomena (édition bilingue).
Érec et Énide (édition bilingue).
Lancelot ou le Chevalier de la charrette (édition bilingue).
Perceval ou le Conte du graal (édition bilingue).
Yvain ou le Chevalier au lion (édition bilingue).

© Flammarion, Paris, 2012.
ISBN : 978-2-0812-2538-1

PRÉSENTATION

> « Trois gouttes de sang. Trois paroles
> rouges sur la vie blanche […]. La poésie
> commence là, dans ce chapitre, vers cette
> fin du XIIᵉ siècle, sur cinquante centi-
> mètres de neige, quatre phrases, trois
> gouttes de sang. La poésie, la fin de
> toutes fatigues, la rose d'amour dans les
> neiges de la langue, la fleur de l'âme au
> fil des lèvres. »

> Christian Bobin,
> *Une petite robe de fête.*

Le dernier roman de Chrétien de Troyes, *Le Conte du graal*, écrit vers 1182, est une œuvre difficile à cause de sa richesse, de son goût du merveilleux et du non-dit. Apparemment inachevée, elle a fait l'objet d'innombrables commentaires relevant des disciplines les plus diverses, de l'histoire et des études folkloriques à la mythologie comparée et à la psychanalyse. Surtout, elle a contribué à la naissance d'un mythe littéraire, celui du graal, dont les deux textes fondateurs sont très différents : tandis que *Le Conte du graal*, focalisé sur l'aventure de son héros Perceval, se situe à l'époque arthurienne et dans l'espace breton, *Joseph d'Arimathie*, composé vers 1200 par Robert de Boron, raconte comment le graal, rattaché à la Passion du Christ, fut transporté de la Terre sainte jus-qu'en Grande-Bretagne. Dans ces deux textes, le graal

médiéval prend des formes et des significations diver-
gentes ; tous deux, cependant, ont une forte coloration
religieuse : au début de son roman, par un tissu très
dense d'allusions à la Bible, Chrétien de Troyes présente
en effet l'entreprise chevaleresque comme engendrée par
la charité fondée sur l'humilité et la générosité du cœur.
Par cette réécriture du texte biblique, il entendrait ramener
aux vraies valeurs, qui sont d'ordre religieux.

À travers cette histoire centrée sur la formation de Perceval, Chrétien de Troyes expose en outre les étapes à parcourir, les préceptes à adopter, les qualités à posséder pour
parvenir au parfait épanouissement chevaleresque. Héros de
la différence [1], Perceval est un héros jeune, étroitement lié
à sa mère ; il ne part pas de la cour du roi Arthur, pas plus
qu'il n'y reste ; très proche de la nature originelle, il n'a ni
la culture traditionnelle du sénéchal Keu et du roi Arthur,
ni la culture nouvelle, courtoise, de Gauvain ; s'il se trompe
souvent, comme les autres personnages, son intention est
toujours louable, et il se décide librement. Héros en devenir,
héros problématique dans la mesure où il semble ne jamais
être égal à lui-même ni satisfait de ce qu'il a acquis, il doit
dépasser le niveau où se complaît Gauvain qui ne mûrit pas,
conciliant tout dans une prudente maîtrise de soi, sans courir
de risque, alors qu'il faut risquer et perdre pour regagner au
décuple ce qu'on a perdu. Aidé par des maîtres qui vivent
loin de la cour arthurienne, Perceval – dont le parcours est
conté dans la première partie du roman – rejoindra et dépas-
sera Gauvain – dont les aventures parallèles occupent
l'essentiel de la seconde partie – par une triple éducation,
chevaleresque, amoureuse et religieuse, qui, de la recherche
d'un modèle, l'amènera à la reconnaissance sociale, puis à
la connaissance de soi.

---

1. Voir P. Gallais, *Perceval et l'initiation*, Sirac, 1972, p. 35-49.

LE ROI ARTHUR ET SA COUR

Le Conte du graal offre un tableau assez complet des différents aspects de la chevalerie. Celle-ci s'organise autour du couple royal formé par le roi Arthur et la reine Guenièvre. Si le roi Arthur encourage ses chevaliers à se lancer dans l'aventure et demeure un modèle des vertus courtoises (largesse, défense du droit, morale de l'honneur, raffinement du cœur, délicatesse des manières), il semble aussi plus d'une fois, dans ce roman, étranger à ce monde, fatigué, pensif. Roi pacifique, plus proche de la simple condition humaine que Charlemagne, il vit au milieu de sa cour, dont les relations sont définies par l'honneur, l'amour et la joie. Il maintient l'équilibre et l'unité de la société, il incarne l'ordre et la prospérité, il gère la vigueur guerrière. Sa cour offre un modèle de civilité. L'aventure chevaleresque, qui a sa source hors de la société arthurienne et émane d'une nature sauvage, se voit ainsi encadrée par les scènes de cour favorisant l'échange entre le roi, ses chevaliers et l'ensemble de la communauté.

Guerrier à l'origine, le roi est devenu un héros civilisateur qui a apporté la paix et la prospérité par son mariage avec la reine Guenièvre, d'origine féerique – en témoigne son nom, issu de *Gwenhwyfar*, du celtique *Vindosemara*, « blanche fée ». L'égalité que le roi lui reconnaît en tant que reine et que femme assure l'éclat de la royauté dans des tableaux de cour où la beauté devient distinction et raffinement, où la paix est gage de richesse et de vitalité. La femme est le centre du monde civilisé, qui célèbre une morale faisant de l'amour l'instigateur de la prouesse chevaleresque. Par son origine, Guenièvre devient l'objet de l'aventure, l'incarnation de l'amour courtois dans un ordre social établi sur la reconnaissance d'une égalité féminine, d'essence aristocratique – aussi les ennemis d'Arthur, comme le Chevalier Vermeil au début du *Conte du graal*, choisissent-ils de la frapper. Si elle stimule la prouesse, elle assure aussi la paix courtoise, elle intègre les nouveaux venus, elle enrichit la souveraineté d'Arthur par le pardon et l'accueil des chevaliers rebelles, par l'honneur fait à leurs amies et par la protection des jeunes filles qu'elle prend à son service dans sa *maisnie*.

Le monde et la société s'ordonnent autour d'Arthur, qui en est le modèle et le miroir, mais aussi de la Table ronde, composée des chevaliers les plus renommés et créée sur le modèle des douze pairs de Charlemagne. Le roi gouverne avec ses seigneurs, qui ne sont pas tenus de rester dans son entourage, mais le quittent régulièrement pour partir en quête d'aventure. C'est une élite réduite dont le recrutement, toujours ouvert, garantit la vitalité du royaume par une double concurrence, interne et externe, qui est gage de qualité. Centre de la civilisation, la Table ronde attire sans cesse contestations et candidatures ; elle diffuse par le monde ses représentants, comme l'indique la rime fréquente *ronde/monde* dans le texte médiéval.

La force du monde arthurien réside dans l'interaction entre le héros et la cour, entre l'aventure individuelle et la consécration collective. Il faut quitter la cour pour s'accomplir : l'aventure du chevalier errant a sa source hors du monde arthurien, dans la forêt où il doit pénétrer, souvent seul, en quête de la merveille, pour vaincre les puissances mortifères du paganisme et des mondes sauvages, orgueilleux et cruels, et pour revenir aux racines mêmes de la force et de la plénitude. Toutefois il n'est de chevalier que pour la cour d'Arthur, car le chevalier prend, à être vu, la mesure de lui-même. Le cadre permanent de la cour oppose en outre le chevalier arthurien aux autres guerriers, sans roi ni reine, qui, imbus de leur force, refusent l'hégémonie royale et l'ordre social qu'elle représente, et qui constituent un antimodèle, un monde de violence et d'instinct.

LES DIFFÉRENTES FORMES DE LA CHEVALERIE

Plusieurs formes de chevalerie coexistent dans *Le Conte du graal* : la chevalerie archaïque, la chevalerie courtoise, et la *prodomie* [1], forme supérieure de la chevalerie.

La chevalerie archaïque est incarnée par des personnages tels que Sagremor le *desréé*, l'« emporté », le « démesuré », et le sénéchal Keu, qualifié d'*enuieus*, c'est-à-dire de jaloux et d'envieux, d'ennuyeux et de méchant. Impulsif, querelleur et violent, il contraste d'emblée avec le pacifique Arthur. Avec Gauvain, c'est le personnage le plus important de la cour, le seul à entretenir avec le roi de véritables relations ; il est à la fois insupportable et indispensable. Il appartient à la chevalerie qui entourait Arthur au temps où celui-ci était un roi guerrier. Est-il un parvenu d'origine inférieure que distinguent sa *trece* démodée, le bâtonnet qui manifeste son pouvoir, sa langue perfide, son insistance sur l'aspect honorifique de sa charge de sénéchal qui assure le service de la table et qui, par tous ces traits, s'oppose au noble et généreux vavasseur Gornemant de Gort ? Si sa langue acerbe, ses railleries méchantes, son ironie mordante, sa fureur et sa rage impuissante vont de pair avec ses échecs cuisants comme chevalier errant, elles fouettent en revanche l'amour-propre de ses compagnons. Ses propos irréfléchis empêchent que la vigueur aristocratique ne s'amollisse dans la dérobade et l'hypocrisie : ils incitent à l'action. Le monde arthurien, ainsi, ne saurait se passer de Keu, qui incarne la vigueur guerrière – pas plus qu'il ne peut se passer de Gauvain, qui incarne la courtoisie. Keu, par sa violence furieuse qu'il ne sait maîtriser, constitue certes un antimodèle, mais il introduit aussi, dans un monde idéal, l'imperfection, permettant au récit de refléter la vérité et la variété humaines. Surtout, il garantit la violence de l'affrontement, sans

---

1. Sur les différents sens de *prodomie*, voir p. 23, note 2.

laquelle la civilisation courtoise finirait par paralyser la noblesse masculine et lui ôter son fondement, la force.

Gauvain, le neveu d'Arthur, souvent opposé à Keu, est le modèle de la chevalerie courtoise. Il incarne l'esprit guerrier que n'a plus Arthur : Chrétien de Troyes lui attribue Excalibur, l'épée du roi, par une sorte de délégation dans l'usage de la force. Double d'Arthur, il aide à l'intégration des chevaliers étrangers, il parraine les nouveaux, il supplée à la largesse royale. Toujours jeune et apte à la fonction guerrière, toujours célibataire, il incarne le chevalier accompli au service du roi et des dames. Il est le premier chevalier de la Table ronde par sa vaillance, sa noblesse, son bon sens, sa mesure, sa courtoisie, sans que personne conteste jamais cette hiérarchie. Monseigneur Gauvain, « la rose et le rubis de la Table ronde », est le héros de la raison : au contraire de Lancelot, il a refusé de monter sur la charrette d'infamie. Galant, il fait la cour aux dames et aux demoiselles, et incarne l'amoureux courtois dans sa version légère et mondaine. Sans doute peut-il souffrir d'être confronté à des vilains, comme dans la scène du *Conte du graal* où une foule déchaînée l'assiège avec la fille d'une de ses victimes ; mais il se caractérise d'abord par le sang-froid et le courage, par la maîtrise des instincts meurtriers, des débordements de la colère et de l'orgueil, et il se montre capable de révéler sa grandeur dans l'humilité et de montrer toujours une délicatesse qui sacrifie la gloire à la fidélité.

Gauvain tend toutefois à représenter une chevalerie statique : cette courtoisie qu'il incarne avec une politesse raffinée et un parfait naturel, « lui qui de toutes les vertus [a] le renom et le prix » (p. 116), doit en effet être dépassée selon Chrétien de Troyes. Car la vraie chevalerie est toujours en devenir, comme en témoignent Lancelot dans *Le Chevalier de la charrette*, Yvain le chevalier au lion « qui rend meilleurs tous ses compagnons » (p. 84), et Perceval, qui brûle de savoir à qui l'on sert le graal.

Ce dépassement de la chevalerie courtoise peut se faire par la religion de l'amour qui, avec Lancelot, devient un culte d'adoration où la dame prend la place de Dieu par une surestimation de l'amour humain, par une absolutisation de l'amour, à qui il faut tout sacrifier. Mais on remarquera qu'il n'y a aucun écho aux aventures de Lancelot dans *Le Conte du graal*, comme si la *fine amour* aboutissait à une impasse. D'ailleurs, Chrétien de Troyes semble avoir lui-même interrompu *Le Chevalier de la charrette* en laissant Lancelot prisonnier de Méléagant, le ravisseur de la reine Guenièvre, et enfermé dans une tour sans autre ouverture qu'une petite fenêtre par où passer quelques vivres.

Entre 1177 et 1181, à l'époque où il composait *Le Chevalier de la charrette*, Chrétien de Troyes écrivait cependant un autre roman, *Le Chevalier au lion*, qui s'entrelace au précédent tout en proposant une autre forme de dépassement, celle-ci victorieuse. Sous les traits d'Yvain, à qui *Le Conte du graal* fait deux allusions très élogieuses (p. 84 et 191), la chevalerie nouvelle, ou *prodomie*, lutte contre les forces du mal qui discréditent la féodalité en troublant l'ordre qu'elle s'est donné. Yvain, ainsi, libère les victimes, souvent des femmes – Lunette, menacée de mort par le sénéchal et ses frères, la fille et le fils du châtelain que le géant Harpin de la Montagne veut réduire à la servitude, les trois cents jeunes filles condamnées au travail forcé par les deux fils du diable. D'abord héros solitaire, puis compagnon de Gauvain, Yvain devient le chevalier au lion : avant de rencontrer l'animal dont le compagnonnage sera le signe de son élection, de sa grandeur royale et de sa conversion, Yvain ne songe qu'à sa gloire personnelle, et est mû par la vanité mondaine et des raisons plus ou moins égoïstes : la passion de l'aventure, l'amour de Laudine, le souci de sa réputation chevaleresque. Mais une fois son égocentrisme surmonté, lorsqu'il choisit, contre le serpent, le parti du lion, il se fait le serviteur du bien et du droit et le défenseur des opprimés : fils de ses seuls exploits, plus ouvert à la détresse d'autrui, il évolue dans l'ordre de la charité. Le lion est la figure du parfait chevalier aussi bien que du Christ sauveur et de la grâce qui triomphe des forces diaboliques. Il est aussi lié à la fonction royale : c'est le roi des animaux. Sa présence à côté d'Yvain indique que celui-ci a changé de statut : de chevalier errant, il est devenu souverain.

UN ROMAN D'APPRENTISSAGE

Avec *Le Conte du graal*, Chrétien de Troyes renouvelle plus en profondeur encore l'idéal chevaleresque : Perceval incarne en effet l'ultime forme de dépassement. Il en vient peu à peu à égaler, puis à dépasser Gauvain, par une triple initiation – chevaleresque, amoureuse et courtoise, religieuse –, qui est aussi un apprentissage de la beauté.

L'initiation chevaleresque

Au départ, le héros qui appartient à une famille déchue ne se distingue pas du monde sauvage de la forêt : jouant avec ses javelots, il vit sous le signe de l'ailleurs, de l'autrefois et de l'altérité, et son ignorance est totale puisqu'il ne connaît ni son nom ni les structures élémentaires de la société féodale, que ce soit la chevalerie ou l'Église. C'est un *nice*, un rustre mal dégrossi, étranger à tout ce qui n'est pas son obsession, et naïvement attaché à sa mère.

L'éducation qui fera de Perceval un chevalier ressortit d'abord à l'ordre du corps. À la manière d'un enfant, il découvre, ébloui, le nom de « chevalier » et celui de chaque arme grâce au maître des chevaliers rencontré au cours d'une partie de chasse. Ensuite, aux abords de la cour du roi Arthur, d'un javelot il tue le Chevalier Vermeil et s'approprie ses armes, sans parvenir à le dévêtir une fois qu'il l'a abattu, et c'est le valet Yonet qui lui apprend comment mettre et retirer l'armure. Il accomplit des progrès considérables avec Gornemant de Gort, qui lui enseigne comment utiliser armes et cheval. Il peut dès lors, devant le château de Blanchefleur, triompher d'Anguingueron et de

Clamadeu sans qu'il sache d'abord où envoyer ses prisonniers pour accroître son renom, c'est-à-dire à la cour
d'Arthur. Plus tard, il viendra à bout de l'Orgueilleux de la
Lande, puis de Sagremor et de Keu : Gauvain reconnaît en
lui un être d'exception.

Cette éducation se fait aussi dans l'ordre de l'esprit et lui
permet de devenir peu à peu un chevalier courtois. Appre-
nant l'existence du roi Arthur, Perceval décide de partir
pour sa cour, sans que sa mère puisse le retenir. Aussi, après
lui avoir révélé sa noblesse et le tragique destin de ses frères
et de son père, lui fait-elle des recommandations : secourir
les dames et les pucelles qui en ont besoin ; éviter de les
importuner en les requérant d'amour ; fréquenter les
prud'hommes ; entrer dans les églises pour prier Dieu. En
quittant sa mère, il s'éloigne de son enfance. Mais il n'a
rien compris à cet enseignement. S'il répète qu'il suit ses
conseils, il les applique bizarrement : il prend de force un
baiser et son anneau à la demoiselle de la tente ; il pénètre
à cheval dans le château d'Arthur où, en repartant, il abat
la coiffure du roi et où, surtout, il ne pense qu'à s'approprier
les armes du Chevalier Vermeil, manifestant un autre trait
de l'extrême jeunesse : ce qui lui plaît doit lui appartenir,
et vite. De la même manière que, dans la forêt, il tue les
daims et les chevreuils, il abat le Chevalier Vermeil dont il
prend les armes tout en conservant ses propres vêtements.
Ainsi exprime-t-il à la fois son ignorance des usages du
monde, un ingénu et solide bon sens, un affectueux attache-
ment à tout ce qui lui a été donné par sa mère et une obstina-
tion de primitif.

Gornemant de Gort, qui lui a donné des leçons de maniement des armes, lui apprend les obligations du chevalier :
respect de la vie de l'adversaire vaincu qui demande grâce,
discrétion en paroles, aide aux dames, fréquentation des
églises et recherche du salut de son âme. Surtout, il lui
demande de ne plus répéter naïvement tout ce que sa mère
lui a appris et il obtient qu'il quitte ses vêtements de paysan.
À l'école du vavasseur qui a senti la qualité de son âme,

Perceval se sépare définitivement de l'enfance : il fait désormais partie d'un monde d'hommes. Mais, dès qu'il a découvert les secrets de la chevalerie, il revient avec une piété toute filiale vers sa mère qu'il a abandonnée.

Enfin, il accède à l'ordre du cœur par la découverte progressive de la charité qui est supérieure à la largesse d'Alexandre et qui fonde la *prodomie* : il est alors un chevalier accompli, un *prud'homme*.

L'initiation à l'amour

Très vite, la formation à l'amour va enrichir l'éducation chevaleresque du *nice* qui n'a connu jusqu'alors que les servantes de sa mère.

Ébloui par le lumineux éclat de la tente, qui rappelle celui des armes des chevaliers, face à la demoiselle qu'il découvre, il manque à tous les usages et récite automatiquement les leçons de sa mère, déroutant de naïveté et de sottise en expliquant tout ce qu'il fait et en interprétant mal les recommandations qu'il a reçues : alors que sa mère lui avait permis d'embrasser une jeune fille si elle était consentante, la permission devient un commandement ; il ne prend pas le *surplus* comme sa mère le lui a enseigné, mais il le fait de façon impudique en multipliant les baisers. Égocentrique comme un enfant solitaire, il n'écoute pas les propos qu'on lui tient ou n'entend que ce qu'il veut ; il est indifférent aux demandes, aux craintes et à la douleur d'autrui.

Au château de Blanchefleur commence son initiation amoureuse, incomplète certes et moins complaisamment prolongée que celle de Daphnis et Chloé. Bien que Perceval ne désire pas Blanchefleur, qu'il ne se rende pas compte qu'il l'aime et qu'il ne voie pas sa beauté, il découvre, par une sorte de révélation, la joie des sens, des baisers, du badinage, et l'enthousiasme, l'émulation à la prouesse. Il ressent une certaine émotion faite de tendresse, de pitié et d'ouverture aux tourments d'autrui.

Avec l'épisode des gouttes de sang sur la neige, dans une scène de contemplation extatique, il apprend l'intériorité et la méditation ; par le retour sur soi-même, il atteint au raffinement de l'amour courtois. Celui-ci devient une étape sur la voie de la connaissance de soi, médiateur entre le héros et l'objet de sa quête, qui n'est pas la femme mais lui-même. L'aimée le pousse à éprouver le désir et le besoin de se retrouver : c'est le miroir où se projette la beauté divine et qui rend possible l'accès au graal [1].

Perceval est devenu un parfait chevalier : il a dépassé Keu et atteint le niveau de Gauvain. En même temps s'est formée la personnalité d'un homme, de la plus primitive enfance, ignorante, égoïste, insensible à autrui, dénuée de jugement personnel, jusqu'à l'âge adulte : maintenant, il laisse parler les autres (Gornemant de Gort, Blanchefleur), il les découvre et, pour eux, il risque sa vie ; s'il échoue au château du Graal, il est capable d'aller au-delà des apparences ; il prend conscience de l'unité de son moi et de ses responsabilités ; aussi veut-il réparer ses erreurs passées (envers sa mère et la demoiselle de la tente, comme plus tard pour le graal). Maître de lui-même, il fait librement ses choix dès l'épisode de son affrontement avec les agresseurs de Beaurepaire.

L'initiation religieuse

L'éducation chevaleresque et amoureuse de Perceval débouche enfin sur une éducation religieuse qui la couronne.

À l'origine, quelle est sa religion ? Jusqu'à la rencontre du Vendredi saint, est-ce un sauvageon qui n'est pas vraiment chrétien, comme le soutient Mario Roques [2], ou bien a-t-il déjà reçu un enseignement authentiquement chrétien ? Soustrait aux obligations de l'Église (messe dominicale,

---

1. Voir P. Gallais, *Perceval et l'initiation*, *op. cit.*, *passim*.
2. « Le graal de Chrétien et la demoiselle au graal », *Romania*, t. LXXVI, 1955.

communion à Noël, Pâques et Pentecôte), il ignore ce qu'est une église ; il n'est pas certain qu'il se reconnaisse une âme et qu'il ait la notion du péché ; mais, quand il quitte le château de Beaurepaire, il sait qu'un couvent peut être le refuge d'une veuve qui se prépare à mourir, il connaît la terminologie de la liturgie de la mort, il a foi en la participation des défunts aux mérites des vivants et en la Providence, il a conscience de la nécessité du clergé régulier qui ne peut se consacrer à la prière que si on lui assure la subsistance matérielle. Son dialogue avec les pénitents n'a pas l'aspect d'une initiation religieuse : il ne demande pas qui est Jésus-Christ, pourquoi il est mort et quel jour ; il ne pose aucune question sur la rédemption et sur la nécessité de la confession. Quand il entend parler de celle-ci, il se met à pleurer : son instinct religieux se réveille. Il s'agit d'un retour à Dieu [1].

La piété de Perceval, qui existe, n'est donc qu'extérieure, conçue comme un ensemble de pratiques nécessaires pour faire son salut. Aussi se tait-il à l'arrivée du graal, ébloui qu'il est par l'éclat des couleurs et des lumières. Sa *niceté* de jeune rustre est devenue aveuglement moral et religieux. Quand sa cousine lui apprend qu'il a commis et expie une faute envers sa mère, il éprouve du remords et de la pitié, mais décide de poursuivre sa route.

Un changement plus radical se produit après l'épisode de la Demoiselle Hideuse. Perceval ne vise plus qu'un seul but qu'il va poursuivre sans relâche jusqu'à ce qu'il l'ait atteint : découvrir les secrets du graal et de la lance. Cette décision, subite en apparence, est le résultat d'une lente maturation. Il ne s'abandonne plus aux circonstances, il ne cherche plus l'aventure mais la vérité. Toutefois, cette quête demeure profane : Perceval oublie Dieu pendant cinq ans.

C'est alors qu'il rencontre le cortège du Vendredi saint, qu'il se repent et se confesse. L'ermite, qui est son oncle,

1. O. Jodogne, « Le sens chrétien du jeune Perceval dans *Le Conte du graal* », *Lettres romanes*, t. XIV, 1960, p. 111-121.

l'instruit et lui apprend une prière qu'il lui chuchote à l'oreille et qui le sauvera du danger de la mort. Perceval communie. Sa religion est une religion de prière, d'adoration et d'amour de Dieu ; théocentrique, elle met l'accent sur Jésus-Christ, Dieu incarné et sauveur qui a souffert la Passion pour expier les péchés des hommes [1]. L'office du Vendredi saint est le plus important, et la messe est définie comme un sacrifice en relation avec la Passion du Christ. Le devoir par excellence est celui de pénitence corporelle et spirituelle. Cette religion, quelque peu ésotérique, qui comporte des devoirs moraux d'humilité et de charité active, transforme le graal en relique de la Passion.

Initié, Perceval deviendra-t-il le héros salvateur qui retournera au château du Graal pour en percer les mystères, puis au château de Blanchefleur pour lui rendre la prospérité ? Ou bien ne reverra-t-il jamais le graal, simple vision fugitive ? Ou, plus probablement, continuera-t-il sa route vers un dépouillement et une intériorisation de plus en plus grands, héros christique engagé dans une quête toujours poursuivie et jamais achevée jusqu'à ce qu'il voie Dieu face à face ? Ici, la chevalerie n'est plus terrestre mais *célestielle* ; l'éducation est devenue initiation. Le graal, qui, à son apparition, est un plat luxueux, merveilleux par la lumière qu'il dégage et les pierres précieuses qui ornent l'or massif, et qui évoque encore les coupes celtiques d'abondance, se christianise au cours du roman et devient un ciboire. Le roman courtois se prolonge en un roman religieux et ascétique dont le centre est le culte de la croix entourée des deux reliques de la Passion, le graal et la lance qui saigne [2].

---

1. P. Imbs, « L'élément religieux dans *Le Conte du graal* de Chrétien de Troyes », *Les Romans du graal dans la littérature des XIIe et XIIIe siècles*, CNRS, 1956, p. 31-53.

2. Au cœur de l'œuvre, la scène du graal est « un grand moment théâtral étiré dans un long moment de silence », sujet d'un discours toujours recommencé, spectacle énigmatique, inintelligible, qui dessine, selon Francis Dubost, une croix vivante (F. Dubost, *Le Conte du graal ou l'Art de faire signe*, Champion, « Unichamp », 1998, p. 158).

UN ROMAN-MIROIR

Le Conte du graal, s'il est un roman d'apprentissage, est aussi, pour Perceval comme pour Gauvain, un roman familial qui procède par révélations successives – on apprend ainsi que le Roi Pêcheur est le fils du vieux roi qui se nourrit d'une hostie, et qui est le frère de la mère de Perceval et de l'ermite –, mais c'est surtout un roman-miroir, reposant sur le principe du dédoublement et du diptyque.

Le roman est fondé d'abord sur des échos, des correspondances et des oppositions, qui scandent la progression du jeune Perceval : adolescent glouton dans la tente de la demoiselle, le personnage partage, lors de sa dernière apparition, la nourriture frugale de l'ermite ; il conquiert les armes vermeilles qu'il abandonne devant la hutte du même ermite ; bavard, il pose de multiples questions au maître des chevaliers, mais il se tait au château de Blanchefleur et lorsqu'il voit passer le cortège du graal ; désigné d'abord par des surnoms (« Cher fils », « Cher frère », « Cher seigneur »), il découvre, après avoir mûri, son nom – « Perceval le Gallois » –, que conteste aussitôt sa cousine en l'appelant « Perceval l'Infortuné », « malheureux Perceval » (p. 99).

Plus frappant encore, le récit est organisé autour de deux personnages, Perceval et Gauvain, chacun animé par une quête – celle du graal pour le premier, celle de la lance pour le second –, et à qui l'auteur consacre deux parties sensiblement équivalentes, avec des échos de l'une à l'autre. Tous deux sont accusés d'un meurtre, et tous deux ont une relation privilégiée avec un être innocent : Perceval avec la demoiselle qui rit, Gauvain avec la Demoiselle aux Petites Manches. Tous deux sont maudits par de mystérieux envoyés : Perceval par la Demoiselle Hideuse, Gauvain par Guinganbrésil. Tous deux découvrent sous un chêne une femme désespérée qui tient sur ses genoux un chevalier

blessé ou mort, et qui leur fait d'inquiétantes révélations.
Au château du Graal, qui oscille mystérieusement entre
absence et présence, entre permanence et intermittence,
correspond le château de la Merveille, qui ne présente
aucun caractère d'incertitude ; si les deux châteaux sont
de l'Autre Monde, l'un est plutôt masculin (deux rois y
vivent), et Perceval en est rejeté, tandis que l'autre est féminin (deux reines y vivent), et Gauvain s'y trouve retenu.
Perceval s'assied sur le lit de Beaurepaire à côté de Blanchefleur, Gauvain sur le lit de la Merveille à côté de Clarissant.
L'*eschacier* à la jambe d'argent rappelle le Roi Pêcheur que
sa blessure a privé de sa qualité chevaleresque, au point que
Francis Dubost a pu se demander : « L'infirme silencieux et
dolant serait-il le roi disqualifié de cet Autre Monde où
pénètre Gauvain et dont il est appelé, sans le savoir ni le
vouloir, à devenir le souverain [1] ? » Perceval et Gauvain
sont l'un et l'autre confrontés aux forces du Mal, le premier
à l'Orgueilleux de la Lande, le second à l'Orgueilleuse de
Logres. Tous deux sont attendus comme des sauveurs, etc.
On pourrait nourrir à l'envi cette liste de ressemblances, et
ajouter que ni l'un ni l'autre ne posent de questions sur les
événements étranges dont ils sont les témoins, ou encore
que l'un et l'autre sont circonvenus par le discours d'une
femme – Perceval par celui de Blanchefleur, Gauvain par
celui d'Ygerne.

Les différences entre les deux personnages n'en sont que
plus frappantes : tandis que Perceval vit ses aventures de
nuit – chez Blanchefleur ou au château du Graal –, Gauvain,
héros solaire, les vit de jour. Si le premier échoue au château
du Graal, alors que le second triomphe du lit de la Merveille, il semble bien que Perceval apparaisse comme un
personnage en construction, et que Gauvain soit soumis à
un processus de déconstruction : le prestigieux chevalier,
contraint de monter sur un horrible canasson, devient finalement le double d'un écuyer grotesque. Chevalier aux deux

1. *Ibid.*, p. 82.

écus lors du tournoi de Tintagel, il passe pour couard le premier jour et triomphe le second, à la fois pantin courtois et redresseur de torts, dont on ne saura jamais s'il a commis le régicide dont il est accusé. Déterminé par autrui, il est amené, par deux fois, à se défendre malgré lui. La méchante demoiselle, qui le suit comme son ombre, lui renvoie une image dégradée de lui-même, en spectatrice de sa honte. Homme du passé, Gauvain obéit constamment à l'éthique chevaleresque, au point de courir le risque d'être la caricature du chevalier courtois, tandis que « Perceval fait figure d'un aventurier de l'esprit poussé vers la quête du savoir[1] ».

Il reste que Chrétien de Troyes, soucieux de ne pas dégrader l'image de Gauvain tout en suggérant des faiblesses et des zones d'ombre, n'a cessé de tisser des liens entre les deux protagonistes de son roman. En présentant deux itinéraires différents, il privilégie la nouvelle chevalerie, la chevalerie spirituelle, qui est destinée à supplanter la chevalerie courtoise, mais il se refuse à trop diminuer Gauvain – car la chevalerie spirituelle n'est peut-être pas à la portée de tous, et il faut en tout état de cause égaler Gauvain pour pouvoir prétendre devenir un jour Perceval.

Le Conte du graal, fondé sur un ensemble d'images et de discours, hanté par la dualité et le double, est un texte opaque, volontairement crypté, qui invite à scruter sans cesse les signes et les correspondances. Il appelle la mise au jour de richesses toujours renouvelées ; il interroge, égare, se dérobe, assigne à ses lecteurs un travail de fouille toujours plus minutieux. Ceux-là allieront de façon indissociable la jubilation d'une lecture active à la résignation face aux questions laissées en suspens ; ils savoureront l'inachèvement de leurs interprétations ; ils apprécieront leur frustration même. C'est de leur égarement dans ce texte foisonnant que naîtra leur plaisir, dans cette œuvre à jamais

---

1. *Ibid.*, p. 189.

ouverte, instable, indéchiffrable, d'autant plus qu'elle offre
les apparences de l'inachèvement, et se termine par des
points de suspension qui en appellent à des continuations,
lesquelles, du Moyen Âge à nos jours, ont été nombreuses.

Jean DUFOURNET

NOTE SUR LA TRADUCTION

Notre traduction suit l'édition du *Conte du graal* par Alfons Hilka (Halle, 1932) ; les lecteurs désireux de consulter le texte en ancien français se reporteront à notre édition bilingue de l'œuvre (GF-Flammarion, 1997).

Nous avons cherché à offrir du roman médiéval une traduction que puisse directement saisir le lecteur qui ne connaît pas l'ancien français. Nos principes sont l'exactitude, la modernité, l'agrément et la brièveté. Une traduction doit se suffire à elle-même, se comprendre d'emblée, sans vouloir rendre tous les mots-outils ni allonger le texte, sous le prétexte d'en exprimer toutes les nuances.

Notre traduction se tient au plus près de l'original qu'elle ne modifie que lorsque la stricte intelligibilité l'exige. Elle s'efforce d'en préserver la densité et la vigueur. Elle respecte les reprises et les répétitions, le mouvement, l'ordre des mots et des propositions. Le plus souvent possible, elle conserve les termes du texte qu'elle utilise dans des tours modernes. À l'exemple de Victor-Henry Debidour, nous avons tenté d'être *littéralement* fidèle à l'*esprit* du texte. Il faut surtout, comme nous l'a rappelé Vladimir Nabokov, que le traducteur se garde de trois péchés capitaux : commettre des erreurs par ignorance, s'estimer supérieur aux auteurs, enjoliver et modifier les œuvres selon son propre goût.

PERCEVAL
ou
LE CONTE DU GRAAL

Qui sème peu récolte peu [1], et qui veut faire une bonne récolte doit répandre sa semence en un lieu qui lui rapporte au centuple, car en une terre qui ne vaut rien la bonne semence sèche et disparaît. Chrétien sème, et sa semence, c'est un roman qu'il commence et qu'il sème en un si bon lieu qu'il ne peut être sans grand profit, car il le fait pour l'homme le plus sage [2] qui soit dans l'empire de Rome :

---

1. Dès le premier vers, l'auteur indique l'orientation religieuse de son roman par une citation de la seconde épître de Paul aux Corinthiens, IX, 6.
2. Nous traduisons ainsi l'expression *le plus prodome*. C'est un mot-clé du roman. L'œuvre de Chrétien de Troyes permet de saisir l'évolution sémantique du mot, issu de *preu d'ome, pro d'ome* (comme on dit encore « diable d'homme ») et devenu *prud'homme*, dont le sens est plus restreint. Dans les deux premiers romans de l'écrivain, *Érec et Énide* (vers 1170) et *Cligès* (vers 1176), le mot a un sens intramondain et chevaleresque : la *prodomie* se manifeste surtout par la largesse. Ensuite, dans *Le Chevalier au lion* et *Le Chevalier de la charrette* (écrits entre 1177 et 1181), le *prodome* est un agent actif contre les forces du mal qui discréditent la féodalité. On distinguera le *chevalier*, qui marque l'appartenance à la féodalité et qui est surtout un technicien de la guerre, et le *prodome*, qui appartient à l'élite morale de la noblesse et incarne le véritable chevalier. Enfin apparaît la dimension religieuse : le *prodome* craint Dieu et pratique la charité, comme le signale le prologue de *Perceval*. Joinville le distingue du *preu ome*, seulement fort et courageux. *Le Conte du graal* marque le passage à cette troisième étape : « L'harmonie entre pensée, parole et action, la relation idéale au monde, la pureté intégrale constituent l'être du *prodome*, et le fait qu'il accomplisse les exigences les plus élevées ne s'explique que par la grâce dont il bénéficie » (E. Kölher, *L'Aventure chevaleresque. Idéal et réalité dans le roman courtois*, Gallimard, 1974, p. 158). On est là au seuil de la chevalerie sublimée, « célestielle », représentée par Galaad, le fils de Lancelot – héros de la chasteté, de la pureté et de la piété active.

c'est le comte Philippe de Flandre[1], qui vaut mieux qu'Alexandre[2], celui dont on dit qu'il eut tant de valeur. Mais je prouverai que le comte vaut mieux que lui, et de beaucoup, car il avait accumulé en lui tous les vices et tous les défauts dont le comte est pur et dépourvu.

Le comte est tel qu'il n'écoute ni plaisanterie vulgaire ni folle parole, et s'il entend dire du mal d'autrui, de qui que ce soit, il en est affligé. Le comte aime la vraie justice, la loyauté et la sainte Église, et il hait toute bassesse ; il est plus généreux qu'on ne le sait, car il donne sans hypocrisie ni arrière-pensée suivant l'Évangile[3] qui dit : « Que ta main gauche ne sache pas le bien que fera ta main droite ! » Que le sache celui qui le reçoit, ainsi que Dieu, qui voit tous les secrets et connaît tout ce qui est caché dans les cœurs et les entrailles. L'Évangile, pourquoi dit-il : « Cache tes bienfaits à ta main gauche » ? La main gauche, d'après la doctrine, signifie la vaine gloire qui vient de la trompeuse hypocrisie. Et la droite, que signifie-t-elle ? La charité, qui ne se vante pas de ses bonnes œuvres mais se cache, en sorte que nul ne le sait, sinon celui qui a nom Dieu et charité : Dieu est charité, et celui qui vit dans la charité, selon l'Écriture – saint Paul le dit[4], et je l'ai lu –, demeure en Dieu et Dieu en lui. Sachez donc en vérité que ce sont des dons de charité que les dons du bon comte Philippe, car il n'en parle à personne sauf à son cœur noble et généreux qui l'incite à faire le bien. Ne vaut-il pas mieux qu'Alexandre qui ne

---

1. Philippe d'Alsace (1142-1191), comte de Flandre, fut un pionnier de la croisade. Il mourut au cours de la troisième croisade, devant Saint-Jean-d'Acre. En relation avec la cour de Champagne, il demanda en 1182 la main de Marie, veuve du comte Henri.

2. Alexandre le Grand (356-323 av. J.-C.) fut pour les gens du Moyen Âge le type même du preux, un modèle de générosité, un découvreur de mondes inconnus (voir P. Meyer, *Alexandre le Grand dans la littérature française du Moyen Âge*, 2 vol., Paris, F. Vieweg, 1886). Il est ici critiqué au profit de Philippe d'Alsace. Peut-être a-t-il été la victime du courant anti-grec très fort à l'époque des troisième et quatrième croisades.

3. Celui de saint Matthieu, VI, 2-4.

4. Non pas saint Paul, mais saint Jean dans sa première épître, IV, 16.

se soucia pas de charité ni de nul bien ? Oui, n'en ayez aucun doute. Chrétien n'aura donc pas perdu sa peine, puisqu'il emploie toute sa peine à mettre en vers sur l'ordre du comte le meilleur conte qui soit conté en cour royale : c'est le conte du graal dont le comte lui a donné le livre [1], et vous allez entendre comment il s'en acquitte.

C'était au temps où les arbres fleurissent, où les bois se couvrent de feuilles et les prés verdissent, où les oiseaux dans leur ramage chantent doucement au matin, où toute créature brûle de joie [2] : le fils de la Veuve [3] de la solitaire Forêt Déserte [4] se leva, et il n'eut aucune peine à seller son cheval de chasse et à prendre trois javelots. C'est ainsi qu'il sortit du manoir de sa mère et pensa qu'il irait voir les herseurs qui pour elle hersaient ses avoines avec douze bœufs et six herses. Ainsi entra-t-il dans la forêt et aussitôt son cœur, au plus profond de lui-même, fut transporté de bonheur à cause de la douceur du temps et du chant des oiseaux qui s'en donnaient à cœur joie. Tout cela le rendait heureux. Comme le temps était doux et serein, il ôta le mors à son cheval et le laissa paître à son gré dans l'herbe nouvelle qui verdoyait. Et lui, habile à manier ses javelots, il allait les

---

1. Nous ignorons tout de cette source livresque. Cet avant-texte, dont la forme reste inconnue, est appelé dans le texte original *livre*, *estoire*, *letre* ou *conte*.

2. Il s'agit du motif répandu du printemps, dont Chrétien de Troyes ne retient que quelques éléments.

3. Perceval n'est d'abord désigné que par des périphrases et des surnoms ; il le sera ensuite par son renom et ses exploits ; enfin, son nom apparaît p. 99.

4. Dans le texte : *la gaste forest soutainne*. Cette notation apparente le récit à un conte merveilleux. La forêt, a écrit J. Le Goff, est « l'horizon inquiétant du monde médiéval. Elle le cerne, l'isole, l'étreint » (*La Civilisation de l'Occident médiéval*, Arthaud, 1964, p. 171). Si elle inquiète par les dangers qu'elle recèle, elle est aussi, dans le genre romanesque, le lieu du refuge et le cadre de l'aventure chevaleresque, un monde de merveilles et de périls, le monde de la chasse qui met le héros en relation avec l'Autre Monde, avec son destin.

lançant de tous côtés, tantôt en avant et tantôt en arrière, tantôt en bas et tantôt en haut [1], quand il entendit parmi le bois venir cinq chevaliers en armes [2], équipés de pied en cap. Quel grand vacarme faisaient les armes de ceux qui venaient ! Car souvent se heurtaient aux armes les branches des chênes et des charmes ; les lances se heurtaient aux boucliers, et tous les hauberts bruissaient. Résonnait le bois et résonnait le fer des boucliers et des hauberts.

Le jeune homme [3] entendit sans les voir ceux qui arrivaient au galop. Il s'en étonna et se dit :

« Par mon âme, elle m'a dit la vérité, madame ma mère, quand elle m'a dit que les diables sont plus effrayants que tout au monde ; elle m'a dit aussi, en vue de m'instruire, que pour s'en garder on doit se signer ; mais je mépriserai cet enseignement : non, vraiment, je ne me signerai pas, mais je frapperai le plus fort d'un de mes javelots, si bien qu'aucun des autres ne s'approchera jamais de moi, j'en suis persuadé. »

---

1. Sur ce passage, on lira les belles pages de F. Dubost, qui estime que la trajectoire des javelots dessine une matrice de la croix (voir *Le Conte du graal ou l'Art de faire signe*, *op. cit.*, p. 52-55).

2. Le chevalier était : 1) un cavalier 2) qui portait des armes caractéristiques, offensives (*espié*, *espee*, *brant*, *lance*) et défensives (*heaume*, *haubert*, *broigne*, *escu*) ; 3) un guerrier professionnel qui devait avoir des qualités physiques (car l'armement était lourd), morales, et faire l'apprentissage de son métier. Les chevaliers formaient une corporation qui avait ses maîtres (les seigneurs chevaliers), ses compagnons (les simples chevaliers), ses apprentis (les écuyers), ses saints patrons, son rite d'initiation (l'adoubement). Le chevalier était donc un guerrier d'élite au plus haut niveau. Voir J. Flori, « La notion de chevalerie dans la chanson de geste du XIIe siècle », *Le Moyen Âge*, t. LXXXI, 1975, p. 210-244.

3. Nous avons traduit ainsi le mot *vaslez* qui, dans notre texte et à l'origine, désignait un adolescent de famille noble servant à la cour d'un grand pour apprendre les armes et les belles manières, et dont la bonne naissance empêchait qu'on lui demandât des services subalternes. Le mot insistait sur la jeunesse du personnage, de sorte que l'idée de noblesse a pu disparaître : *vaslez* désignait aussi bien un jeune homme. Progressivement, le mot s'est également appliqué à des serviteurs qui n'étaient pas nobles.

Tels sont les propos que se tint à lui-même le jeune homme avant qu'il ne les vît. Mais quand il les vit à découvert, sortant du bois, et qu'il vit les hauberts qui bruissaient et les heaumes clairs et brillants, et les lances et les boucliers qu'il n'avait jamais vus, quand il vit le vert et le vermeil reluire au soleil, et l'or et l'azur et l'argent, le spectacle lui parut extraordinaire de beauté et de grandeur.

« Ah ! Seigneur Dieu, pardon ! Ce sont des anges que je vois ici. Oui vraiment, j'ai commis un grave péché, j'ai bien mal agi en disant que c'étaient des diables. Ma mère ne m'a pas raconté des histoires quand elle m'a dit que les anges étaient les plus beaux êtres qui soient, sauf Dieu qui est plus beau que tous. Je vois ici Notre-Seigneur Dieu, je crois, car j'en contemple un qui est si beau que les autres, Dieu me garde ! n'ont pas le dixième de sa beauté, et c'est ma mère qui m'a dit qu'on doit croire en Dieu, l'adorer, le révérer, l'honorer. J'adorerai donc celui-ci, et tous les autres avec lui. »

Aussitôt il se jette à terre et récite son credo et toutes les prières qu'il savait et que sa mère lui avait apprises. Le chef des chevaliers, à sa vue, dit :

« Restez en arrière, car ce jeune homme nous a vus et de peur il est tombé à terre. Si nous allions tous ensemble vers lui, il serait, je crois, si terrifié qu'il mourrait et qu'il ne pourrait répondre à aucune de mes questions. »

Ils s'arrêtent, et lui d'avancer à vive allure vers le garçon ; il le salue et le rassure en disant :

« Jeune homme, n'ayez pas peur.

– Je n'ai pas peur, fit le jeune homme, par le Sauveur en qui je crois. Êtes-vous Dieu ?

– Non, par ma foi.

– Qui êtes-vous donc ?

– Je suis chevalier.

– Jamais je n'ai connu de chevalier, je n'en ai vu aucun, et jamais je n'en ai entendu parler. Mais vous êtes plus beau que Dieu. Ah ! si je pouvais être comme vous, tout brillant et fait comme vous ! »

Sur ce, le chevalier s'est approché de lui et il lui demande : « As-tu vu aujourd'hui sur cette lande cinq chevaliers et trois jeunes filles ? »

Ce sont d'autres nouvelles que le jeune homme cherche à obtenir ; il tend la main vers sa lance, la prend et dit :

« Mon cher seigneur, vous qui avez nom de chevalier, qu'est-ce que vous tenez là ?

– Me voici bien avancé, fait le chevalier, me semble-t-il. Je croyais, mon cher ami, obtenir des nouvelles de toi, et c'est toi qui veux les apprendre de moi. Je vais te répondre : ceci est ma lance.

– Voulez-vous dire qu'on la lance tout comme moi mes javelots ?

– Non pas, jeune homme, tu es vraiment sot. On en frappe plutôt de près.

– Alors mieux vaut l'un de mes trois javelots que vous voyez ici, car tout ce que je veux, je le tue avec, oiseaux et bêtes, selon les besoins, et je les tue d'aussi loin qu'on pourrait tirer une flèche.

– Jeune homme, de cela je n'ai que faire, mais sur les chevaliers réponds-moi : dis-moi si tu sais où ils sont. Et les jeunes filles, les as-tu vues ? »

Le jeune homme le saisit par le bord du bouclier et lui dit tout à trac :

« Cela, qu'est-ce que c'est, et à quoi cela vous sert-il ?

– Jeune homme, c'est une plaisanterie, car tu me parles d'un autre sujet que celui qui m'intéresse. Je croyais, Dieu me pardonne ! que tu me donnerais des informations plutôt que tu en apprennes de moi, et tu veux que moi, je t'en apprenne ! Je t'en donnerai quand même, car tu m'inspires de la sympathie : bouclier, c'est le nom de ce que je porte.

– Bouclier, c'est son nom ?

– Oui, vraiment, et je ne dois pas le mépriser, car il m'est si dévoué que, si on m'attaque à la lance ou à l'arc, il s'interpose contre les coups : c'est le service qu'il me rend. »

Alors ceux qui étaient en arrière s'en vinrent par le chemin, au pas, vers leur seigneur, et lui dirent aussitôt :

« Seigneur, que vous raconte ce Gallois ?

– Il ne connaît pas tous les usages, répondit-il, Dieu me pardonne ! car à toutes les questions que je lui pose, il ne répond jamais directement, mais, de tout ce qu'il voit, il demande quel en est le nom et ce qu'on en fait.

– Seigneur, sachez sans plus attendre que les Gallois sont tous par nature plus fous que bêtes en pâture. Celui-ci est pour ainsi dire une bête. C'est folie de s'arrêter auprès de lui si on ne veut pas s'amuser à perdre son temps à des folies.

– Je ne sais pas, Dieu me garde ! Avant de me mettre en route, tout ce qu'il voudra, je le lui dirai. Sinon, je ne le quitterai pas. »

Et il lui demanda à nouveau :

« Jeune homme, sans vouloir te fâcher, dis-moi donc, à propos des cinq chevaliers et aussi des jeunes filles, si tu les as rencontrés ou vus. »

Mais le jeune homme le retenait par le pan du haubert et il le tirait à lui :

« Dites-moi donc, cher seigneur, quel est ce vêtement ?

– Jeune homme, tu ne le sais donc pas ?

– Moi, non.

– Jeune homme, c'est mon haubert, et il est aussi pesant que du fer.

– Il est en fer ?

– Tu le vois bien.

– À cela, dit-il, je ne connais rien, mais il est très beau, que Dieu me sauve ! Qu'en faites-vous et à quoi sert-il ?

– Jeune homme, c'est facile à expliquer : si tu voulais lancer contre moi un javelot ou tirer une flèche, tu ne pourrais me faire aucun mal.

– Seigneur chevalier, que de tels haubers Dieu garde les biches et les cerfs, car je ne pourrais en tuer aucun, et je ne les pourchasserais plus jamais ! »

Quant au chevalier, il lui répéta :

« Jeune homme, avec l'aide de Dieu, peux-tu me donner des nouvelles des chevaliers et des jeunes filles ? »

Et l'autre, qui n'était pas bien malin, de lui rétorquer :

« Êtes-vous né ainsi ?

– Non, jeune homme, c'est impossible : aucun être ne peut naître ainsi.

– Qui vous a donc équipé ainsi ?

– Jeune homme, je vais bien te dire qui.

– Dites-le donc.

– Bien volontiers. Il n'y a pas encore cinq jours passés que le roi Arthur m'a donné cet équipement lorsqu'il m'a adoubé [1]. Mais de ton côté dis-moi maintenant ce que devinrent les chevaliers qui vinrent par ici, conduisant trois jeunes filles. Vont-ils au pas ou s'enfuient-ils ?

– Seigneur, répondit-il, regardez donc ce bois que vous voyez là-haut, et qui entoure cette montagne : ce sont les défilés de Valdonne.

– Et alors, mon frère ?

– Là-bas se trouvent les herseurs de ma mère qui hersent et labourent ses terres ; si ces gens sont passés par là, et s'ils les ont vus, ils le diront. »

----

1. Le sens du verbe *adouber* a évolué. Dans les chansons de geste qui précèdent les romans de Chrétien de Troyes, le mot signifie « armer », « donner des armes », dans un sens purement militaire. L'homme adoubé est équipé pour le combat : revêtu du haubert (ou de la broigne) et du heaume, il porte l'écu et la lance. Le mot ne comporte aucune dimension sociale, juridique ou religieuse. *S'adouber* ou *adouber quelqu'un*, c'est se préparer ou préparer quelqu'un pour le combat. Avant 1180, on ne relève aucune allusion à un rite de passage. Le sens utilitaire de « fournir des armes » l'emporte très largement sur celui de « fournir des armes pour la première fois », et plus encore sur les sens cérémoniel de « première remise des armes à caractère solennel » et promotionnel de « faire chevalier ». Ensuite, sous l'influence des romans de chevalerie, *adouber* a signifié principalement « faire chevalier ». Voir J. Flori, « Pour une histoire de la chevalerie. L'adoubement dans les romans de Chrétien de Troyes », *Romania*, t. C, 1979 ; et « Sémantique et société médiévale : le verbe *adouber* dans les chansons de geste du XIIe siècle », *Annales ESC*, 1976, p. 915-940.

Les autres disent qu'ils s'y rendront avec lui s'il veut les conduire jusqu'à ceux qui hersent l'avoine. Le jeune homme prend son cheval et se rend là où les herseurs hersaient les terres labourées où les avoines étaient semées. À la vue de leur maître, ils tremblèrent de peur. Et savez-vous pourquoi ? À cause des chevaliers qu'ils virent, venant en armes avec lui : ils savaient bien que, s'ils lui avaient parlé de leurs activités et de leur état, il voudrait être chevalier et que sa mère en perdrait la raison, car on pensait l'empêcher de voir jamais un chevalier et d'en connaître les occupations. Le jeune homme demanda aux bouviers :

« Avez-vous vu cinq chevaliers et trois jeunes filles passer par ici ?

– Ils n'ont cessé de la journée de traverser ces défilés », répondirent-ils.

Et le jeune homme s'adressa au chevalier qui avait si longuement parlé avec lui :

« Seigneur, c'est par ici que sont passés les chevaliers et les jeunes filles. Mais de votre côté donnez-moi des nouvelles du roi qui fait les chevaliers et du lieu où il se rend le plus souvent.

– Jeune homme, je veux bien te répondre : le roi séjourne à Carduel. Il n'y a pas encore cinq jours, il s'y trouvait : j'y étais, et je le vis. Et si tu ne le trouves pas là, il y aura bien quelqu'un qui te renseignera ; il ne sera jamais si éloigné que tu n'en entendes là-bas des nouvelles. Mais je t'en prie, apprends-moi de quel nom je t'appellerai.

– Seigneur, je vais vous le dire : je m'appelle Cher fils.

– Cher fils, c'est ton nom ? Je suis persuadé que tu as aussi un autre nom.

– Seigneur, par ma foi, je m'appelle Cher frère.

– Oui, oui, je te crois, mais si tu acceptes de me dire la vérité, c'est ton vrai nom que je veux savoir.

– Seigneur, je peux bien vous dire que mon vrai nom est Cher seigneur.

– Grand Dieu ! voilà un beau nom. En as-tu un autre ?

– Seigneur, non, et jamais assurément je n'en ai eu d'autre.

– Grand Dieu ! j'entends des propos extraordinaires, les plus étonnants que j'ai jamais entendus, et tels que je ne pense pas entendre jamais. »

Aussitôt le chevalier partit au grand galop : il était fort impatient de rattraper les autres.

Quant au jeune homme, il ne traîna pas pour retourner au manoir où sa mère se tenait [1], le cœur affligé et sombre à cause de son retard. Quelle grande joie dès qu'elle le vit, sans pouvoir la dissimuler ! En mère très aimante, elle courut à sa rencontre et l'appela « Cher fils, cher fils ! » plus de cent fois.

« Cher fils, j'ai eu le cœur étreint d'angoisse par votre retard ; j'ai été si désespérée que j'ai failli en mourir. Où êtes-vous resté si longtemps aujourd'hui ?

– Où, madame ? Je vais vous le dire exactement, sans mentir en rien, car j'ai eu le cœur rempli de joie par une chose que j'ai vue. Est-ce que vous n'aviez pas l'habitude de me dire que les anges de Dieu Notre-Seigneur sont d'une si grande beauté que jamais Nature ne fit si belles créatures et qu'au monde il n'y a rien d'aussi beau ?

– Cher fils, je te le confirme : oui, je l'ai dit et je le redis.

– Taisez-vous, mère. N'ai-je pas vu à l'instant les plus belles créatures qui soient aller par la Forêt Déserte ? Elles sont plus belles, à mon avis, que Dieu et que tous ses anges. »

La mère le prit dans ses bras en disant :

« Cher fils, je te confie à Dieu, car j'ai très grand-peur pour toi. Tu as vu, je crois, les anges dont les gens se plaignent, ceux qui tuent tout ce qu'ils atteignent.

---

1. C'est le château de la mère, le château des origines, le seul à être appelé *menoir* (« manoir »). Plus ou moins noyé dans la forêt, refuge après des catastrophes, il est dirigé par une femme – ce qui accroît sa valeur symbolique (rappel de la vie intra-utérine). Le départ de Perceval marque sa naissance au monde terrestre, tandis que son séjour à la hutte de l'ermite sera lié à sa naissance à la vie spirituelle.

– Mais non, mère, pas du tout. Chevaliers : ils disent que c'est leur nom. »

La mère s'évanouit quand elle l'entendit prononcer ce nom de chevalier. Quand elle se fut redressée, elle dit en femme affligée :

« Hélas ! Quelle destinée funeste ! Mon cher fils, de la chevalerie je m'imaginais vous garder si bien que jamais vous n'en entendriez parler et que jamais vous ne verriez de chevalier. Chevalier, vous auriez dû l'être, cher fils, s'il avait plu à Dieu Notre-Seigneur de vous garder votre père et vos autres amis. Il n'y eut pas de chevalier d'aussi haute valeur, aussi redouté, aussi craint, mon fils, que votre père dans toutes les Îles de la Mer. Vous pouvez vous vanter de ne pas avoir à rougir de son lignage ni du mien, car je suis née de chevaliers, des meilleurs de cette contrée : dans les Îles de la Mer, il n'y eut pas meilleur lignage que le mien en mon temps. Mais les meilleurs sont déchus, et en plus d'un lieu il est bien connu que les malheurs accablent les gens de bien qui persévèrent dans l'honneur et la prouesse. La méchanceté, la honte et la paresse ne déchoient pas, c'est impossible, mais les bons, il faut qu'ils déchoient. Votre père, vous ne le savez pas, fut blessé entre les jambes [1], si bien qu'il demeura infirme. Sa vaste terre, son grand trésor, qu'il tenait de sa valeur, tout fut perdu, et il tomba dans une grande pauvreté. Appauvris, déshérités, détruits, c'est ce que furent, injustement, les nobles gens après la mort d'Uterpendragon qui fut roi et le père du bon roi Arthur. Les terres furent saccagées et les pauvres gens humiliés. S'enfuit qui put fuir. Votre père possédait ce manoir, ici, dans cette Forêt Déserte. Il était incapable de fuir, mais en grande hâte il s'y fit porter en litière, car il ne savait où fuir ailleurs. Quant à vous, qui étiez petit, vous aviez deux frères, qui étaient très beaux ; vous étiez petit, encore au sein, vous n'aviez guère plus de deux ans.

---

1. Cette blessure annonce celle du Roi Pêcheur (p. 97-98). D'ordre sexuel, elle entraîne la paralysie des membres inférieurs et la stérilité du pays.

« Quand vos deux frères furent grands, sur la recommandation et le conseil de leur père, ils allèrent dans deux cours royales pour obtenir armes et chevaux. L'aîné alla chez le roi d'Escavalon, et il le servit si bien qu'il fut armé chevalier. L'autre, le puîné, était chez le roi Ban de Gomeret.

« Le même jour, les deux jeunes gens furent adoubés et devinrent chevaliers, et le même jour ils partirent pour revenir à la maison, car ils voulaient me faire cette joie, ainsi qu'à leur père, qui ne les revit pas. En effet, par les armes ils furent défaits, par les armes ils furent tués tous les deux [1]. J'en porte au cœur affliction et détresse. L'aîné eut un sort effrayant : les corbeaux et les corneilles lui crevèrent les deux yeux [2]. C'est ainsi que les gens les trouvèrent morts. Du deuil de ses fils mourut le père, et moi j'ai vécu dans l'amertume après qu'il fut mort. Vous étiez toute ma consolation, tout mon bien, car il ne me restait personne d'autre parmi les miens ; Dieu ne m'avait laissé rien d'autre qui fût ma joie et mon bonheur. »

Le jeune homme prêta peu d'attention à ce que lui dit sa mère :

« Donnez-moi à manger, fait-il, je ne sais de quoi vous me parlez. Mais j'irais bien volontiers chez le roi qui fait les chevaliers ; oui, j'irai, n'en déplaise à qui que ce soit. »

La mère, aussi longtemps qu'elle le put, le retint et le retarda tout en l'équipant et en le munissant d'une grosse chemise de chanvre et de braies [3] faites à la mode du pays de Galles, où braies et chausses sont tout d'un tenant, à mon avis ; et il y eut aussi une tunique [4] et un capuchon en cuir de cerf fermé tout autour.

---

1. Il semble difficile de soutenir, avec certains, que les deux frères se sont entre-tués, comme c'est le cas des deux fils d'Œdipe dans le *Roman de Thèbes*.

2. Cette atroce énucléation préfigure la mort du Chevalier Vermeil. Voir F. Dubost, *Le Conte du graal ou l'Art de faire signe, op. cit.*, p. 54.

3. Du gaulois *braca*, le mot désigne une culotte ample, serrée aux jambes par des lanières.

4. Traduction de *cote*, sorte de blouse qui descendait jusqu'aux genoux chez les hommes et qui était plus longue chez les femmes.

C'est ainsi que sa mère l'équipa et le retarda trois jours, sans une heure de plus, car toute câlinerie se révéla inutile. La mère éprouva alors un extraordinaire chagrin. En le baisant, les bras autour de son cou, elle lui dit :

« Je suis bien triste, cher fils, de vous voir partir. Vous vous rendrez à la cour du roi, et vous lui direz de vous donner des armes. Vous n'essuierez pas de refus, car il vous les donnera, je le sais. Mais quand viendra le moment décisif de vous servir des armes, que se passera-t-il alors ? Vous ne l'avez jamais fait ni vu faire à d'autres : comment vous en tirerez-vous ? Mal, oui très mal, je le crains. Vous serez tout à fait maladroit, et il n'est pas surprenant, à mon avis, de ne pas savoir ce qu'on n'a pas appris, mais il est surprenant de ne pas apprendre ce qu'on entend et voit souvent.

« Cher fils, je veux vous donner une leçon [1] qu'il vous importe de bien comprendre, et si vous acceptez de la retenir, il pourra vous en venir grand bien. Vous serez chevalier avant peu, mon fils, s'il plaît à Dieu, et je suis d'accord. Si vous trouvez ici ou là une dame qui ait besoin d'aide ou une jeune fille désemparée, préparez-vous à l'aider si elle vous le demande, car tous les honneurs en dépendent. Qui ne porte pas honneur aux dames, il est fatal qu'il perde son propre honneur. Servez les dames et les jeunes filles, vous en serez partout honoré ; et, si vous en priez une d'amour, gardez-vous de l'importuner, ne faites rien qui lui déplaise. D'une jeune fille on obtient beaucoup avec un baiser ; si elle consent à ce baiser, je vous défends de prendre le surplus, si vous voulez bien y renoncer pour moi. Si elle a un anneau à son doigt ou une aumônière à sa ceinture, et si elle vous en fait don par amour pour vous ou à votre prière, il me sera agréable que vous emportiez son anneau. L'anneau, je vous autorise à le prendre, ainsi que l'aumônière. Cher fils, je veux encore vous dire autre chose : en chemin ou à

---

1. Dans *Le Conte du graal*, qui est aussi un roman d'éducation, c'est le premier enseignement que reçoit Perceval avant ceux de Gornemant et de l'ermite, et qu'il prendra à la lettre.

l'hôtel, ne restez jamais longtemps avec un compagnon sans lui demander son nom ; finissez par savoir son nom, car par le nom on connaît l'homme. Cher fils, parlez aux gens de bien, allez avec les gens de bien : un homme de bien n'abuse pas ceux qui lui tiennent compagnie. Par-dessus tout, je veux vous inviter à aller dans les églises et les monastères [1] prier Notre-Seigneur qu'il vous donne en ce monde l'honneur et vous accorde une conduite qui vous permette de faire une bonne fin.

– Mère, fait-il, qu'est-ce qu'une église ?

– Un lieu où l'on célèbre le service de celui qui créa le ciel et la terre et qui y mit hommes et bêtes.

– Et un monastère, c'est quoi ?

– Fils, ceci précisément : une maison belle et très sainte par ses reliques et ses trésors, où l'on sacrifie le corps de Jésus-Christ le saint prophète que les Juifs humilièrent : il fut trahi et condamné injustement, il souffrit l'angoisse de la mort pour les hommes et pour les femmes, car en enfer allaient les âmes quand elles quittaient le corps, et il les en délivra. Il fut attaché au poteau, battu, puis crucifié, et il porta une couronne d'épines. Pour entendre messes et matines, pour adorer Notre-Seigneur, je vous conseille d'aller à l'église.

– J'irai donc très volontiers dans les églises et les monastères à partir de maintenant : je vous en fais la promesse. »

Dès lors, sans plus attendre, il prit congé de sa mère qui pleurait, et déjà sa selle avait été mise. Équipé à la mode

---

1. Chrétien semble distinguer l'*église*, simple lieu de culte, et le *moustier*, édifice situé sans doute sur les routes de pèlerinage et contenant des reliques. Selon F. Dubost, *moustier* renvoie aux monastères et à la culture monastique traditionnelle : « il est peut-être orienté vers le passé, tandis que le mot *église*, plus général, est peut-être plus orienté vers la cité et vers l'avenir ». En allant plus loin, le même auteur estime que « sous le terme *église*, la mère place la présentation de Dieu, le Père, le Créateur du monde et des êtres ; sous le terme *moustier*, elle place la présentation du Fils, du Crucifié, du Dieu fait Homme, du Rédempteur » (*Le Conte du graal ou l'Art de faire signe*, *op. cit.*, p. 107-108).

galloise, il était chaussé de gros brodequins. Partout où il allait, il avait l'habitude d'emporter trois javelots, et il voulut les prendre, mais sa mère lui en fit ôter deux : il aurait eu l'air trop gallois ; et elle l'aurait fait de tous les trois si cela avait été possible [1]. Il tenait à la main droite une baguette pour fouetter son cheval. C'est en pleurant qu'au moment du départ sa mère qui le chérissait l'embrassa et pria Dieu de le garder :

« Cher fils, fit-elle, que Dieu vous conduise, et qu'il vous donne plus de joie qu'il ne m'en reste, où que vous alliez ! »

Quand le jeune homme se fut éloigné à un jet d'une petite pierre, il regarda derrière lui et vit sa mère qui était tombée à l'entrée du pont-levis : elle gisait évanouie, comme si elle était tombée morte. Mais lui cingla de sa baguette la croupe de son cheval qui s'en alla sans achopper et l'emporta à grande allure à travers la grande forêt obscure. Il chevaucha du matin jusqu'au déclin du jour. Cette nuit-là, il dormit dans la forêt jusqu'à ce qu'apparût la clarté du jour.

Au matin, avec le chant des oiseaux, le jeune homme se leva et monta à cheval ; il s'appliqua à chevaucher tant qu'il vit [2] une tente dressée dans une belle prairie, au bord d'une source. La tente était merveilleusement belle, vermeille d'un côté et de l'autre verte, avec des bandes brodées. Au sommet, une aigle dorée, sous les rayons du soleil, brillait d'une lumière vermeille, et les prés s'illuminaient de l'éclat de la tente. Autour de celle-ci, qui était la plus belle du monde, à la ronde on avait dressé deux huttes de feuillage et des cabanes galloises. Le jeune homme alla vers la tente et s'exclama avant même d'y parvenir :

« Dieu ! je vois ici votre maison, et je commettrais un péché si je n'allais vous adorer. En tout cas, ma mère disait la vérité quand elle disait qu'un monastère était la plus belle

---

1. Dans tout ce passage, on devine le mépris qui pesait alors sur les Gallois, tenus pour des êtres arriérés et frustes.

2. On notera la récurrence du thème du regard et du verbe « voir ». Les séquences narratives s'ouvrent presque toujours par une vision.

chose qui soit, et qu'elle me recommandait de n'en point rencontrer sans m'y rendre pour adorer le Créateur en qui je crois. J'irai, par ma foi, le prier qu'il me donne aujourd'hui à manger, car j'en aurais grand besoin. »

Il parvint alors à la tente qu'il trouva ouverte, avec, au milieu, un lit recouvert d'une courtepointe de soie, et voici ce qu'il vit : sur le lit, toute seule, était couchée une demoiselle endormie, sans aucune compagnie. Ses suivantes étaient allées cueillir des fleurs toutes nouvelles pour en joncher la tente, comme elles en avaient l'habitude. Quand le jeune homme entra dans la tente, son cheval achoppa si fort que la demoiselle l'entendit et se réveilla en sursaut. Le jeune homme, qui était niais, dit :

« Jeune fille, je vous salue comme ma mère me l'a appris [1]. Ma mère m'a enseigné et dit de saluer les jeunes filles, en quelque lieu que je les trouve. »

La jeune fille trembla de peur devant le garçon qui lui semblait fou, et elle se tint pour folle fieffée de ce qu'il l'avait surprise toute seule.

« Jeune homme, fit-elle, passe ton chemin ; sauve-toi, que mon ami ne te voie pas !

– Avant, je vous embrasserai, je le jure, répondit-il, n'en déplaise à quiconque, car ma mère me l'a enseigné.

– Eh bien ! moi, non vraiment, je ne t'embrasserai jamais, dit la jeune fille, pour autant que je le puisse. Sauve-toi, que mon ami ne te trouve pas, car, s'il te trouve, tu es mort. »

Le jeune homme avait les bras vigoureux, et il la prit gauchement, car il ne savait pas s'y prendre autrement. Il l'a renversée sous lui. Elle s'est bien défendue et débattue autant qu'elle a pu. Mais ses efforts furent vains, car le jeune homme, d'affilée, l'embrassa, bon gré mal gré, vingt fois, à ce que dit le conte, si bien qu'il vit à son doigt un anneau qui portait une brillante émeraude.

---

1. Perceval se réfère constamment à sa mère dont, par naïveté, il prend les enseignements à la lettre, ne s'intéressant qu'à l'apparence des choses ; il s'en libérera grâce aux recommandations de Gornemant.

« Ma mère, dit-il, m'a dit aussi de prendre l'anneau à votre doigt, à condition de ne rien vous faire de plus. Allez, l'anneau, je le veux.

– Mon anneau, tu ne l'auras jamais, non jamais, fait la jeune fille, sache-le bien, sauf si par la force tu me l'arraches du doigt. »

Le jeune homme la prit par la main, de force il lui étendit le doigt et il se saisit de l'anneau qu'il passa à son propre doigt[1].

« Jeune fille, dit-il, grand bien vous fasse ! Maintenant je m'en irai comblé ; il est bien plus agréable de vous embrasser que n'importe quelle chambrière qu'il peut y avoir dans la maison de ma mère, car votre bouche n'est pas amère. »

Tout éplorée, elle dit au jeune homme :

« N'emporte pas mon petit anneau, car j'en aurais des ennuis, et toi, tu y perdrais la vie, tôt ou tard, je te le promets. »

Le jeune homme n'était sensible à rien de ce qu'il entendait[2] mais, pour avoir jeûné, il mourait littéralement de faim. Il trouva un baril plein de vin et un hanap d'argent à côté, et il vit sur une botte de joncs une serviette blanche et toute neuve. Il la souleva et découvrit dessous trois bons pâtés de chevreuil tout frais. Ce mets fut loin de lui déplaire, à cause de la faim qui le tenaillait. Il rompit un des pâtés qu'il avait devant lui et le mangea de bon appétit[3] ; il se versa dans la coupe d'argent du vin qui n'était pas mauvais, et il en but maintes grandes rasades.

« Jeune fille, dit-il, ces pâtés, je ne pourrai pas à moi seul leur faire un sort. Venez manger, ils sont très bons. Chacun en aura assez avec le sien, et il en restera un tout entier. »

---

1. Marque de la grossièreté du jeune sauvageon, qui prend de force ce qui l'attire par sa couleur.

2. Perceval, à ce moment de son itinéraire, est insensible à la détresse d'autrui.

3. Autre trait distinctif du sauvageon : la voracité.

Pendant ce temps, elle pleure, malgré les prières et les invitations du jeune homme ; elle ne répond pas un mot, mais elle pleure à chaudes larmes et de détresse se tord les poings. Quant à lui, il mange tout son soûl et boit jusqu'à plus soif. Puis il recouvre les restes et prend congé sur-le-champ en recommandant à Dieu celle qui n'apprécie pas du tout son salut.

« Dieu vous sauve, fait-il, chère amie ! Mais, par Dieu, ne soyez pas désolée que j'emporte votre anneau, car avant que je ne meure de ma belle mort, je vous en récompenserai. Je m'en vais avec votre permission. »

La jeune fille pleure et assure qu'elle ne le recommandera jamais à Dieu, car il lui faudra par sa faute endurer tant de honte et de déplaisir que jamais aucune malheureuse n'en subit autant et que jamais de lui, aussi longtemps qu'il vive, elle n'obtiendra secours ni aide. Qu'il sache bien qu'il l'a trahie !

Elle resta ainsi éplorée [1]. Ensuite son ami ne tarda guère à revenir du bois. Il remarqua les traces laissées par le cheval du jeune homme qui avait poursuivi sa route, et il en fut fâché. Il trouva son amie qui pleurait.

« Mademoiselle, dit-il, je crois, à ces traces que je vois, qu'il y a eu un chevalier ici.

– Non pas, seigneur, je vous le jure, mais rien qu'un jeune Gallois importun, vulgaire et stupide, qui a bu de votre vin tout son content et à discrétion, et qui a mangé de vos trois pâtés.

– Et c'est pour cela, chère amie, que vous pleurez ainsi ? S'il avait bu et mangé le tout, je l'aurais accepté.

– Ce n'est pas tout, seigneur, fait-elle. Mon anneau est en cause, car il me l'a enlevé et il l'emporte. Je préférerais être morte plutôt qu'il l'ait emporté. »

Le voici tout chagrin, le cœur tourmenté.

---

1. Perceval retrouvera la jeune fille plus tard (p. 102). Le misérable état de cette dernière témoignera de la jalousie amoureuse de son ami (que Chrétien de Troyes se plaît à souligner) : il lui aura fait subir force sévices.

« Par ma foi, fait-il, cette fois, c'est passer les bornes ! Du moment qu'il l'emporte, qu'il le garde ! Mais j'ai dans l'idée qu'il y a eu autre chose, et si c'est le cas, ne me le cachez pas.

– Seigneur, dit-elle, il m'a embrassée.

– Embrassée ?

– Oui, c'est bien ce que je vous dis, mais ce fut bien malgré moi.

– Dites plutôt que ce fut avec grand plaisir. Vous n'avez pas esquissé le moindre refus, fait celui que la jalousie dévore. Vous croyez que je ne vous connais pas ? Mais si, assurément, je vous connais bien. Je ne suis pas assez borgne ni assez bigle pour ne pas voir votre fausseté. Vous voilà mal partie, vous voilà partie pour avoir des ennuis, car jamais votre cheval ne mangera d'avoine ni ne sera saigné tant que je ne m'en serai pas vengé ; et s'il perd un fer, il ne sera pas referré [1]. S'il meurt, vous me suivrez à pied, et jamais vous ne changerez les vêtements que vous portez, mais vous me suivrez à pied, en haillons [2], jusqu'à ce que je lui aie coupé la tête : je ne lui infligerai pas d'autre châtiment. »

Là-dessus il s'assit et mangea [3].

De son côté, le jeune homme chevaucha tant et si bien qu'il vit un charbonnier qui venait en poussant un âne devant lui.

« Mon brave, fit-il, indique-moi, toi qui pousses l'âne devant toi, le plus court chemin pour Carduel. Le roi Arthur – c'est lui que je veux voir – y fait des chevaliers, à ce qu'on dit.

---

1. La jalousie du personnage le pousse à étendre la punition à la monture de la jeune fille.

2. Nous traduisons ainsi le mot *nue*, qui indique que les vêtements déchirés laissent voir la peau (voir p. 102).

3. La suite de ce conte, qui est intercalé dans le roman, se trouve p. 102-107 ; elle montre l'évolution de Perceval : le *nice* (« niais », « ignorant ») est devenu un chevalier arthurien qui se fait justicier.

– Jeune homme, répondit l'autre, dans cette direction il y a un château au bord de la mer. Le roi Arthur, mon cher ami, tu le trouveras là-bas, joyeux et triste, dans ce château, si tu y vas.

– J'aimerais bien que tu me dises pourquoi le roi a de la joie et de la peine.

– Je te le dirai à l'instant même. Le roi Arthur, avec toute son armée, a combattu le roi Rion [1], et le roi des îles a été vaincu : c'est ce qui rend joyeux le roi Arthur. Mais il est fâché à cause de ses compagnons qui se sont séparés pour regagner leurs châteaux, où ils virent qu'il faisait mieux vivre, et il ne sait pas ce qu'ils deviennent ; voilà d'où vient la tristesse du roi. »

Le jeune homme ne prêta aucun intérêt aux nouvelles que lui donna le charbonnier, sinon pour s'engager dans la direction qu'il lui avait indiquée. Pour finir, il vit au bord de la mer un magnifique château, puissant et beau, et il en vit sortir par la porte un chevalier en armes, qui portait dans la main une coupe d'or [2]. Il tenait sa lance, ses rênes et son bouclier de la main gauche, et la coupe d'or de la droite. Son armure, qui lui allait bien, était entièrement vermeille [3]. Le jeune homme, à la vue de la belle armure qui était flambant neuve et qui lui plut, se dit :

« Ma foi, cette armure, je vais la demander au roi. S'il me la donne, j'en serai heureux, et maudit qui en cherche une autre ! »

_____

1. Rion, ou Ryon, que Chrétien appelle « le roi des îles », était un géant qui se glorifiait de collectionner les barbes de ses ennemis. Voulant conquérir celle d'Arthur, il fut vaincu par celui-ci. Le personnage est emprunté à l'*Historia regum Britanniae* (1135-1139) de l'écrivain gallois Geoffroy de Monmouth.

2. C'est à la fois un objet luxueux et un symbole de souveraineté, qui annonce le graal.

3. C'est sans doute la couleur rouge des armes qui émerveille et attire Perceval. Sur le rouge, couleur de l'orgueil et de la passion, voir J. Ribard, *Le Moyen Âge. Littérature et symbolisme*, Champion, 1984, p. 45.

Sur ce, il se précipita vers le château, car il lui tardait de parvenir à la cour. Quand il fut arrivé auprès du chevalier, celui-ci le retint un moment et lui demanda :

« Où comptes-tu aller, jeune homme ? Dis-le-moi.

– Je veux aller, répondit-il, à la cour pour demander ces armes au roi.

– Jeune homme, dit-il, tu as bien raison. Dépêche-toi d'y aller, et reviens ; tu diras au mauvais roi ceci : s'il ne veut pas tenir sa terre de moi, qu'il me la livre ou qu'il envoie quelqu'un pour la défendre contre moi : j'affirme qu'elle est à moi. Et voici la preuve pour qu'il te croie : sous son nez, je lui ai pris il y a un instant, avec le vin qu'il buvait, cette coupe que j'emporte. »

Que le chevalier cherche donc quelqu'un d'autre pour son message, car le jeune homme ne lui a prêté aucune attention [1]. D'une seule traite, le voici à la cour où le roi et les chevaliers étaient assis pour manger. La salle était au rez-de-chaussée, et le jeune homme entra à cheval [2] dans cette salle qui était pavée et aussi longue que large. Le roi Arthur, assis à l'extrémité d'une table, était plongé dans ses pensées [3] ; les chevaliers parlaient et plaisantaient entre eux : lui seul était pensif et silencieux. Le jeune homme s'avança, mais il ne savait lequel saluer, car il ignorait tout du roi. C'est alors qu'Yonet vint à sa rencontre un couteau à la main [4].

« Jeune homme, lui dit-il, toi qui viens par là un couteau à la main, montre-moi lequel est le roi. »

Yonet, qui était très courtois, lui dit :

« Ami, il est là-bas. »

---

1. Le sauvageon est sourd à autrui, comme il est répété p. 28, 34, 39 et 42.

2. C'est un autre signe de la grossièreté de Perceval que n'a pas encore corrigée l'éducation.

3. Le roi est absorbé dans ses pensées et comme absent au monde extérieur. Chrétien de Troyes revient sur ce trait à de nombreuses reprises.

4. Yonet est sans doute un écuyer tranchant, c'est-à-dire en charge de la découpe des aliments à la table du seigneur.

Et le Gallois de se diriger aussitôt vers le roi et de le saluer de la façon qu'il savait. Le roi demeura pensif et ne dit mot. L'autre l'interpella une seconde fois. Mais le roi demeura pensif et ne souffla mot.

« Ma foi, se dit alors le jeune homme, ce roi n'a jamais fait de chevaliers. Puisqu'on ne peut lui tirer une parole, comment pourrait-il faire un chevalier ? »

Aussitôt il se prépare à partir, et il fait tourner bride à son cheval, mais il l'a conduit si près du roi, en homme mal élevé, que devant lui – c'est la stricte vérité – de sa tête il fait tomber sur la table le chapeau. Le roi, vers le jeune homme, tourne la tête qu'il tenait baissée [1], et sortant tout à fait de ses pensées, il lui dit :

« Cher frère, soyez le bienvenu ! Je vous prie de ne pas me tenir rigueur de ne pas avoir répondu à votre salut. C'est le chagrin qui m'a empêché de vous répondre, car le pire ennemi que j'ai, celui qui me hait le plus et que je crains le plus, m'a ici même contesté ma terre, et il est si fou qu'il affirme qu'il l'aura en toute propriété, que je le veuille ou non. Il s'appelle le Chevalier Vermeil de la forêt de Quinqueroi. Or la reine [2] était venue s'asseoir ici en face de moi pour réconforter et visiter ces chevaliers qui sont blessés. Je n'aurais guère été affecté par toutes les paroles du chevalier, mais devant moi il prit ma coupe et l'enleva si furieusement qu'il versa sur la reine le vin dont elle était pleine. Ce fut là une action ignoble et grossière, et la reine, le cœur embrasé d'une violente douleur et de colère, s'est retirée dans sa chambre où elle se meurt, et je ne crois pas, Dieu me garde ! qu'elle puisse jamais en ressortir vivante. »

---

1. Selon un traité de physiognomonie du XIIIᵉ siècle, le fait de baisser la tête marquerait la douleur ou le déplaisir : « *Ceus qui sont plaintis et dolent ont la chiere abaissie et bas semblant.* » Voir J. Dufournet, *Cours sur la Chanson de Roland*, Paris, Centre de documentation universitaire, « Les Cours de Sorbonne », 1972, p. 131.

2. Guenièvre, l'épouse-fée qui garantit à Arthur sa souveraineté, est impliquée dans le défi du Chevalier Vermeil.

Le jeune homme se soucie comme d'une guigne de tout ce que le roi lui dit et raconte ; quant à la douleur et à la honte de la reine, c'est pour lui sans importance.

« Faites-moi chevalier, fait-il, monseigneur le roi, car je veux m'en aller. »

Ses yeux riants illuminaient le visage du jeune sauvage. Personne, à le voir, ne le jugeait sensé, mais tous ceux qui le voyaient le trouvaient beau et noble.

« Ami, fait le roi, mettez pied à terre et confiez votre cheval à ce valet qui le gardera et fera ce que vous voudrez. Tout sera fait, j'en fais le vœu à Dieu Notre-Seigneur, selon mon honneur et votre profit. »

Et le jeune homme a répondu :

« Mais ils n'étaient pas à pied, ceux que j'ai rencontrés dans la lande, et vous voulez que je le sois ? Non, jamais, sur ma tête, je ne mettrai pied à terre [1], mais dépêchez-vous et je m'en irai.

– Eh bien ! mon cher ami, je le ferai bien volontiers pour votre profit et mon honneur.

– Par la foi que je dois au Créateur, fait le jeune homme, mon cher seigneur le roi, je ne serai pas chevalier avant des mois si je ne suis pas un chevalier vermeil. Donnez-moi les armes de celui que j'ai rencontré là-dehors devant la porte, celui qui emporte votre coupe d'or. »

Le sénéchal [2], qui était blessé, se courrouça de ce qu'il entendit :

« Ami, dit-il, vous avez raison : allez lui enlever tout de suite les armes, car elles sont à vous. Vous n'avez pas commis de sottise en venant ici pour cela.

– Keu, fit le roi, au nom de Dieu, je vous en prie. Vous vous plaisez trop à dire des méchancetés, et peu vous importe à qui.

---

1. Perceval, qui ne veut pas se séparer de son cheval, signale par là son appartenance à la chevalerie.

2. Sur le rôle et l'importance du sénéchal Keu, voir la présentation, p. 7. Le sénéchal était chargé de seconder le seigneur dans les affaires publiques, de là son importance à la cour.

Pour un homme de bien, c'est un vilain vice. Si le jeune homme est naïf, peut-être est-il gentilhomme de haut lignage ; et si ses manières lui viennent de l'éducation qu'il a reçue d'un maître indigne, il peut encore devenir vaillant et sage. C'est une infamie que de se moquer d'autrui et de promettre sans donner. Un homme de bien ne doit pas se mêler de rien promettre à autrui qu'il ne puisse ou ne veuille lui donner, de peur qu'il ne s'attire l'hostilité de celui qui, avant toute promesse, est son ami et qui, dès qu'il y a promesse, prétend qu'on la tienne. Aussi pouvez-vous savoir qu'il vaudrait beaucoup mieux refuser que de laisser espérer. Et pour dire la vérité, il se ridiculise et se trompe lui-même celui qui promet sans tenir, car il s'aliène le cœur de son ami [1]. »

Pendant que le roi parlait ainsi à Keu, le jeune homme, qui s'en allait, vit une jeune fille belle et gracieuse, et il la salua ; elle lui rendit son salut, et elle rit en le regardant, et tout en riant elle lui dit :

« Jeune homme, si tu accomplis tout le temps de ta vie, je pense et crois au plus profond de moi-même que dans le monde entier il n'y aura pas, et il n'existera pas, et on ne connaîtra pas de chevalier meilleur que toi. Voilà ce que je pense, ce que je présume et ce que je crois. »

La jeune fille n'avait pas ri depuis plus de six ans, et elle parla si fort que tous l'entendirent [2]. Et Keu bondit, car ces paroles l'avaient exaspéré [3], et de la paume de la main il lui donna un coup si rude sur son tendre visage qu'il l'étendit sur le sol. Quand il eut frappé la jeune fille, il rencontra, en

---

1. La sagesse d'Arthur et des autres personnages est souvent d'origine proverbiale. Voir, dans le recueil de J. Morawski, *Proverbes français antérieurs au XVe siècle* (Champion, 1925, rééd. 2007), le proverbe n° 2106 : « *Qui promest et rien ne solt* [paie] *le cuer de son ami se tolt* [se prive]. »

2. Le rire se mêle aux paroles prophétiques et magiques de la jeune fille (voir aussi p. 47). Si Perceval le *nice* fait figure de fou du roi, le rire de la jeune fille signifie surtout un savoir supérieur, comme celui de Merlin. Selon F. Dubost, « le rire de la demoiselle prend valeur de signe d'élection » (*Le Conte du graal ou l'Art de faire signe, op. cit.*, p. 148).

3. Keu est vexé de ne pas passer pour le meilleur chevalier.

revenant, un fou debout près d'une cheminée, et d'un coup de pied il le poussa dans les flammes, de colère et de rancœur parce que le fou avait l'habitude de dire :

« Cette jeune fille ne rira pas avant de voir celui qui de la chevalerie remportera la palme. »

Tandis que le fou criait et que la demoiselle pleurait, le jeune homme aussitôt, sans vouloir rien entendre, se mit en quête du Chevalier Vermeil. Yonet, qui connaissait tous les raccourcis et se plaisait à rapporter les nouvelles à la cour, s'éloigna en hâte tout seul, sans compagnon, par un verger qui jouxtait la grande salle, et par une poterne descendit jusqu'à l'endroit précis où le chevalier attendait l'exploit chevaleresque et l'aventure. Or voici que le jeune homme, à vive allure, arriva vers lui pour prendre ses armes. Le chevalier, en attendant, avait déposé la coupe d'or sur un perron de pierre bise. Quand le jeune homme fut assez près de lui pour qu'ils pussent s'entendre l'un l'autre, il lui cria :

« Déposez-les, vos armes ; ne les portez plus : le roi Arthur vous le commande. »

Et le chevalier de lui demander :

« Jeune homme, est-ce que quelqu'un ose venir ici pour soutenir la cause du roi ? Si quelqu'un vient, ne me le cachez pas.

– Comment, diable, vous vous moquez de moi, seigneur chevalier, vous n'avez pas encore retiré mes armes ? Enlevez-les vite, je vous le commande.

– Jeune homme, je te demande si quelqu'un vient ici de la part du roi pour combattre contre moi.

– Seigneur chevalier, dépêchez-vous d'enlever ces armes, sinon c'est moi qui vous les enlève, car je ne vous les laisserai pas plus longtemps. Soyez sûr que je vous frapperais si vous me forciez à en parler davantage [1]. »

Du coup, le chevalier sort de ses gonds, il lève sa lance à deux mains et lui en donne un coup si fort au travers des

---

1. Dans ce passage, on assiste à un dialogue de sourds entre un chevalier chevronné et un jeune rustre qui découvre le monde de la chevalerie.

épaules, du bois de la lance, qu'il l'abat sur le cou du
cheval. Le jeune garçon se met en colère quand il ressent la
blessure du coup qu'il a reçu. Du mieux qu'il peut, il le vise
à l'œil et lance son javelot. Sans que l'autre y prenne garde
ni qu'il voie ni entende rien, il le frappe par l'œil au cerveau
si bien que de l'autre côté par la nuque giclent le sang et la
cervelle. De douleur, le cœur lui manque, il tombe à la renverse et gît de tout son long. Le jeune homme, lui, est descendu de cheval. Il met d'un côté la lance et lui enlève du
cou le bouclier, mais il ne sait venir à bout du heaume qu'il
a sur la tête, car il ne sait comment le saisir ; il veut aussi
lui prendre l'épée, mais il ne sait pas le faire, ni ne peut la
tirer du fourreau qu'il tiraille dans tous les sens. Yonet se
met à rire, à le voir si entrepris.

« Qu'y a-t-il, ami ? dit-il. Que faites-vous ?

– Je ne sais pas. Votre roi, je croyais qu'il m'avait donné
ces armes, mais j'aurais découpé le mort en tranches avant
d'emporter une seule arme, car elles lui collent au corps si
bien que le dedans et le dehors ne font qu'un, à ce qu'il me
semble, et tout l'ensemble est d'un seul tenant.

– Ne vous tourmentez pas du tout, dit Yonet, car je les
séparerai facilement, si vous le voulez.

– Dépêchez-vous donc, répondit le jeune homme, et
donnez-les-moi sans perdre de temps. »

Aussitôt Yonet déshabilla le mort et le déchaussa jusqu'à
l'orteil. Il ne lui resta ni haubert ni chausses ni heaume sur
la tête, ni rien d'autre de l'armure. Mais le jeune homme ne
voulait pas abandonner ses vêtements à lui : il n'aurait pas
pris, malgré tous les arguments de Yonet, une confortable
tunique de soie rembourrée que de son vivant le chevalier
portait sous son haubert. Il ne pouvait pas non plus lui retirer des pieds les brodequins qu'il avait chaussés.

« Diable, dit-il, c'est une blague ! Quoi, j'échangerais
mes bons vêtements, que ma mère m'a faits l'autre jour,
contre ceux de ce chevalier, et ma grosse chemise de chanvre contre celle-ci qui est souple et mince ? Vous voudriez
que j'abandonne ma tunique qui ne laisse pas passer l'eau

pour celle-ci qui n'arrêterait pas une seule goutte ? Mille fois maudite soit la gorge de celui qui échangera d'une manière ou de l'autre ses bons vêtements à lui contre les mauvais vêtements d'autrui ! »

Il est bien difficile d'éduquer un fou [1]. Il ne voulut rien prendre d'autre que les armes, malgré toutes les prières. Yonet lui lace les chausses et, par-dessus les brodequins, lui fixe les éperons ; puis il lui a revêtu le haubert, le meilleur au monde, et sur la coiffe il lui pose le heaume qui lui va très bien. L'épée, il lui apprend à la ceindre de manière lâche et flottante. Puis il lui met le pied à l'étrier et le fait monter sur le destrier : jamais le garçon n'avait vu d'étrier et il ignorait tout de l'éperon, ne connaissant que la baguette ou la badine. Yonet lui apporte le bouclier et la lance qu'il lui remet. Avant qu'il ne s'en aille, le garçon lui dit :

« Ami, prenez mon cheval (de chasse) et emmenez-le : il est très bon, et je vous le donne, parce que je n'en ai plus besoin. Rapportez sa coupe au roi, et saluez-le de ma part ; et voici ce que vous direz à la jeune fille que Keu a giflée : si je le peux, avant ma mort, je pense lui préparer un plat de ma façon, si bien qu'elle se tiendra pour bien vengée. »

L'autre lui répond qu'il rendra sa coupe au roi et qu'il délivrera son message en homme avisé.

Sur ce, ils se séparent et s'en vont. Dans la grande salle où se tiennent les barons [2] arrive Yonet par la porte d'entrée, rapportant au roi sa coupe.

---

1. Encore un tour à allure proverbiale qui constitue le fonds de la sagesse populaire.

2. Ce sont les seigneurs de haut rang. Dans les peuplades germaniques, *baron* s'opposait à *femme*, et le mot a gardé en ancien français le sens d'« homme », de « mari », avant de désigner les conseillers du roi et les plus grands de ses vassaux. Comme on assimila la cour céleste à la cour féodale, les saints furent également appelés *barons*. Il en est allé de même pour les plus grands des païens. Le mot en est venu par la suite à désigner, plus généralement, les qualités d'un homme noble, en particulier les qualités guerrières : ce substantif tend ainsi à devenir un adjectif synonyme de « vaillant ».

« Sire, dit-il, réjouissez-vous, car votre coupe, votre chevalier qui a été ici vous la renvoie.

– De quel chevalier me parles-tu ? dit le roi que le chagrin accablait encore.

– Par le nom de Dieu, sire, répond Yonet, je parle du jeune homme qui vient de partir d'ici.

– Tu parles donc du jeune Gallois qui m'a demandé les armes rouges du chevalier qui m'a fait toutes les hontes qu'il a pu ?

– Oui, sire, c'est bien de lui que je parle.

– Et ma coupe, comment l'a-t-il eue ? L'autre l'aime-t-il ou l'estime-t-il assez pour la lui avoir rendue de son plein gré ?

– Au contraire le jeune homme la lui a fait payer si cher qu'il l'a tué.

– Et comment cela, cher ami ?

– Sire, tout ce que je sais, c'est que j'ai vu le chevalier le frapper de sa lance et le brutaliser, et que le jeune homme, en retour, l'a frappé d'un javelot à travers sa visière si bien qu'il a fait gicler par-derrière la tête le sang et la cervelle, et qu'il l'a étendu raide mort à terre. »

Le roi dit alors au sénéchal :

« Ah ! Keu, comme vous m'avez fait du tort aujourd'hui ! Par votre langue, votre méchante langue qui aura dit force insanités, vous m'avez privé d'un tel chevalier qui aujourd'hui même m'a rendu un bien grand service.

– Sire, fit Yonet au roi, je le jure, il fait savoir par ma bouche à la servante de la reine, celle que Keu a frappée de dépit et par hostilité à son égard, qu'il la vengera s'il vit assez et s'il peut en avoir l'occasion. »

Le fou, qui était assis près du feu, quand il entendit ces paroles, bondit et vint devant le roi tout joyeux ; il était si heureux qu'il faisait des bonds et des gambades :

« Seigneur roi, Dieu me sauve ! Il est maintenant proche le temps de vos aventures : des terribles et des dures, vous en verrez advenir beaucoup, et je vous l'affirme solennellement : Keu peut être sûr et certain que c'est pour son malheur qu'il a fait usage de ses pieds, de ses mains, de sa langue folle et venimeuse, car, avant que ne passent quarante jours, le chevalier aura vengé le coup de pied qu'il m'a donné, et il lui aura fait payer très cher et rendu la gifle qu'il a donnée à la jeune fille : entre le coude et l'épaule, il lui brisera le bras droit, qu'il portera en écharpe pendant la moitié d'une année, et qu'il le porte patiemment ! Il ne peut y échapper pas plus qu'à la mort. »

Ces paroles déplurent tant à Keu que, pour un peu, il aurait éclaté de rage et que, de colère, il aurait été, devant tout le monde, l'arranger de telle façon qu'il l'aurait laissé mort. Mais, de peur de déplaire au roi, il renonça à se jeter sur lui. Quant au roi, il reprit :

« Hélas ! hélas ! Keu, comme vous m'avez contrarié aujourd'hui ! Si l'on avait formé et dressé le jeune homme à savoir se servir des armes, aussi bien que du bouclier et de la lance, il serait sans aucun doute un bon chevalier. Mais il n'entend rien du tout aux armes ni à tout le reste ; il ne saurait même pas tirer l'épée en cas de besoin. Et le voici assis sur son cheval, et il va rencontrer un costaud [1] qui, pour prendre sa monture, n'hésitera pas à l'estropier, et qui aura tôt fait de le tuer ou de le mutiler, car il ne saura pas se défendre, tant il est naïf et balourd ; il aura tôt fait de lui régler son compte. »

Ainsi le roi plaint-il et regrette-t-il le jeune homme ; il fait triste mine, mais il ne peut rien y gagner, et alors il se tait.

---

1. Nous traduisons ainsi le nom *vassal*. Du latin médiéval *vassalus*, lui-même dérivé de *vassus* (« serviteur »), le mot peut être en ancien français un adjectif (« brave, courageux ») ou un substantif dénommant selon les contextes : 1) le subordonné du seigneur qui lui a cédé un fief (mais dans cette acception – conservée aujourd'hui –, *vassal* était moins usuel qu'*home*) ; 2) le vaillant guerrier. Comme terme d'adresse, il prend aussi parfois la valeur d'une injure.

Quant au jeune homme, sans jamais s'arrêter, il se hâta à travers la forêt et parvint dans une région de plaines, au bord d'une rivière plus large qu'une portée d'arbalète : toute l'eau était rentrée dans son lit. Vers la grande rivière qui grondait il se dirigea à travers la prairie, mais il n'entra pas dans l'eau, car il la vit très profonde et noire, beaucoup plus rapide que la Loire ; aussi suivit-il la rive, le long d'un haut rocher à vif, dressé de l'autre côté de l'eau qui en battait le pied. Sur le flanc de ce rocher qui descendait vers la mer, il y avait un très puissant et riche château [1]. Là où l'eau arrivait à son embouchure, le jeune homme tourna sur la gauche et vit naître les tours du château ; oui, il eut l'impression qu'elles naissaient et sortaient du château. Au milieu s'élevait une puissante et haute tour ; une solide barbacane commandait l'embouchure de la rivière dont les eaux se heurtaient à la mer, et celle-ci en battait la base. Aux quatre coins de la muraille faite de pierres solides se tenaient quatre tours plus petites et plus basses, robustes et splendides. Le château, qui avait bel aspect, était très confortable. Devant le châtelet rond, un pont enjambait l'eau : il était en pierre, bâti à sable et à chaux, solide et haut, crénelé de chaque côté, avec, au milieu, une tour et, au bout, un pont-levis, fabriqué et conçu pour remplir sa mission : le jour, c'était un pont, et la nuit une porte.

Le jeune homme s'achemina vers le pont où, habillé d'hermine, se divertissait un noble personnage, attendant ainsi celui qui venait de ce côté-là. Il tenait à la main, par contenance, un bâtonnet ; à sa suite étaient venus deux

---

1. Ici, des éléments merveilleux surgissent soudain dans le paysage. Le château de Gornemant de Gort, qui se dresse au bord de la mer, derrière une rivière « très profonde et noire », est une image rationalisée des demeures de l'Autre Monde (voir J. Marx, *La Légende arthurienne et le graal*, PUF, 1952, p. 141). Isolé, hors de toute atteinte, très solide, de forme carrée, le château semble, aux yeux de Perceval, faire partie de la roche sur laquelle il s'élève. C'est une construction qui défend plutôt qu'un foyer qui protège. L'apparition de ce château préfigure celle du château du Graal.

jeunes gens sans manteau. Le nouveau venu avait bien retenu la leçon de sa mère, car il le salua en disant :

« Seigneur, c'est ce que m'a enseigné ma mère.

– Dieu te bénisse, cher frère ! » dit le gentilhomme qui se rendit compte à son langage qu'il était naïf et sot, et qui ajouta :

« Cher frère, d'où viens-tu ?

– D'où ? De la cour du roi Arthur.

– Qu'y as-tu fait ?

– Le roi m'a fait chevalier, bonne chance à lui !

– Chevalier ? Dieu me protège ! je ne m'imaginais pas que, dans la situation actuelle, il se souvînt encore de telle chose ; je m'imaginais qu'il avait d'autres soucis que de faire des chevaliers. Dis-moi donc, noble frère, ces armes, qui te les a remises ?

– C'est le roi qui me les a données.

– Données ? Comment donc ? »

Et l'autre lui raconta ce que vous avez déjà entendu. Le raconter une seconde fois serait fastidieux et superflu, car aucun conte ne gagne à se répéter [1]. Le gentilhomme lui demanda aussi ce qu'il savait faire de son cheval.

« Je le fais courir par monts et par vaux, de la même manière que mon cheval de chasse quand j'en disposais dans la maison de ma mère.

– Et vos armes, cher ami, dites-moi aussi ce que vous savez en faire.

– Je sais bien les mettre et les enlever comme le fit le jeune homme qui, sous mes yeux, en désarma celui que j'avais tué, et je les porte si aisément qu'elles ne me gênent en rien.

– Par Dieu, j'en suis enchanté et ravi, dit le gentilhomme. Dites-moi donc, si vous n'y voyez pas d'inconvénient, quel besoin vous a amené ici.

---

1. Chrétien de Troyes affiche ici sa distance avec les conteurs et les romanciers de son temps qui abusent de la répétition.

– Seigneur, ma mère m'a enseigné d'aller vers les hommes de bien, de solliciter leurs conseils et de croire ce qu'ils diraient, car on gagne beaucoup à les croire. »

Le gentilhomme lui répondit :

« Cher frère, bénie soit votre mère, car elle vous a donné de bons conseils ! Mais avez-vous autre chose à ajouter ?

– Oui.

– Quoi donc ?

– Ceci seulement : que vous m'hébergiez aujourd'hui.

– Bien volontiers, dit le gentilhomme, à condition que vous m'accordiez un don dont vous verrez qu'il vous en viendra grand bien.

– Quoi donc ? fit-il.

– Que vous croyiez les conseils de votre mère et de moi-même [1].

– Par ma foi, c'est d'accord.

– Alors descendez de cheval. »

Il le fit. Un des deux valets qui étaient venus là prit le cheval, tandis que l'autre le désarma. Il ne lui resta que ses vêtements grotesques, ses gros souliers, sa tunique de cerf mal faite et mal taillée que sa mère lui avait donnée. Le gentilhomme se fit chausser les éperons d'acier tranchants que le jeune homme avait apportés ; il monta à cheval, suspendit par la courroie le bouclier à son cou et prit la lance [2] :

« Ami, dit-il, maintenant apprenez à vous servir des armes, et observez comment on doit tenir une lance, éperonner et retenir un cheval. »

Après avoir déployé l'enseigne, il lui apprit et lui montra comment on doit porter son bouclier : il le laissa pendre un peu devant de manière à toucher le cou du cheval ; il mit la

---

1. Gornemant, en habile pédagogue, ne contredit pas directement l'enseignement de la mère, mais il demande à Perceval de lui faire confiance à lui aussi.

2. Gornemant, qui était en tenue de repos, s'équipe des armes de Perceval pour lui en apprendre l'usage.

lance en arrêt et éperonna le cheval, qui valait cent marcs, car aucun n'était plus docile, plus rapide ni plus robuste. Le gentilhomme était passé maître dans le maniement du bouclier, du cheval et de la lance, car il l'avait appris dès l'enfance. Aussi le jeune homme éprouva-t-il un vif plaisir à regarder tout ce que faisait le gentilhomme. Quand il eut parfaitement terminé sa démonstration sous les yeux du garçon qui l'avait suivie avec une grande attention, il revint vers lui, lance levée, et lui demanda :

« Ami, sauriez-vous, vous aussi, manier la lance et le bouclier, éperonner et conduire le cheval ? »

L'autre lui répondit que franchement il ne chercherait pas à vivre un seul jour de plus, ni à posséder terre et biens, pourvu qu'il sût en faire autant.

« Ce qu'on ne sait pas, on peut l'apprendre, si l'on veut y mettre peine et attention, mon cher ami, fit le gentilhomme. Tous les métiers exigent effort, courage et expérience : à ces trois conditions, on peut tout savoir. Puisque vous ne l'avez jamais fait ni vu faire à autrui, si vous ne savez pas le faire, vous ne méritez ni honte ni blâme. »

Alors le gentilhomme le fit monter à cheval, et le garçon se mit à porter la lance et le bouclier aussi correctement que s'il avait toujours passé sa vie en tournois et en guerres et parcouru toutes les terres en quête de batailles et d'aventures : cela lui venait de Nature, et puisque Nature le lui apprenait et que le cœur s'y consacrait tout entier, rien ne pouvait lui être difficile, du moment que Nature et son cœur s'y employaient [1]. Grâce à leur double action, il se débrouillait si bien que le gentilhomme en était ravi et qu'il se disait en lui-même que si le garçon s'était toute sa vie consacré et appliqué aux armes, il y eût été fort compétent.

_____

1. L'éducation n'est rien sans les qualités innées de la Nature et du cœur, sur lesquelles Chrétien de Troyes insiste dans ce passage. Le cœur se distingue du simple courage (au sens moderne du mot) car il englobe toute l'affectivité.

Quand il eut achevé son tour, il s'en revint devant le gentil-homme, lance levée comme il le lui avait vu faire, et lui dit :

« Seigneur, l'ai-je bien fait ? Croyez-vous que mes efforts ne seront pas inutiles, si j'en prends la peine ? Jamais je n'ai rien vu que j'aie autant désiré. Comme je voudrais en savoir autant que vous !

– Ami, avec du cœur, fait le gentilhomme, vous en saurez beaucoup : inutile de vous inquiéter. »

Le gentilhomme, par trois fois, monta à cheval et, par trois fois, il lui enseigna, en fait d'armes, tout ce qu'il pouvait lui apprendre, jusqu'à ce que sa leçon fût complète. Par trois fois il le fit monter à cheval. À la troisième reprise, il lui dit :

« Ami, si vous rencontriez un chevalier, que feriez-vous, s'il vous frappait ?

– Je le frapperais à mon tour.

– Et si votre lance se brise ?

– Alors, il n'y aurait rien d'autre à faire qu'à me précipiter sur lui en me servant de mes poings.

– Non, ami, ce n'est pas ce que vous ferez.

– Que ferai-je donc ?

– C'est à coups d'épée que vous irez l'attaquer. »

Le gentilhomme planta alors en terre devant lui sa lance toute droite : il désirait tellement lui apprendre à manier les armes pour qu'il sût bien se défendre à l'épée si on le provoquait, ou attaquer à l'occasion. Ensuite, il lui mit l'épée en main :

« Ami, c'est de cette manière que vous vous défendrez si on vous assaille.

– Sur ce point, répondit-il, Dieu me protège ! personne n'en sait autant que moi, car avec les mannequins et les boucliers je me suis beaucoup exercé chez ma mère au point d'en être souvent épuisé.

– Allons donc maintenant à la maison, dit le gentil-homme, il n'y a rien d'autre à faire, et peu importent les mécontents, vous serez noblement hébergé cette nuit. »

Ils s'en allèrent tous deux côte à côte, et le jeune homme dit à son hôte :

« Seigneur, ma mère m'a appris à n'aller jamais avec quelqu'un et à ne pas rester longtemps en sa compagnie sans savoir son nom : c'est ce qu'elle m'a appris. Je veux savoir votre nom.

– Mon cher ami, dit le gentilhomme, mon nom est Gornemant de Gort. »

Ainsi se dirigèrent-ils vers le château en se tenant par la main. Comme ils montaient un escalier, un valet vint de lui-même apporter un manteau court[1]. Il courut en vêtir le jeune homme de peur qu'après avoir eu chaud il ne prît froid et n'attrapât du mal. Le gentilhomme possédait une riche demeure, belle et grande, avec d'alertes serviteurs[2]. On avait préparé un bon et beau repas, bien présenté. Les chevaliers se lavèrent les mains et s'assirent à table. Le gentilhomme plaça le garçon auprès de lui et le fit manger dans la même écuelle que lui. Sur les mets je n'ajouterai rien, ni sur leur nombre ni sur leur qualité. Mais ils mangèrent et burent à satiété. Sur le repas je ne raconterai rien d'autre[3].

---

1. Le *mantel* était un très beau vêtement de dessus, taillé en rotonde, sans manches, le plus souvent retenu par une agrafe, et fendu à droite ou à gauche. Coupé dans une riche étoffe de soie, orné de franges, de passementeries et de pierres précieuses, souvent doublé de fourrure, il était obligatoire pour le roi et son entourage. Lorsqu'un chevalier arrivait dans une demeure seigneuriale où il demandait l'hospitalité, on le désarmait et on lui passait un manteau qu'il gardait à table. Au contraire de la *chape*, qui protégeait de la pluie et du froid, le *mantel* ne convenait qu'aux moments de cérémonie. Qui avait un service à assurer, une mission à accomplir, un message à délivrer, ôtait son manteau.

2. « Serviteurs » est la traduction de *serjanz*. Ce terme désignait au Moyen Âge : 1) un serviteur domestique qui, n'étant pas noble, était inférieur au *valet*, mais jouissait d'une considération certaine qui le rendait supérieur au *garçon* ; 2) l'auxiliaire du chevalier dont il portait avant le combat la lance et le bouclier ; 3) un homme d'armes non noble, qui combattait d'abord à pied, puis à cheval.

3. Chrétien de Troyes abrège la scène du repas, devenue un lieu commun à son époque.

Une fois qu'ils furent levés de table, le gentilhomme, qui était la courtoisie même, pria le garçon assis près de lui de rester un mois entier. Il l'aurait bien volontiers gardé une année entière, s'il avait voulu, pour lui apprendre pendant ce temps, avec son accord, certaines choses qui lui seraient utiles à l'occasion. Mais le jeune homme lui répondit :

« Seigneur, je ne sais pas si je suis près du manoir où habite ma mère. Mais je prie Dieu qu'il me mène à elle et que je puisse la revoir, car je l'ai vue tomber évanouie à l'entrée du pont, devant sa porte : je ne sais si elle est vivante ou morte. C'est du chagrin de me voir partir qu'elle est tombée évanouie, je le sais bien [1]. C'est pourquoi je ne pourrais pas, jusqu'à ce que je sache ce qu'elle est devenue, rester longtemps. Mais je m'en irai demain avec le jour. »

Le gentilhomme comprit qu'il était inutile de le prier, et l'on cessa de parler. Ils allèrent se coucher sans plus de discours, car leurs lits étaient déjà prêts. De bon matin, le gentilhomme se leva et se rendit au lit du garçon qu'il trouva couché. Il lui fit porter comme présent une chemise et des braies de toile fine, des chausses teintes en rouge et une tunique de soie violette qui avait été tissée et fabriquée en Inde. Il les lui avait fait parvenir pour qu'il les portât, et il lui dit :

« Ami, ces habits que voici, vous les mettrez, si vous m'en croyez.

– Cher seigneur, répondit le garçon, vous pourriez beaucoup mieux parler. Les habits que ma mère m'a faits, est-ce qu'ils ne valent pas mieux que ceux-ci ? Et vous voulez que je mette les vôtres !

– Jeune homme, je vous le jure, repartit le gentilhomme, au contraire ils valent beaucoup moins. Vous m'avez dit, cher ami, quand je vous ai amené ici, que vous feriez tout ce que je vous commanderais.

---

1. Surgit pour la première fois le souvenir de sa mère évanouie, alors que Perceval a évoqué à plusieurs reprises ses recommandations.

– Oui, je le ferai, dit le jeune homme ; jamais je ne m'opposerai à vous en rien du tout. »

À mettre les habits il ne perdit pas de temps, après avoir laissé ceux de sa mère [1]. Le gentilhomme se baissa et lui chaussa l'éperon droit. C'était alors la coutume que celui qui faisait un chevalier devait lui chausser l'éperon. Il y avait beaucoup d'autres jeunes gens dont chacun, quand il le pouvait, prêta la main pour l'armer. Le gentilhomme prit l'épée ; il la lui ceignit et lui donna la colée [2] en lui disant qu'il lui avait conféré avec l'épée l'ordre le plus élevé que Dieu eût créé et établi : c'est l'ordre de chevalerie qui n'admet pas de bassesse [3].

« Cher frère, ajouta-t-il, souvenez-vous-en, s'il arrive qu'il vous faille combattre contre un chevalier, voici ce que je veux vous dire et vous prier de faire : si vous avez le dessus si bien qu'il ne puisse plus se défendre contre vous ni vous résister, et qu'il lui faille demander grâce, ne le tuez pas sciemment. Gardez-vous aussi d'être trop bavard [4] et de trop colporter les bruits. Personne ne peut être bavard sans dire souvent une parole qu'on lui impute à bassesse. Le sage le dit et l'enseigne : "À trop parler, péché on fait." C'est pourquoi, cher frère, je vous interdis de trop parler, et je vous fais aussi cette prière : si vous trouvez un homme ou une femme, demoiselle ou dame, qui soit dans l'embarras, aidez-le, aidez-la, vous ferez une bonne action, si vous savez le faire et si vous le pouvez. Voici une autre chose que je vous commande, ne la traitez pas par le dédain, car elle n'est pas à dédaigner : allez volontiers à l'église prier Celui qui a tout créé d'avoir pitié de votre âme et de vous garder en ce monde terrestre comme son fidèle chrétien. »

---

1. Gornemant obtient de Perceval qu'il échange ses vêtements gallois, confectionnés par sa mère, contre des vêtements à la mode courtoise.

2. Voir note 1, p. 211.

3. Perceval franchit une nouvelle étape : il est armé chevalier par Gornemant, qui lui délivre un enseignement d'ordre moral. Il devient *li noviaus chevaliers*.

4. Au château du Graal, Perceval appliquera mal à propos, en se taisant, la recommandation de Gornemant (p. 92-93).

Le jeune homme lui répondit :

« De tous les apôtres de Rome soyez béni, cher seigneur, car ce sont les paroles mêmes de ma mère.

– Désormais, ne dites plus jamais, cher frère, reprit le gentilhomme, que c'est votre mère qui vous l'a appris et enseigné [1]. Je ne vous blâme pas du tout de l'avoir dit jusqu'à présent, mais désormais faites-moi la grâce, je vous en prie, de vous en corriger, car, si vous le disiez encore, on le prendrait pour de la folie [2]. C'est pourquoi je vous prie de vous en garder.

– Que dirai-je donc, cher seigneur ?

– Vous pouvez dire que c'est le vavasseur [3], celui qui vous a chaussé l'éperon, qui vous l'a appris et enseigné. »

Le garçon lui fit la promesse de ne jamais dire mot, tant qu'il vivrait, que de lui, car il lui semblait bien que son enseignement était bon. Le gentilhomme, sans attendre, fit sur lui le signe de la croix et, la main levée, lui dit :

« Cher seigneur, Dieu vous sauve ! Allez sous la conduite de Dieu, car il vous est pénible d'attendre. »

Le nouveau chevalier quitta son hôte, fort impatient de pouvoir venir chez sa mère et de la retrouver saine et sauve.

---

1. Désormais, l'enseignement de Gornemant remplacera celui de la mère : plus chevaleresque, plus masculin, il en est complémentaire.

2. Pour Gornemant, la *niceté* de Perceval n'est pas incurable : elle consiste seulement en un manque provisoire d'éducation.

3. À l'ordinaire, le vavasseur était un personnage de petite noblesse et de revenus modestes, un arrière-vassal qui s'opposait au vassal direct ou tenancier en chef. C'est un personnage type du roman courtois, dont Chrétien de Troyes offre une variété d'exemples dans ses récits, où le vavasseur tantôt se borne à héberger un chevalier, tantôt joue un rôle plus important, comme dans *Érec et Énide*, où Licoran devient le beau-père du héros, et dans *Le Conte du graal*, où Gornemant enseigne à Perceval les règles de la chevalerie. Personnage de second plan, souvent pauvre et âgé, le vavasseur est digne de confiance, car il allie bonté, loyauté, politesse et sagesse. Issu peut-être de l'hôte hospitalier du folklore celtique, il représente « une des faces de l'idéal courtois : ce sont des personnages courtois qui ne se battent pas et qui cependant ne sont pas des clercs. Ils s'insèrent ainsi dans le tableau de la société courtoise entre les chevaliers actifs et le clergé »

Aussi s'enfonça-t-il dans les forêts solitaires, car, beaucoup mieux que dans les plaines, il se retrouvait chez lui dans les forêts. Il chevaucha tant qu'il vit un château robuste et bien situé [1]. Mais hors des murs il n'y avait rien d'autre que la mer, l'eau et le désert. Il se hâta vers le château et parvint devant la porte. Mais avant de l'atteindre, il lui fallait passer un pont si fragile que j'ai de la peine à croire qu'il pût le supporter. Le chevalier s'avança sur le pont et le traversa sans qu'il en résultât pour lui de mal ni de honte ni de difficulté. Il arriva à la porte qu'il trouva fermée à clef. Il n'y frappa pas avec douceur, il n'appela pas à voix basse, mais il la martela si fort que sur-le-champ apparut à la fenêtre de la grande salle une jeune fille [2] maigre et pâle qui demanda :

« Qui est-ce qui appelle là-bas ? »

Et le garçon leva les yeux vers elle ; il l'aperçut et lui dit :

« Chère amie, je suis un chevalier qui vous prie de me laisser entrer et de m'accorder l'hospitalité pour la nuit.

– Seigneur, vous l'aurez, mais vous ne nous en saurez aucun gré ; néanmoins nous vous traiterons aussi bien que nous pourrons. »

Alors la jeune fille se retira, et le garçon qui attendait à la porte, craignant qu'on ne l'y fît rester trop longtemps, se

---

(B. Woledge, « Bons vavasseurs et méchants sénéchaux », *Mélanges offerts à Rita Lejeune*, Gembloux, Duculot, 1969, t. II, p. 1263-1277).

1. Le château de Beaurepaire, antithétique de celui de Gornemant, est un asile dans une terre dévastée. Le schéma d'emboîtement qui prévaut – on passe du pont à la porte et aux fenêtres – souligne le côté protecteur et confiné du lieu. Au début, l'intérieur, appauvri, ne se distingue pas de l'extérieur ; à la fin, le château a retrouvé la joie : le lieu clos, recréé, devient heureux. Perceval découvre l'amour dans ce lieu triplement isolé par la mer, la forteresse et le siège.

2. Traduction de *pucele*. Dérivé du bas latin *pullicellam*, qu'on a rapproché du latin *puella* ou de *pulla* (« petit d'un animal »), ou encore, selon Leo Spitzer, de *pulicem* (« petite puce »), le mot *pucele* s'applique à une jeune fille sans spécification d'ordre social. Dès le XIIe siècle, il désigne aussi une jeune vierge. À partir du XVIe siècle, le sème de virginité devient essentiel et le mot est employé de façon plaisante ou ironique.

remit à frapper. Surgirent quatre serviteurs, une grande hache au cou et chacun avec une épée au côté ; ils ouvrirent la porte et dirent : « Seigneur, entrez ! » En bon état, ils auraient été très beaux ; mais ils avaient tant souffert à force de jeûner et de veiller qu'ils étaient dans un état inimaginable. Et s'il avait trouvé au-dehors la terre inculte et désolée, l'intérieur ne valait pas mieux, car partout où il alla il trouva les rues désertes et les maisons en ruine, sans personne, homme ou femme. Il y avait dans la ville deux monastères : c'étaient deux abbayes, l'une de religieuses affolées et l'autre de moines terrorisés. Il n'y trouva ni beaux ornements ni belles tentures, mais il vit des murs crevassés et fendus, des tours sans toits, des maisons ouvertes à tous les vents. Aucun moulin pour moudre, ni aucun four pour cuire en quelque endroit du château ; pas de pain ni de galette ni rien qui fût à vendre, fût-ce pour un denier. C'est dans cet état de dévastation qu'il trouva le château, complètement démuni de pain, de pâte, de vin, de cidre et de bière.

Les quatre serviteurs le menèrent vers un palais couvert d'ardoise, ils l'aidèrent à descendre et le désarmèrent ; et aussitôt un jeune homme descendit les marches de la grande salle, apportant un manteau gris, qu'il mit au cou du chevalier, tandis qu'un autre conduisit son cheval dans une écurie où il n'y avait que très peu de blé, de foin, de paille, et rien d'autre dans la maison. Les autres lui firent monter devant eux les marches jusqu'à la salle, qui était la beauté même. Deux gentilshommes et une jeune fille sont venus à sa rencontre. Les gentilshommes avaient les cheveux blancs, mais pas complètement : ils auraient été dans la force d'un âge généreux et puissant si les ennuis ne les avaient pas accablés. Quant à la jeune fille, elle s'avança plus gracieuse, plus séduisante et plus élégante qu'un épervier ou un papegai. Son manteau et sa tunique étaient de pourpre noire, étoilée de fourrure grise [1], et la doublure d'hermine n'était

---

1. Traduction du mot *vair*. On appréciait beaucoup, au Moyen Âge, la fourrure d'une espèce d'écureuil appelé petit-gris, de couleur gorge-de-

pas râpée. De la zibeline noir et blanc, ni trop longue ni trop large, bordait le col du manteau. Si jamais j'ai décrit la beauté que Dieu a mise dans le corps ou le visage d'une femme, j'ai plaisir à le faire une autre fois sans mentir d'un seul mot [1]. Ses cheveux flottaient sur ses épaules : ils étaient tels qu'à les voir on aurait cru, si c'était possible, qu'ils n'étaient qu'or pur, tant ils étaient d'une étincelante blondeur. Son front était blanc, dégagé, lisse, comme ouvragé à la main par un artiste qui l'aurait taillé dans la pierre, l'ivoire ou le bois. Ses sourcils étaient bruns, sensiblement écartés, et ses yeux éclairaient son visage, riants, vifs, bien fendus. Elle avait le nez droit et fin, et sur son visage l'accord du vermeil et du blanc [2] lui allait mieux que celui du sinople et de l'argent. C'est pour ravir la raison et le cœur des gens que Dieu avait fait d'elle une pure merveille : jamais plus il ne fit sa pareille et jamais auparavant il ne l'avait faite.

Quand le chevalier la vit, il la salua et elle lui, tout comme les chevaliers. La demoiselle le prit avec grâce par la main et dit :

« Cher seigneur, notre hôtel, assurément, ne sera pas cette nuit celui qui conviendrait à un gentilhomme : si je vous disais maintenant l'exacte situation et l'état dans lesquels nous nous trouvons, vous penseriez peut-être que je le dis par malice pour vous faire partir ; mais s'il vous plaît, venez, acceptez l'hôtel tel qu'il est, et que Dieu vous en donne un meilleur demain ! »

---

pigeon par-dessus et blanche par-dessous. Le *vair* était la fourrure prise au ventre de l'animal, le *gris* la fourrure prise à son dos.

1. F. Dubost a remarqué avec justesse que ce portrait « ne se développe donc pas en regard de la situation, mais plutôt comme un exercice rhétorique où le narrateur entend donner toute la mesure de son art en évoquant une beauté parfaite, reflet d'une beauté idéale, de type platonicien, que les accidents de l'existence ne sauraient atteindre » (*Le Conte du graal ou l'Art de faire signe*, *op. cit.*, p. 123).

2. La formule annonce la scène des gouttes de sang sur la neige (voir p. 111-112).

Ainsi l'emmena-t-elle par la main jusque dans une chambre au plafond décoré, très belle, longue et large. Sur une couverture de soie [1] qu'on avait tendue sur un lit, ils se sont tous deux assis. Quatre, cinq, six chevaliers entrèrent dans la pièce et s'assirent par petits groupes, sans dire un seul mot, regardant celui qui était assis à côté de leur dame et qui se taisait. Il s'abstenait de parler parce qu'il se souvenait du conseil du gentilhomme [2], et tous les chevaliers s'en entretenaient à voix basse.

« Mon Dieu, disait chacun, ce qui m'étonne fort, c'est que ce chevalier soit muet. Ce serait bien triste, car jamais femme n'a mis au monde si beau chevalier. Il va vraiment bien avec ma dame, et ma dame avec lui. S'ils n'étaient pas muets tous les deux, ils sont si beaux l'un et l'autre que jamais chevalier et jeune fille n'allèrent si bien ensemble. Ces deux-là, il semble bien que Dieu les ait faits l'un pour l'autre dans l'idée de les réunir [3]. »

Tous ceux qui étaient présents en discutaient entre eux, et la demoiselle attendait qu'il lui parlât d'un sujet quelconque, jusqu'à ce qu'elle se rendît compte et comprît qu'il ne lui dirait mot si elle ne lui parlait pas la première. Elle lui dit très gentiment :

« Seigneur, d'où êtes-vous venu aujourd'hui ?

– Mademoiselle, j'ai couché chez un gentilhomme [4] dans un château où j'ai reçu un très bon accueil et qui a cinq puissantes et remarquables tours, une grande et quatre

---

1. Traduction du mot *samit* qui, dérivé du grec byzantin *hexamitos* (« six fils »), désignait une étoffe orientale épaisse, « tissée de six fils de couleur » (voir Chrétien de Troyes, *Œuvres complètes*, éd. D. Poirion, Gallimard, « Bibliothèque de la Pléiade », 1994, p. 1506).

2. Perceval, en se taisant complètement, suit à mauvais escient le conseil de Gornemant, comme il le fera à nouveau au château du Graal.

3. Cette précision n'implique pas forcément que Perceval doive épouser Blanchefleur.

4. Ce mot traduit le terme *prodome*, récurrent dans le texte, la *prodomie* étant le degré supérieur de la chevalerie (voir la présentation, p. 7, et note 2, p. 23).

petites. Je suis incapable de décrire l'ensemble de l'ouvrage
et de dire le nom du château, mais je sais bien que le gentilhomme se nomme Gornemant de Gort.

– Ah ! cher ami, fit la jeune fille, comme vous parlez bien
et avec quelle courtoisie vous vous êtes exprimé [1] ! Que Dieu
le roi du monde vous sache gré de l'avoir appelé gentilhomme ! Jamais vous n'avez dit plus juste parole, car c'est un
gentilhomme, par saint Richer, je puis le certifier. Sachez que
je suis sa nièce [2], mais je ne l'ai pas vu depuis très longtemps
et, je vous l'assure, depuis que vous avez quitté votre maison,
vous n'avez pas connu meilleur gentilhomme à mon avis. Il
vous a reçu dans l'allégresse et la joie, comme il sait si bien
le faire, en noble [3] gentilhomme, puissant, aisé et riche. Mais
ici il n'y a que six miches de pain qu'un de mes oncles, un
saint prieur très pieux, m'a envoyées ce soir pour le dîner,
ainsi qu'une outre de vin cuit. Ici, il n'y a pas d'autres vivres
qu'un chevreuil, qu'un de mes serviteurs a tué ce matin
d'une flèche. »

Elle ordonna alors de dresser les tables [4] ; une fois mises,
les gens s'assirent pour dîner. S'ils ne restèrent que peu de
temps à table, ils mangèrent de fort bon appétit. Ensuite ils
se séparèrent. Les uns restèrent pour dormir, car ils avaient
veillé la nuit précédente ; les autres sortirent, chargés de
monter la garde pendant la nuit à travers le château.
Ils furent cinquante, serviteurs et écuyers [5], à veiller cette

---

1. Perceval a fait des progrès considérables depuis l'épisode de la
demoiselle de la tente.

2. Peu à peu, Chrétien tisse des liens familiaux entre les personnages,
tant pour Blanchefleur que pour Perceval et Gauvain.

3. « Noble » traduit ici *debonaire* qui, issu de « de bonne aire », a signifié
successivement : 1) noble de naissance, de bonne race ; 2) noble de caractère,
généreux, bon, bienveillant ; 3) trop généreux, faible de caractère.

4. *Metre les tables* signifiait, au Moyen Âge, transporter dans la salle,
avant le repas, les tréteaux recouverts des plateaux qui allaient recevoir
les mets.

5. Selon J. Flori, « les écuyers s'occupent aussi du bien-être de leur
maître […]. Ce sont eux que l'on charge de préparer le gîte et le couvert
à l'étape, eux qui, en cours de chevauchée, étendent les nappes sur l'herbe

nuit-là. Les autres s'empressèrent pour assurer le confort de leur hôte. De beaux draps, une couverture somptueuse, un oreiller sous sa tête : c'est ce que préparèrent ceux qui s'occupèrent de son coucher. Tout le bien-être, tous les agréments qu'on pourrait envisager dans un lit, le chevalier les eut cette nuit-là, à la seule exception du plaisir qu'on peut prendre avec une jeune fille, s'il en avait eu envie, ou avec une dame, s'il en avait eu la permission. Mais de cela il ignorait tout, il n'y pensait aucunement. Aussi s'endormit-il sans beaucoup tarder, car rien ne le préoccupait.

Son hôtesse, elle, ne trouve pas le repos, enfermée dans sa chambre. Lui dort paisiblement, tandis qu'elle songe qu'elle n'a aucun moyen de se défendre contre une bataille qui lui est imposée. Elle ne cesse de se retourner, de sursauter, de s'agiter, de se tourmenter. Et voici qu'elle a passé sur sa chemise un court manteau de soie écarlate, et qu'elle s'est lancée dans l'aventure avec bravoure et courage. Mais ce n'est pas pour une bagatelle : elle se résout à se rendre auprès de son hôte et à lui exposer une partie de ses problèmes. Elle a quitté son lit et elle est sortie de sa chambre : de peur elle tremble de tous ses membres et elle est tout en sueur. C'est en pleurs qu'elle est sortie de sa chambre et parvenue au lit où le garçon dort profondément. Elle pleure, elle pousse force soupirs ; elle se penche et s'agenouille en pleurant si fort que de ses larmes elle lui mouille tout le visage. Elle n'ose pas en faire plus.

---

verte et servent leurs repas aux chevaliers et aux dames, ou qui vont au loin chercher le ravitaillement qui fait défaut sur place » (« Les écuyers dans la littérature française du XIIe siècle », *Et c'est la fin pour quoy sommes ensemble. Hommage à Jean Dufournet*, Champion, 1993, t. II, p. 579-592). C'était au XIIe siècle une fonction de confiance, mais subalterne : elle deviendrait plus importante par la suite. J. Flori a remarqué que le genre littéraire joue un rôle dans la coloration de l'image des écuyers : « Les romans insistent sur leur fonction d'entretien que les épopées passent sous silence. En revanche, Chrétien de Troyes ignore ou néglige leur fonction guerrière, que les épopées signalent et que confirment surtout les chroniques rimées et les récits de croisade » (*ibid.*).

Elle a tant pleuré qu'il se réveilla, tout surpris et stupéfait de sentir son visage mouillé. Il la vit agenouillée devant son lit, le tenant par le cou étroitement embrassé. Avec beaucoup de courtoisie, il la prit dans ses bras aussitôt et l'attira contre lui :

« Belle amie, lui dit-il, que désirez-vous ? Pourquoi êtes-vous venue ici ?

– Ah ! noble chevalier, pitié ! Au nom de Dieu et de son Fils, je vous prie de ne pas me mépriser pour être venue ici. J'ai beau être peu vêtue, je n'ai jamais songé à rien d'extravagant ni de bas ni de laid, car il n'est au monde créature si affligée et si malheureuse que je ne sois encore plus affligée. Rien de ce que j'ai ne m'est agréable, car jamais je n'ai connu de jour sans malheur. Oui, je suis la proie du malheur, et je ne verrai pas d'autre nuit que celle-ci, ni d'autre jour que demain : je me tuerai plutôt de ma main [1]. Des trois cent dix chevaliers qui défendaient ce château, il n'en est resté ici que cinquante, car c'est une cinquantaine qu'à lui seul un chevalier très cruel, Anguingueron, le sénéchal de Clamadeu des Îles, a emmenés, tués ou faits prisonniers [2]. Pour les prisonniers, je me désole autant que pour les morts, car je sais bien qu'ils y mourront et qu'ils ne pourront jamais en sortir. Pour moi sont morts tant de gentilshommes : il est juste que je m'en désespère. Anguingueron a mis le siège devant le château tout un hiver et tout un été sans bouger. Sans cesse ses forces se sont accrues et les nôtres se sont amenuisées ; nos vivres se sont épuisés si bien qu'il n'en reste pas de quoi nourrir une abeille, et nous en sommes arrivés au point que demain, si Dieu n'intervient pas, ce château lui sera livré

---

1. Cette menace de suicide est réitérée un peu plus loin. Voir M.-N. Lefay-Toury, *La Tentation du suicide dans le roman français du XIIe siècle*, Champion, 1979.

2. Dans la littérature médiévale, le sénéchal est souvent le type même du méchant, du cruel et du déloyal. Chrétien de Troyes nuance cette image caricaturale.

sans pouvoir être défendu, et moi avec, qui serai prison-
nière. Mais assurément, avant qu'il ne m'ait vivante je me
tuerai, et c'est morte qu'il m'aura ; et alors peu importe
qu'il m'emmène. Clamadeu, qui se flatte de m'avoir, ne
m'aura jamais que privée de vie et d'âme en fin de compte,
car je garde dans un coffret un couteau d'acier fin que je
compte m'enfoncer dans le corps. C'est ce que j'avais à
vous dire. Maintenant je m'en retournerai et vous laisserai
vous reposer. »

Bientôt, le chevalier pourra se couvrir de gloire s'il en a
la hardiesse, car la seule raison pour laquelle elle est venue
pleurer sur son visage, quoi qu'elle lui donne à entendre,
c'est de l'inciter à engager la bataille s'il ose le faire, pour
défendre et sa terre et sa personne. Et il lui dit :

« Chère amie, retrouvez désormais votre sourire, reprenez
courage, ne pleurez plus, montez ici près de moi et séchez
les larmes de vos yeux. Dieu, s'il lui plaît, vous accordera
demain une journée meilleure que vous ne croyez. Venez
vous coucher à mes côtés dans ce lit, car il est assez large
pour nous deux. Vous ne me quitterez plus de la journée.

– Si vous le voulez, dit-elle, je le ferai. »

Il l'embrassait et la serrait dans ses bras ; il l'attira sous
la couverture avec beaucoup de douceur et de délicatesse.
Quant à elle, elle acceptait ses baisers, et je ne pense pas
qu'elle en ait souffert. C'est ainsi qu'ils restèrent étendus
toute la nuit, l'un à côté de l'autre, bouche contre bouche,
jusqu'au matin, jusqu'à l'approche du jour.

La nuit lui apporta tant de réconfort que bouche contre
bouche, dans les bras l'un de l'autre, ils dormirent jusqu'au
point du jour. C'est alors que la jeune fille s'en retourna
dans sa chambre et que, sans l'aide d'aucune suivante [1], elle
s'habilla et se prépara, ne réveillant personne. Ceux qui

---

1. Traduction du terme *meschine* (« servante ») qui, emprunté à l'arabe
miskin (« pauvre », « petit »), désignait une adolescente de condition
modeste. Voir G. Gougenheim, « Meschine », *Le Moyen Âge*, t. LXIX,
1963, p. 359-364.

avaient fait le guet pendant la nuit, dès qu'ils purent voir le jour réveillèrent ceux qui dormaient et les tirèrent de leurs lits, et ils se levèrent sans tarder. La jeune fille retourna aussitôt vers son chevalier et lui dit avec courtoisie :

« Seigneur, que Dieu vous donne une bonne journée ! Je suis persuadée que vous ne resterez pas longtemps en ce lieu. Ce serait du temps perdu ; vous partirez, et je n'en suis pas chagrine, car je ne serais pas courtoise si j'avais le moindre chagrin : nous vous avons donné en ce lieu une bien pauvre hospitalité. Mais je prie Dieu de vous préparer un meilleur hôtel où vous aurez plus de pain, de vin, de sel et d'autres choses qu'en celui-ci.

– Belle amie, répondit-il, ce ne sera pas aujourd'hui que j'irai chercher un autre hôtel, mais auparavant j'aurai sur toute votre terre ramené la paix, si je le peux. Si je trouve votre ennemi là, dehors, je serai désolé qu'il y reste plus longtemps, pour peu qu'il vous cause du tort. Mais si je le tue et si je l'emporte sur lui, je vous demande de m'accorder votre amour en récompense [1] : je n'en prendrais pas d'autre salaire.

– Seigneur, répondit-elle aimablement, ce que vous venez de me demander, c'est bien peu de chose qui n'a pas de valeur ; mais si elle vous était refusée, vous le prendriez pour de l'orgueil : c'est pourquoi je ne veux pas vous l'interdire. Néanmoins ne demandez pas que je devienne votre amie sous la condition que vous alliez mourir pour moi : ce serait un trop grand dommage, car vous n'avez ni la carrure ni l'âge, soyez-en sûr, pour pouvoir tenir tête à un chevalier aussi dur, aussi fort, aussi grand que celui qui vous attend là, dehors, ni pour soutenir la bataille.

– C'est ce que vous verrez aujourd'hui même, fit-il : j'irai combattre contre lui, et jamais je n'y renoncerai pour aucune remontrance. »

---

1. C'est par amour que Perceval accomplira son premier exploit chevaleresque.

Elle l'a si bien circonvenu qu'elle lui déconseille ce qu'elle veut ; mais il arrive souvent qu'on ait coutume de dissimuler sa volonté quand on voit quelqu'un tout à fait désireux de faire ce qu'on désire, afin qu'il le désire encore davantage. Ainsi agit-elle habilement, car elle lui a inculqué dans le cœur ce qu'elle lui déconseille si fort. Quant au garçon, il demande qu'on lui apporte ses armes, et on le fait. On lui ouvre la porte, on l'arme, on le fait monter sur un cheval qu'on lui a équipé au milieu de la place. Il n'est personne qui ne se montre inquiet et qui ne dise :

« Seigneur, que Dieu vous vienne en aide en cette journée et qu'il fasse le malheur du sénéchal Anguingueron qui a détruit tout le pays ! »

Ainsi pleurent-ils, toutes et tous. Ils l'escortent jusqu'à la porte. Quand ils le voient hors du château, tous disent d'une seule voix :

« Cher seigneur, que cette vraie croix où Dieu souffrit le martyre de son fils vous garde aujourd'hui du péril de la mort, du malheur et de la prison, et qu'il vous ramène sain et sauf en un lieu où vous puissiez trouver à votre gré de l'agrément et du plaisir ! »

C'est ainsi que pour lui tous priaient. Quand ceux de l'armée ennemie [1] le virent venir, ils le montrèrent à Anguingueron qui se tenait assis devant sa tente, et qui s'imaginait qu'on devrait lui livrer le château avant la nuit ou que quelqu'un sortirait pour le combattre au corps à corps, et il avait déjà lacé ses chausses. Ses gens étaient pleins d'allégresse à l'idée qu'ils avaient conquis le château et tout le pays. Lorsque Anguingueron le vit, il se fit armer en toute hâte et s'avança vers lui à vive allure sur son cheval vigoureux et bien nourri. Il lui dit :

« Jeune homme, qui t'envoie ici ? Dis-moi la raison de ta venue : viens-tu chercher la paix ou la bataille ?

---

1. Traduction de *cil de l'ost*, ou *cil dehors*, expressions désignant les assiégeants.

– Mais toi-même, que fais-tu sur cette terre ? fit-il. Tu me le diras d'abord. Pourquoi as-tu tué les chevaliers et ruiné tout le pays ? »

Alors l'autre lui répondit avec orgueil et outrecuidance : « Je veux qu'aujourd'hui on m'abandonne le château et qu'on me livre la tour qu'on m'a trop longtemps refusée, et mon seigneur aura la jeune fille.

– Maudits soient aujourd'hui ces paroles, dit le jeune homme, ainsi que celui qui les a dites ! Il te faudra plutôt renoncer à tout ce que tu lui disputes.

– Mensonges que tout cela, par saint Pierre, fit Anguingueron. Il arrive souvent que tel paie pour une faute sans y être pour rien [1]. »

Le jeune homme en eut alors assez. Il mit la lance en arrêt, et ils s'élancèrent l'un contre l'autre sans se défier ni s'adresser la parole. Chacun disposait d'une lance en frêne au fer tranchant et à la hampe robuste et maniable. Les chevaux étaient rapides et les chevaliers puissants. Ils se haïssaient à mort. Ils se frappèrent si fort que craquaient les bois de leurs boucliers qui se brisèrent en même temps que les lances, et qu'ils se jetèrent l'un l'autre à terre. Mais ils eurent tôt fait de se remettre en selle et de se précipiter l'un contre l'autre, sans paroles inutiles, plus férocement que deux sangliers. Ils se frappèrent sur leurs boucliers et sur leurs hauberts aux fines mailles de toute la force de leurs chevaux. Emportés par la colère et la rage, de toute la puissance de leurs bras ils firent voler les morceaux et les éclats de leurs deux lances. Anguingueron fut le seul à tomber, le corps couvert de blessures au point qu'il avait mal au bras et au côté. Le jeune homme mit pied à terre, car il ne savait l'attaquer en restant à cheval. Une fois descendu, il tira l'épée et l'assaillit. Je ne puis vous en raconter davantage, ni ce qui arriva à chacun, ni tous les coups l'un après l'autre : il reste que la bataille dura longtemps et que les coups furent très violents, jusqu'à ce qu'Anguingueron

---

1. Encore un personnage qui se sert d'un tour proverbial.

tombât, et le jeune homme l'attaqua si vigoureusement qu'il cria grâce ; mais son adversaire lui répondit qu'il n'en était pas question. Il se souvint pourtant du gentilhomme qui lui avait appris à ne pas tuer un chevalier du moment qu'il l'avait vaincu et qu'il avait pris le dessus sur lui.

L'autre lui dit :

« Bien cher ami, ne soyez donc pas si cruel que vous n'ayez nulle pitié de moi. Je vous l'affirme solennellement : tu as pris le meilleur et tu es un très bon chevalier, mais pas assez pour qu'un homme qui ne l'aurait pas vu et qui nous connaîtrait tous les deux puisse croire que toi tout seul, avec tes armes, tu m'as tué au combat. Mais si j'apporte le témoignage que tu m'as vaincu par les armes sous les yeux de mes gens, devant ma tente, on croira en ma parole et ta gloire se répandra, plus grande que n'en eut jamais aucun chevalier. Et si tu as un seigneur qui t'ait fait du bien ou rendu un service, et qui n'en ait pas encore reçu la récompense, prends soin de m'envoyer à lui : j'irai de ta part et je lui dirai comment tu m'as vaincu par les armes, et je me constituerai son prisonnier, à son entière disposition.

– Maudit, fit-il, celui qui vous demande davantage ! Sais-tu donc où tu iras ? En ce château-là, et tu diras à la belle qui est mon amie que jamais plus de toute ta vie tu ne chercheras à lui nuire, et tu te mettras sans réserve, totalement, à sa merci.

– Tue-moi donc, répondit l'autre, car tout aussi bien elle me ferait tuer : elle ne désire rien autant que ma mort et mon tourment, car j'étais présent à la mort de son père [1] et je l'ai plongée dans l'affliction en lui tuant ou en lui prenant cette année tous ses chevaliers. Dans quelle terrible prison je me trouverais si l'on m'envoyait à elle ! On ne saurait me faire pis. Mais si tu as un autre ami ou une autre amie, envoie-moi là, à condition qu'elle n'ait pas envie de me faire du

---

1. La formule est ambiguë : Anguingueron a-t-il participé à la mise à mort du père ou y a-t-il seulement assisté ?

mal, car celle-ci m'arracherait la vie si elle me tenait, c'est sûr et certain. »

Le jeune homme lui dit alors d'aller au château d'un gentilhomme dont il lui donna le nom. Dans le monde entier il n'est maçon qui aurait su mieux décrire l'aspect du château. Il lui vanta fort l'eau et le pont, les tourelles et le donjon, les puissants murs qui l'entouraient, si bien que l'autre comprit et vit que c'était dans le lieu où on le haïssait le plus qu'il voulait l'envoyer prisonnier.

« Je ne me crois pas en lieu sûr, fit-il, cher seigneur, là où tu m'envoies. Dieu m'aide ! Tu veux me fourvoyer et me jeter dans de mauvaises mains, car j'ai tué un de ses frères [1] au cours de cette guerre. Tue-moi toi-même, bien cher ami, plutôt que tu me fasses aller à lui. Là-bas, ce sera ma mort, si tu m'y chasses.

– Eh bien ! tu iras te constituer prisonnier chez le roi Arthur, tu salueras le roi pour moi et tu lui demanderas de ma part qu'il te fasse montrer celle que frappa Keu parce qu'à ma vue elle avait ri ; c'est à celle-ci que tu te rendras prisonnier et tu lui diras, s'il te plaît, que je prie Dieu de ne pas me laisser mourir avant que je ne l'aie vengée [2]. »

L'autre répondit que ce service, il l'accomplirait parfaitement. Alors le chevalier vainqueur s'en retourna au château, tandis que le vaincu s'en alla vers sa prison, en faisant emporter son étendard, et que son armée leva le siège sans qu'il restât ni brun ni blond. Les habitants du château sortirent à la rencontre de celui qui revenait ; mais ils étaient très fâchés que du chevalier qu'il avait vaincu il n'eût pas coupé la tête et qu'il ne le leur eût pas livré. Pleins de joie ils le descendirent de cheval et le désarmèrent sur un perron [3].

---

1. Évocation rapide d'un des fondements de la société féodale : la vengeance (ici, de la mort d'un frère).

2. Il s'agit ici, pour le chevalier, de châtier l'outrage fait à un faible.

3. Bloc de pierre dont se servait le chevalier lourdement armé pour monter ou descendre de cheval.

« Seigneur, dirent-ils, Anguingueron, puisque vous ne l'avez pas ramené ici, pourquoi ne lui avez-vous pas coupé la tête ?

– Par ma foi, seigneurs, répondit-il, je n'aurais pas bien agi, je crois, car il a tué vos parents et je n'aurais pas pu garantir sa sécurité : vous l'auriez tué contre mon gré. Je vaudrais bien peu si, ayant le dessus, je ne lui avais pas fait grâce. Savez-vous quelle a été cette grâce ? Il se constituera prisonnier du roi Arthur, s'il me tient parole. »

La demoiselle survient alors, toute joyeuse de le voir. Elle l'emmène dans ses appartements pour qu'il s'y repose et délasse. À ses étreintes et à ses baisers elle n'oppose aucun refus ; plutôt que de boire et de manger, ils jouent à s'embrasser et à s'étreindre, et ils échangent de tendres propos.

Mais Clamadeu, tout à ses folles illusions, arrive et croit tenir aussitôt le château sans qu'il se défende, quand il rencontre en chemin un jeune homme éploré qui lui donne des nouvelles d'Anguingueron son sénéchal.

« Grand Dieu, seigneur, les choses vont bien mal, fait le jeune homme qui, de douleur, s'arrache les cheveux à pleines mains.

– De quoi s'agit-il ? répond Clamadeu.

– Seigneur, fait le jeune homme, votre sénéchal a été vaincu par les armes, et il se constituera prisonnier du roi Arthur chez qui il se rend.

– Qui a fait cela, jeune homme, dis-le-moi, et comment cela a-t-il pu arriver ? D'où a pu sortir le chevalier capable d'obliger un si valeureux gentilhomme à s'avouer vaincu ?

– Bien cher seigneur, répond-il, je ne sais qui était le chevalier ; je sais seulement que je l'ai vu sortir de Beaurepaire armé d'une armure vermeille.

– Et toi, que me conseilles-tu, jeune homme ? fait Clamadeu qui est près de perdre l'esprit.

– Quoi donc, seigneur ? Retournez-vous-en, car si vous alliez plus avant, vous n'y gagneriez rien du tout. »

À ces mots s'est avancé un chevalier grisonnant qui avait été le maître de Clamadeu.

« Jeune homme, fait-il, tu ne dis rien d'utile. C'est un plus sage et un meilleur conseil qu'il lui faut croire plutôt que le tien : s'il te croit, il agira follement, mais, à mon avis, il ira de l'avant. Seigneur, ajoute-t-il, voulez-vous savoir comment vous pourriez prendre le chevalier et le château ? Je vous le dirai bel et bien, et ce sera facile à exécuter. À l'intérieur des murs de Beaurepaire, il n'y a rien à boire et à manger ; les chevaliers sont affaiblis, et nous, nous sommes forts et bien portants, nous n'avons ni soif ni faim ; aussi pourrons-nous supporter un rude assaut si ceux de dedans osent sortir pour nous affronter ici dehors. Nous enverrons vingt chevaliers devant la porte pour les provoquer au combat. Le chevalier, qui prend du bon temps avec Blanchefleur, sa douce amie, voudra montrer sa prouesse [1] plus qu'il ne pourra l'endurer : il sera pris ou tué car il trouvera peu d'aide auprès des autres qui seront trop faibles. Nos vingt chevaliers ne feront rien d'autre que de les tromper, tant et si bien que nous, par cette vallée, nous tomberons sur eux en catimini, et nous les cernerons en les prenant à revers [2].

– Ma foi, fait Clamadeu, j'approuve tout à fait ce conseil que vous me donnez. Nous avons ici des gens d'élite, cinq cents chevaliers armés de pied en cap et mille soldats bien équipés ; aussi les prendrons-nous comme de simples mannequins. »

---

1. Traduction de *feire chevalerie*. Le mot *chevalerie* désignait : 1) l'ordre de chevalerie ; 2) la cavalerie ; 3) le fait d'armes, la prouesse ; 4) la vaillance au combat. Voir J. Flori, « La notion de chevalerie dans les chansons de geste du XIIe siècle. Étude historique de vocabulaire », art. cité, p. 215-219.

2. C'est-à-dire en les prenant de flanc, en exécutant un mouvement tournant visant à les séparer de leurs compagnons et à couper leur retraite. Selon F. Lecoy, « la *forclose* était sans doute un coup licite et couramment pratiqué, mais elle ne relevait peut-être pas du franc jeu qu'on était en droit d'attendre d'un chevalier parfait » (*Romania*, t. LXVIII, 1944-1945, p. 157-168).

Clamadeu envoya donc devant la porte vingt chevaliers qui déployèrent au vent des gonfanons et des bannières de toutes formes. Quand ceux du château les virent, ils ouvrirent toutes grandes les portes : c'était la volonté du jeune homme qui sortit à leur tête pour affronter les chevaliers. En combattant hardi, vigoureux et fougueux, il les attaqua tous ensemble. À celui qu'il atteignait, il ne donnait pas l'impression d'être un débutant aux armes. Ce jour-là, maintes entrailles sentirent le fer de sa lance. À l'un il transperça la poitrine et à l'autre le cœur ; à celui-ci il brisa le bras et à celui-là la clavicule ; il tua, il blessa, il renversa, il captura ; il remit les prisonniers et les chevaux à ceux qui en avaient besoin. Mais voici qu'ils virent venir la grande armée qui avait remonté toute la vallée : ils étaient cinq cents, tout bien compté, sans parler des mille soldats qui survinrent, tandis que ceux du château se tenaient tout près de la porte ouverte. À la vue des pertes subies par leurs gens, blessés ou morts, les ennemis se précipitèrent sur la porte furieusement, en désordre, tandis que les assiégés se tenaient tous en rangs serrés devant la porte, et ils les reçurent hardiment. Mais ils étaient peu nombreux et affaiblis, tandis que la force des autres s'accrut des hommes qui les avaient suivis, si bien qu'ils ne purent supporter l'assaut et qu'ils se retirèrent dans leur château. Au-dessus de la porte, des archers tiraient sur la foule des assaillants qui se pressaient, tout brûlants du désir de pénétrer violemment dans le château. En fin de compte, un groupe s'est à vive allure rué en force à l'intérieur, mais les défenseurs ont fait retomber sur eux une porte, tuant et écrasant tous ceux qu'elle atteignit dans sa chute.

Jamais Clamadeu n'a rien pu voir qui l'affligeât autant, car la porte coulissante a tué beaucoup de ses gens et lui a refusé le passage [1]. Il n'a plus qu'à se tenir en repos : un

---

1. Ce stratagème des portes coulissantes apparaît déjà dans *Le Chevalier au lion* (vers 942-951) et dans *Le Chevalier de la charrette* (vers 2326-2336). Le lecteur suit facilement les différentes phases du combat. Les assiégés tentent une sortie, mais ils doivent reculer à la vue des renforts

assaut trop précipité ne serait que peine perdue. Son maître qui lui sert de conseiller lui dit :

« Seigneur, il n'est pas extraordinaire pour un gentilhomme qu'il lui arrive malheur : c'est comme il plaît et convient à Notre-Seigneur que le bonheur ou le malheur échoit à chaque homme. Vous avez perdu, c'est évident, mais il n'est pas de saint qui n'ait sa fête. La tempête s'est abattue sur vous, les vôtres sont mal en point, et ceux du dedans ont gagné, mais ils perdront à leur tour, sachez-le. Arrachez-moi les deux yeux s'ils résistent là-dedans deux jours. Le château et le donjon seront à vous, car ils se mettront tous à votre merci. Si vous pouvez demeurer ici seulement aujourd'hui et demain, le château sera entre vos mains, et même celle qui vous a si longtemps refusé vous priera à son tour, au nom de Dieu, de bien vouloir l'épouser. »

Alors ceux qui avaient apporté tentes et pavillons les firent dresser, tandis que les autres se logèrent et campèrent comme ils purent. Ceux du château désarmèrent les chevaliers qu'ils avaient pris sans les mettre dans des cachots ni aux fers, à la seule condition qu'ils s'engagent loyalement en vrais chevaliers à tenir leur parole de prisonniers et à ne jamais chercher à leur nuire [1]. C'est ainsi qu'ils restèrent les uns et les autres à l'intérieur des murailles.

Ce même jour, un grand vent avait poussé en mer un navire lourdement chargé de froment et rempli d'autres vivres, qui, selon la volonté de Dieu, aborda tout à fait intact devant le château. Les assiégés, quand ils l'eurent aperçu, envoyèrent des gens pour demander et savoir qui ils étaient et ce qu'ils venaient chercher. Aussi du château descendirent-ils jusqu'au navire et demandèrent-ils qui ils étaient, d'où ils venaient et où ils allaient.

---

reçus par les assiégeants qui se précipitent. Les assiégés font alors retomber une porte coulissante qui provoque de nombreuses pertes et coupe en deux la troupe de leurs ennemis.

1. Les vainqueurs font preuve de courtoisie et de générosité à l'égard de chevaliers qui les ont agressés sans ménagement.

« Nous sommes des marchands, répondirent-ils, qui apportons des victuailles pour les vendre, du pain, du vin, des jambons, des bœufs et des porcs en quantité, qu'on pourrait tuer en cas de besoin. »

Et les autres de dire :

« Béni soit Dieu qui donna au vent la force de vous amener ici juste à point, et soyez les bienvenus ! Débarquez, car tout est vendu aussi cher que vous le voudrez, et dépêchez-vous de venir prendre votre dû, car vous ne pourrez venir à bout de recevoir et de compter les lingots d'or et les lingots d'argent que nous vous donnerons pour le froment ; et pour le vin et pour la viande vous en aurez une pleine charrette, et plus si besoin est. »

L'affaire est vite conclue entre acheteurs et vendeurs. Ils s'emploient à décharger le navire dont ils font porter tout le contenu devant eux pour réconforter ceux du château. Quand ces derniers voient venir ceux qui apportaient les vivres, vous pouvez imaginer leur joie, et le plus vite possible ils font préparer le repas. Maintenant Clamadeu a tout loisir de rester longtemps à musarder dehors, car ceux du dedans ont des bœufs, des porcs, de la viande salée à profusion, et du froment jusqu'à la saison nouvelle. Les cuisiniers ne sont pas inactifs, tandis que les garçons allument les feux dans les cuisines pour cuire les repas. Maintenant le jeune homme peut tout à son aise se divertir aux côtés de son amie : elle l'étreint et lui l'embrasse, partageant tous deux la même joie. Quant à la grande salle, elle n'est pas silencieuse, mais elle est toute bruyante de la joie exubérante que tous manifestent pour ce repas qu'ils ont tant désiré. Les cuisiniers se sont tant et si bien affairés qu'ils ont pu faire asseoir pour le repas ceux qui en avaient grand besoin.

Quand ils eurent mangé, ils se lèvent de table, tandis que Clamadeu et ses gens crèvent de dépit : ils avaient déjà appris la nouvelle de l'aubaine dont avaient profité les assiégés ; et ils se disent qu'il leur faut s'en aller, car le château ne peut être en aucune manière affamé : c'est pour rien qu'ils ont assiégé la ville. Clamadeu, tout enragé, envoie au château un messager, sans demander l'avis ni le conseil de personne, et il fait savoir au chevalier vermeil que jusqu'à midi le lendemain, il pourra le trouver seul dans la plaine pour l'affronter s'il l'ose. Quand la jeune fille entend cette nouvelle qu'on apporte à son ami, elle en est tout affligée et contrariée, d'autant que lui fait répondre à Clamadeu qu'il aura la bataille du moment qu'il la demande et quoi qu'il arrive. Le chagrin de la jeune fille redouble alors de violence et d'intensité, mais quel que soit son chagrin, la chose n'en restera pas là, je le crois. Toutes et tous le supplient de ne pas aller affronter un homme que jamais encore aucun chevalier n'a été de taille à combattre.

« Seigneurs, taisez-vous donc, fait le jeune homme, ce sera mieux, car je n'y renoncerais pour rien ni pour personne au monde. »

Ainsi leur coupe-t-il la parole : ils n'osent plus lui en parler, mais ils vont se coucher et se reposent jusqu'au lendemain au lever du soleil. Pour leur seigneur [1] ils sont ennuyés de n'avoir pas réussi, malgré leurs prières, à le convaincre. Cette même nuit, son amie l'avait elle aussi supplié de ne pas aller se battre, mais de rester tranquille, car ils n'avaient plus rien à craindre de Clamadeu et de ses gens. Mais tous ses efforts furent vains ; et pourtant ce qui était tout à fait extraordinaire, c'est qu'à ses propos enjôleurs se mêlait une grande douceur, car elle accompagnait chaque mot d'un baiser si doux et si tendre qu'elle mettait la clef de l'amour dans la serrure de son cœur. Quoi qu'il en soit, il lui fut tout à fait impossible de réussir à le dissuader de se battre. Mais il demanda ses armes, que celui à qui il les avait confiées lui apporta le plus vite qu'il put. On l'arma dans un climat de profonde tristesse : tous et toutes en étaient affligés. Il les a tous et toutes recommandés au Roi des Rois, puis il monta sur le cheval norvégien qu'on

---

1. Perceval a acquis un nouveau statut, celui de seigneur des habitants de Beaurepaire.

lui avait amené. Il ne s'attarda guère parmi eux, mais les quitta immédiatement, les laissant en proie à leur chagrin.

Quand Clamadeu qui devait se battre avec lui le vit venir, il fut emporté par une si folle imagination qu'il crut lui faire vider sur-le-champ les arçons de sa selle. Dans la lande qui était unie et belle, il n'y avait qu'eux deux car Clamadeu avait dispersé et renvoyé tous ses gens. Chacun avait appuyé sa lance sur le devant de l'arçon, et ils foncèrent l'un sur l'autre sans aucune parole de défi.

Chacun tenait bien en main une grosse lance de frêne au fer tranchant. Et les chevaux de se précipiter à toute allure. Les chevaliers étaient puissants et ils se haïssaient mortelle-ment[1]. Ils se frappèrent si fort que le bois des boucliers craqua et que les lances se brisèrent et qu'ils se jetèrent à terre ; mais ils se relevèrent aussitôt et se rencontrèrent de pied ferme. De l'épée ils combattirent à égalité pendant un très long moment. Je pourrais vous en faire une description détaillée si je voulais m'y consacrer, mais je ne veux pas en prendre la peine pour la raison qu'un mot en dit autant que vingt[2].

Pour finir, Clamadeu dut malgré lui s'avouer vaincu, et faire toutes les volontés de son vainqueur, tout comme l'avait fait son sénéchal, à condition de ne se constituer d'aucune manière prisonnier à Beaurepaire, pas plus que son sénéchal ne voulut le faire, ni, pour tout l'or de Rome, d'aller chez le gentilhomme qui possédait le robuste châ-teau. Mais il accepta volontiers de promettre qu'il se consti-tuerait prisonnier du roi Arthur et qu'il dirait son message à la jeune fille que Keu avait brutalement frappée : il la vengerait, c'est sa volonté, quelque ennui ou chagrin qu'on

---

1. Cette haine pourrait entraîner la mort du vaincu, mais l'enseignement de Gornemant et la générosité naturelle de Perceval s'opposeront à cette issue.

2. Chrétien de Troyes se distingue ici encore des autres romanciers et conteurs qui demeurent tributaires du style épique : il abrège le récit des combats.

en ait, pourvu que Dieu veuille lui en donner la force. Ensuite, il dut promettre que le lendemain, avant qu'il ne fît jour, tous ceux qu'il retenait dans ses tours s'en retourneraient sains et saufs, et que jamais, tant qu'il vivrait, il ne laisserait, s'il le pouvait, aucune armée s'installer devant le château, et que ni ses hommes ni lui-même ne causeraient aucun ennui à la demoiselle.

Ainsi Clamadeu s'en retourna-t-il dans ses terres. Dès qu'il y fut arrivé, il commanda que tous les prisonniers fussent relâchés et qu'ils s'en allassent libres de toute rançon. Dès qu'il eut parlé, on exécuta ses ordres. Voici donc les prisonniers libérés [1], et ils s'en allèrent aussitôt avec tout leur bagage sans qu'on en retînt rien. De son côté, Clamadeu se mit en route, cheminant tout seul. C'était la coutume en ce temps-là, nous le trouvons écrit dans le livre, qu'un chevalier devait gagner sa prison avec l'équipement qu'il avait en quittant le combat où il avait été vaincu, sans que rien fût ôté ou ajouté [2]. C'est exactement ainsi que Clamadeu fait route sur les traces d'Anguingueron qui s'en va vers Dinasdaron où le roi devait tenir sa cour.

Cependant, une grande joie règne au château où sont revenus ceux qui avaient longtemps subi une rude prison. Toute la grande salle retentit de joie, ainsi que les logis des chevaliers. Dans les chapelles et les monastères on fait sonner de joie toutes les cloches, et il n'est moine ni religieuse qui ne rende grâce à Dieu. Par les rues et par les places, toutes et tous dansent. Le château est maintenant en grande liesse car personne ne les attaque ni ne leur fait la guerre.

Quant à Anguingueron, il poursuivait sa route, et Clamadeu après lui, qui trois nuits de suite coucha dans le même hôtel que son sénéchal, et qui le suivit à la trace jusqu'à

---

1. Comme Yvain dans *Le Chevalier au lion* et Lancelot dans *Le Chevalier de la charrette*, Perceval est un libérateur.

2. Coutume ancienne selon laquelle un chevalier fait prisonnier ne pouvait changer d'armure ou de vêtements.

Dinasdaron, au pays de Galles, où le roi Arthur, en ses grandes salles, tenait sa cour plénière. Ils virent arriver Clamadeu, tout armé comme il le fallait, et Anguingueron le reconnut : il avait déjà délivré à la cour et transmis son message dès l'autre nuit qu'il était arrivé, et on l'avait retenu à la cour pour faire partie de la maison et du conseil du roi. Il a vu son seigneur couvert de sang vermeil, et pourtant il l'a bien reconnu. Il a dit aussitôt :

« Seigneurs, seigneurs, voici une merveilleuse aventure ! Le jeune homme aux armes vermeilles envoie ici, croyez-m'en, ce chevalier que vous voyez. Il l'a vaincu, j'en suis certain à voir le sang dont il est couvert. J'ai bien vu le sang d'ici et reconnu l'homme en personne : c'est mon seigneur et je suis son vassal [1]. Son nom est Clamadeu des Îles, et je croyais qu'il était un si bon chevalier qu'il n'y en eût pas de meilleur dans l'empire de Rome ; mais il arrive malheur à bien des gentilshommes [2]. »

Telles furent les paroles d'Anguingueron, cependant que Clamadeu parvenait jusque-là. Ils coururent l'un vers l'autre, et c'est ainsi qu'ils se rencontrèrent à la cour.

C'était un jour de Pentecôte. La reine était assise au côté du roi Arthur au haut bout d'une table, et il y avait des comtes, des ducs et des rois, et beaucoup de reines et de comtesses. C'était après qu'on eut dit toutes les messes et que les dames et les chevaliers furent revenus de l'église. Or voici que Keu traversa la salle, sans manteau, avec dans la main droite une baguette et un chapeau sur sa tête aux

---

1. *Ses hon*, littéralement « son homme ». Le vassal était celui qui rendait à son suzerain l'hommage, lequel comportait deux éléments : un geste, l'*immixtio manuum* – le vassal plaçant ses mains dans celles de son seigneur –, et une déclaration, « je deviens votre homme ». Le plus important était le geste, comme en témoignent les expressions qui ponctuaient cette cérémonie, par exemple *manus alicui dare* (« tendre la main à quelqu'un ») ou *aliquem per manus accipere* (« recevoir des mains de »). Voir F.-L. Ganshof, *Qu'est-ce que la féodalité ?*, 4e éd., Presses universitaires de Bruxelles, 1968, p. 69-72 ; et notre *Cours sur la Chanson de Roland, op. cit.*, p. 156.

2. Encore un tour proverbial dans la bouche d'Anguingueron.

cheveux blonds [1]. Il n'y avait plus beau chevalier au monde.
Il portait une tresse. Mais sa beauté et sa vaillance étaient
gâtées par ses méchantes plaisanteries. Sa tunique était
d'une luxueuse étoffe de soie très colorée, et il portait une
ceinture ouvragée dont la boucle et les plaquettes étaient en
or, je m'en souviens bien, car c'est ce que rapporte l'histoire [2]. Chacun s'écarte de sa route quand il traverse la salle.
Ses méchantes plaisanteries et sa mauvaise langue sont
redoutées de tous, et on lui cède le passage ; en effet, il faut
être fou pour ne pas redouter, qu'on plaisante ou qu'on soit
sérieux, les méchancetés trop évidentes. Ses méchantes plaisanteries étaient si redoutées de tous les présents que personne ne lui adressa la parole alors qu'il passait devant eux
jusqu'à l'endroit où était assis le roi.

« Sire, lui dit-il, si vous le vouliez bien, ce serait l'heure
de manger.

– Keu, répondit le roi, laissez-moi tranquille, car jamais,
je le jure par mes yeux, je ne mangerai lors d'une si grande
fête, à l'occasion d'une cour plénière, tant qu'à ma cour ne
sera parvenue une vraie nouvelle. »

Pendant qu'ils parlaient ainsi, Clamadeu pénétra dans la
cour : il venait se constituer prisonnier, armé comme il le
fallait.

« Que Dieu, dit-il, sauve et bénisse le meilleur roi qui
soit en vie, le plus généreux [3] et le plus noble comme en
témoignent tous ceux devant qui on a rapporté les grandes

1. Ce portrait détaillé de Keu sert de contre-exemple. Sur certains éléments de ce portrait, voir F. Dubost, *Le Conte du graal ou l'Art de faire
signe*, *op. cit.*, p. 80.

2. Chrétien de Troyes évoque une source, réelle ou fictive, pour justifier
un événement ou, comme ici, une description extraordinaire.

3. Traduction de l'adjectif *franc* qui eut d'abord une valeur ethnique (il
s'agit du peuple franc) et qui a ensuite pris le sens de « libre » (qui perdure
dans des expressions comme « avoir les coudées franches », « corps
franc », etc.) et a désigné les nobles. À ce sens social s'est ajoutée l'idée
de noblesse morale et de noblesse des manières, avec au premier plan
l'idée de générosité et de franchise.

prouesses qu'il a faites ! Écoutez donc, cher seigneur, ajouta-t-il : je veux vous délivrer mon message. Bien que cela me soit pénible, j'avoue que m'envoie ici un chevalier qui m'a vaincu. De sa part je dois me constituer prisonnier auprès de vous : je ne puis y échapper. Et si on voulait me demander si je connais son nom, je répondrais que non ; mais les seules nouvelles que je puisse vous apporter, c'est que ses armes sont vermeilles et que vous les lui avez données, à ce qu'il dit.

– Mon ami, que Notre-Seigneur t'aide, répondit le roi, dis-moi la vérité : est-il frais et dispos, sain et sauf ?

– Oui, soyez-en tout à fait certain, dit Clamadeu, mon très cher seigneur. C'est le plus vaillant chevalier que j'aie jamais rencontré. Il m'a demandé aussi de parler à la jeune fille qui avait ri à son intention et à qui, pour cette raison, Keu fit le grand affront de la gifler ; mais il a dit qu'il la vengera, si Dieu lui en accorde le pouvoir. »

Le fou, quand il entend ces mots, saute de joie et s'écrie :

« Seigneur roi, Dieu me bénisse, oui, il sera bien vengé, le soufflet, et ne pensez pas que ce soit une faribole : Keu en aura le bras cassé, quoi qu'il puisse faire, et la clavicule démise. »

Keu, entendant ces paroles, les prend pour de pures sottises, et sachez bien que ce n'est pas par couardise qu'il se retient de lui briser la tête, mais à cause du roi, pour ne pas le couvrir de honte.

Le roi a hoché la tête en disant :

« Ah ! Keu, il m'est très pénible qu'il ne soit pas ici même avec moi. À cause de ta folle langue, à cause de toi, il s'en est allé, et j'en ai beaucoup de peine. »

À ces mots, Girflet se lève, sur l'ordre du roi, ainsi que messire Yvain [1] qui rend meilleurs tous ses compagnons, et le roi leur demande d'emmener le chevalier et de le conduire jusqu'aux appartements où se distraient les demoiselles de la

---

1. Première apparition d'Yvain. Sur ce personnage, voir la présentation, p. 9.

reine. Le chevalier s'incline devant lui, et ceux à qui il l'a confié l'ont emmené jusqu'aux appartements où on lui montra la jeune fille. Il lui rapporta la nouvelle qu'elle avait envie d'entendre, car elle souffrait encore du soufflet qui lui avait été assené sur la joue. Si du soufflet qu'elle avait reçu elle était parfaitement remise, la honte n'en était pas du tout oubliée ni disparue, car il faut être bien mauvais pour oublier la honte ou l'injure qu'on vous a faite. La douleur peut bien passer, la honte demeure dans l'âme vigoureuse et forte, tandis que chez le lâche elle meurt et se refroidit. Clamadeu a délivré son message ; ensuite, durant toute sa vie, le roi l'a retenu à sa cour et parmi ses familiers [1].

Quant à celui qui a défendu contre lui la terre et la jeune fille, Blanchefleur, son amie, sa belle amie, il vit auprès d'elle des heures agréables et heureuses, et le pays aussi eût pu être tout entier à sa disposition s'il avait accepté de ne pas avoir le cœur ailleurs. Mais autre chose est plus importante pour lui : il se ressouvient de sa mère [2] qu'il a vue tomber évanouie, et il désire aller la voir plus fortement que tout. Il n'ose prendre congé de son amie, et celle-ci le lui interdit et défend ; elle demande à tous ses gens de le supplier de rester. Mais il n'a cure de tout ce qu'ils disent, sauf qu'il s'engage, s'il trouve sa mère en vie, à la ramener avec lui et à gouverner dorénavant la terre, qu'ils en soient sûrs et certains ; et si elle est morte, il fera de même. Ainsi se met-il en route, tout en leur promettant de revenir, et il laisse son amie, sa gracieuse amie [3], tout affligée et désolée ainsi que tous les autres.

---

1. Il s'agit de sa *mesnie*, ou *maisnie*, c'est-à-dire de l'ensemble de ses familiers et de ses serviteurs, tandis que le *lignage* est l'ensemble des ascendants et des descendants.

2. Le souvenir de la mère, de plus en plus présent, s'oppose à l'attirance amoureuse de Perceval pour Blanchefleur.

3. Traduction de l'expression *la jante. Jant, gent* (du latin *genitum*, « né », puis « bien né ») indique la haute naissance (« noble »), la beauté physique et morale (« joli, gracieux, aimable »), la richesse et l'élégance de la toilette (« distingué »). Cet adjectif n'est plus en usage depuis le XVIe siècle.

Quand il sortit de la ville, il se fit une telle procession qu'on se serait cru au jour de l'Ascension ou un dimanche, car tous les moines y étaient venus, revêtus de chapes de soie, et toutes les religieuses voilées ; et les uns et les autres disaient :

« Seigneur, qui nous as tirés d'exil et ramenés dans nos maisons, il n'est pas étonnant que nous pleurions, puisque si tôt tu veux nous abandonner. Il est normal que notre douleur soit profonde, et elle l'est plus qu'on ne peut dire. »

Il leur répondit :

« Il ne faut pas que vous pleuriez maintenant plus longtemps. Je reviendrai avec l'aide de Dieu. Il ne sert à rien de s'abandonner à la douleur. Ne croyez-vous pas que ce soit bien que, moi, j'aille voir ma mère qui vivait seule dans le bois qu'on appelle la Forêt Déserte ? Je reviendrai, qu'elle soit vivante ou morte, car jamais pour rien au monde je n'y manquerai. Si elle est vivante, je ferai d'elle une religieuse voilée dans votre église ; et si elle est morte, vous célébrerez chaque année pour son âme un service, afin que Dieu la mette au sein d'Abraham avec les âmes pieuses. Seigneurs moines et vous, belles dames, vous ne devez pas vous en affliger, car je vous ferai de très grands biens pour le repos de son âme, si Dieu me ramène. »

Alors s'en retournèrent les moines et les religieuses et tous les autres. Lui s'en alla, la lance en arrêt, armé de la même manière qu'il était venu, et toute la journée il continua sa route sans rencontrer créature terrestre, chrétien ou chrétienne, qui pût lui indiquer son chemin. Il ne cessait de prier Dieu Notre-Seigneur, le père souverain, qu'il lui accordât de trouver sa mère pleine de vie et de santé, si c'était sa volonté. Cette prière dura tant qu'il parvint à une rivière, en descendant une colline [1]. Il regarda l'eau rapide et profonde sans oser s'y engager.

---

1. Cette colline (*angarde*) servait d'observatoire.

« Ah ! Seigneur Dieu tout-puissant, dit-il, si je pouvais traverser cette eau, au-delà je trouverais ma mère, je le pense, si elle est en vie. »

Ainsi suit-il la rive jusqu'à l'approche d'un rocher qui plonge dans l'eau, en sorte qu'il ne peut plus avancer. C'est alors qu'il voit, descendant la rivière, une barque qui vient d'amont : deux hommes y sont assis. Il se tient immobile et les attend, croyant qu'ils finiront par venir jusqu'à lui. Mais tous deux s'arrêtent aussi et se tiennent immobiles au milieu de la rivière où ils se sont solidement ancrés. Celui qui était à l'avant pêchait à la ligne et amorçait son hameçon d'un petit poisson guère plus gros qu'un fin vairon. Le jeune homme, qui ne sait que faire ni où trouver un passage, les salue et leur demande :

« Indiquez-moi, seigneurs, si en cette rivière il y a un gué ou un pont. »

Et celui qui pêche lui répond :

« Non, mon frère, par ma foi, et il n'y a pas non plus de bateau, tu peux m'en croire, plus grand que celui où nous sommes – et qui est incapable de porter cinq hommes – à vingt lieues en amont ou en aval. Il est donc impossible de passer un cheval, car il n'y a ni bac ni pont ni gué.

– Alors indiquez-moi, fait-il, au nom de Dieu, où je pourrai me loger.

– De cela et d'autre chose, vous auriez besoin, je crois. C'est moi qui vous hébergerai ce soir. Montez par cette brèche qui est ouverte dans cette roche, et quand vous arriverez en haut, vous verrez devant vous dans un vallon une maison où j'habite, près de la rivière et près des bois. »

Aussitôt le voici qui monte jusqu'au sommet de la colline. Une fois en haut, il regarda très loin devant lui et il ne vit rien d'autre que le ciel et la terre. Il s'exclama :

« Que suis-je venu chercher ? Sottise et niaiserie. Puisse Dieu couvrir de honte celui qui m'a envoyé ici ! Ah ! oui, il m'a bien orienté en me disant que je verrais une maison quand je serais en haut ! Pêcheur, toi qui m'as raconté cette histoire, tu as été vraiment très déloyal si tu l'as dit pour me nuire. »

C'est alors qu'il vit devant lui dans un vallon le sommet d'une tour [1], qui apparut : on n'en aurait pas trouvé jusqu'à Beyrouth de plus belle ni de mieux bâtie. Elle était carrée, en pierre bise, avec deux tourelles. La grande salle était devant la tour, et par-devant il y avait des galeries.

Le jeune homme descend de ce côté-là, se disant qu'il a été mis sur la bonne voie par celui qui l'a envoyé là. Il se loue du pêcheur qu'il ne traite plus de trompeur ni de déloyal ni de menteur, puisqu'il trouve où loger. Ainsi se dirige-t-il vers la porte devant laquelle il trouve un pont-levis qui était abaissé. Il passe le pont, et des jeunes gens viennent à sa rencontre au nombre de quatre. Deux le désarment ; le troisième emmène son cheval et lui donne du fourrage et de l'avoine ; le quatrième le revêt d'un manteau d'écarlate flambant neuf. Puis ils l'emmènent jusqu'aux galeries : sachez-le, jusqu'à Limoges on n'en aurait pas trouvé ni vu d'aussi belles, quand bien même on les eût cherchées. Le jeune homme se tint dans les galeries jusqu'au moment de venir auprès du seigneur qui lui envoya deux valets, et en leur compagnie il se rendit dans la grande salle qui était carrée et aussi longue que large.

Au milieu, sur un lit, il vit assis un beau gentilhomme aux cheveux grisonnants. Sa tête était couverte d'un chaperon, d'une zibeline noire comme mûre, avec un bandeau de pourpre ; et il en allait de même de tous ses vêtements. Il se tenait appuyé sur son coude, devant un grand feu de bois

---

1. C'est le château du Roi Pêcheur. À proximité d'une rivière infranchissable, il fait figure de château surnaturel, visible ou invisible selon les moments. Avec ses trois tours, il est proche des châteaux de l'au-delà des récits irlandais et de la ville d'Ys avec laquelle il a en commun trois traits : une apparition fortuite et fugitive, un spectacle magnifique et incomplet qui demande quelque chose au héros et, comme celui-ci ne répond pas à cet appel, la disparition de la vision, laquelle se situe hors de l'espace et du temps et qui doit autant à la ville engloutie du royaume des morts qu'à la Jérusalem céleste.

sec qui brûlait clair entre quatre colonnes. On aurait pu faire asseoir bien quatre cents hommes autour du feu, et chacun y aurait été à son aise. Les colonnes massives soutenaient le manteau de la cheminée en airain épais, haut et large.

Devant le seigneur se présentèrent ceux qui lui amenaient son hôte qu'ils encadraient. Quand le seigneur le vit venir, il le salua aussitôt et lui dit :

« Mon ami, ne soyez pas fâché que je ne me lève pas à votre rencontre, car je n'ai pas la possibilité de le faire.

– Par Dieu, sire, n'en parlez pas, répondit-il, car je n'en suis pas fâché, aussi vrai que je demande à Dieu joie et santé. »

Le gentilhomme, en son honneur, fait un grand effort pour se soulever autant qu'il le peut.

« Mon ami, lui dit-il, approchez-vous : ne vous inquiétez pas pour moi, et asseyez-vous en toute quiétude ici près de moi, je vous le demande. »

Le jeune homme s'assit à côté de lui, et le gentilhomme lui dit :

« Mon ami, d'où êtes-vous venu aujourd'hui ?

– Sire, fit-il, je suis parti ce matin de Beaurepaire, c'est son nom.

– Dieu me garde ! reprit le gentilhomme, vous avez eu une rude et longue journée : vous êtes parti avant que le guetteur [1] n'ait au matin corné l'aube.

– Mais non, répondit le jeune homme, la première heure [2] avait déjà sonné, je vous le certifie. »

Pendant qu'ils parlaient ainsi, un valet entra par la porte de la maison, apportant une épée [3] qui était suspendue à son cou et qu'il remit au riche seigneur. Celui-ci la tira à moitié

1. La *gaite*, *gueite*, ou « veilleur de nuit », joue un rôle important dans les chansons d'aube, dans *Aucassin et Nicolette* (vers 1200) et dans *Le Vair Palefroi*.

2. Traduction de *prime*, qui désigne la première heure de la journée, vers six heures du matin.

3. Sur cette épée, il sera donné d'autres renseignements plus loin, p. 101.

et il vit bien où elle avait été faite, car c'était écrit sur l'épée. Il vit aussi qu'elle était faite d'un si bon acier qu'elle ne pourrait jamais se briser, sinon en un seul et unique péril que personne ne connaissait hormis celui qui l'avait forgée et trempée. Le valet qui l'avait apportée dit :

« Sire, c'est la blonde pucelle, votre nièce qui est si belle, qui vous envoie ce présent : jamais vous n'en avez vu de moins pesante, étant donné sa longueur et sa largeur. Vous la donnerez à qui vous plaira, mais ma dame serait très heureuse qu'elle fût bien employée par celui qui l'aura. Celui qui a forgé cette épée n'en fit jamais que trois, et il mourra sans jamais pouvoir en forger une autre après celle-ci. »

Aussitôt le seigneur remit à l'étranger présent en ces lieux cette épée, en la tenant par le baudrier qui valait tout un trésor. Le pommeau de l'épée était d'or, du meilleur d'Arabie ou de Grèce, et le fourreau d'orfroi de Venise. C'est cette épée si richement ouvragée que le seigneur a remise au jeune homme en lui disant :

« Cher seigneur, cette épée vous a été adjugée et destinée [1], et je désire fort que vous l'ayez ; mais ceignez-la et tirez-la du fourreau. »

Le jeune homme l'en remercia et il la ceignit de manière assez lâche, puis il la tira, nue, du fourreau. Quand il l'eut un peu tenue, il la remit dans son fourreau. Sachez-le : elle lui allait admirablement au côté, et encore mieux au poing ; et il apparut bien qu'en cas de besoin il saurait s'en servir en vrai baron. Derrière lui, il vit des jeunes gens debout autour du feu qui brûlait clair, et parmi eux celui qui gardait ses armes : il lui confia son épée, que l'autre garda. Puis il se rassit auprès du seigneur qui lui prodiguait de singulières marques d'honneur. La salle était illuminée de tout l'éclat que peuvent produire des chandelles dans une demeure [2].

---

1. Ce don montre que Perceval est le héros élu qui doit accomplir une mission dangereuse.

2. Seule la grande salle du Roi Pêcheur est précisément décrite. Mais la lumière surabondante ne semble pas y apporter de chaleur ; le feu, autour duquel pourraient se rassembler quatre cents personnes, est trop grand pour

Pendant qu'ils parlaient de choses et d'autres, un valet sortit d'une chambre, avec une lance blanche [1] qu'il tenait par le milieu [2], et il passa entre le feu et ceux qui étaient assis sur le lit ; et tous ceux qui étaient là voyaient la lance blanche et son fer tout aussi blanc [3]. Une goutte de sang perlait de la pointe du fer de la lance, et jusqu'à la main du valet coulait cette goutte vermeille [4]. Le jeune homme, qui était arrivé la nuit même en ces lieux, vit cette merveille, mais il se retint de demander comment se produisait cette aventure, car il se souvenait de la recommandation de celui qui l'avait fait chevalier : il lui avait enseigné et appris qu'il se gardât de trop parler [5]. Aussi craignait-il que, s'il posait une question, on la prît pour une grossièreté : c'est pourquoi il ne posa pas de question.

Alors survinrent deux autres valets qui tenaient en leurs mains des chandeliers d'or fin incrustés de nielles. Très

---

créer une intimité ; la comparaison du graal avec le soleil et la lune réintroduit l'univers dans cette salle. Le monde recréé dans le palais est aussi peu protecteur que le monde extérieur : trop intense, la lumière aveugle plus qu'elle n'éclaire. Le héros est à la recherche d'un lieu d'intimité qui lui échappe.

1. Voir la présentation, p. 15.

2. Cette manière de tenir la lance fait penser, selon D. Poirion, à une œuvre iconographique (voir Chrétien de Troyes, *Œuvres complètes*, *op. cit.*, p. 1349).

3. La répétition de l'adjectif « blanc » insiste sur le caractère surnaturel de la scène. Indice de la féerie, du merveilleux et du surnaturel, le blanc était la couleur soit des vêtements des personnages, soit des animaux qui servaient de guide (cerf, biche, sanglier, chien, etc.), soit des objets. Voir J. Dufournet, *Nouvelles Recherches sur Villon*, Champion, 1980, p. 77-83 ; et J. Ribard, *Le Moyen Âge. Littérature et symbolique*, *op. cit.*, p. 37-44.

4. Le blanc apparaît souvent en association avec le vermeil, le rouge (par exemple dans la thématique de la beauté féminine). « Par-delà l'expression de la beauté et sans la renier, voilà le blanc investi d'une valeur nouvelle, celle de la froide pureté – pureté du fer éclatant de blancheur, pureté de la neige immaculée –, tandis que le vermeil, le rouge, celui du sang répandu, se charge d'une signification sacrificielle » (J. Ribard, *Le Moyen Âge. Littérature et symbolique*, *op. cit.*, p. 45).

5. C'est Gornemant de Gort qui lui a conseillé de ne pas se répandre en paroles (voir p. 59).

beaux étaient les valets qui portaient les chandeliers. Sur chaque chandelier brûlaient dix chandelles à tout le moins. Un graal [1] entre les deux mains, une demoiselle [2] venait avec les valets, belle, gracieuse, parée avec élégance. Quand elle fut entrée dans la salle avec le graal qu'elle tenait, une si grande clarté se répandit que les chandelles en perdirent leur éclat comme les étoiles ou la lune quand le soleil se lève [3]. Après celle-ci, il en vint une autre qui tenait un tailloir d'argent [4]. Le graal, qui venait en tête, était d'or fin très pur ; des pierres précieuses [5] étaient enchâssées dans le graal, des pierres de toutes sortes, les plus riches et les plus rares qui soient dans les mers et sur terre : toutes les autres pierres étaient dépassées par celles du graal, sans aucun doute. Tout comme passa la lance, ils passèrent devant le lit et ils allèrent d'une chambre dans une autre. Et le jeune homme les vit passer, sans qu'il osât demander au sujet du graal à qui on le servait, car il gardait en son cœur la recommandation du sage gentilhomme. Je crains que ce ne soit fâcheux, car j'ai entendu affirmer qu'on peut aussi bien trop se taire que trop parler à l'occasion. Mais que ce fût pour son bien ou pour son malheur, il ne leur posa aucune question.

Le seigneur commanda de présenter l'eau au jeune homme et de mettre les nappes, ce que firent ceux dont c'était l'office et qui en avaient l'habitude. Tandis que le seigneur et le jeune homme se lavaient les mains dans de

---

1. Sur cet objet, voir la présentation, p. 15.

2. Le mot désigne une jeune fille de noble condition, appartenant au service de bouche. Ce personnage de second plan est « totalement étranger à la religion », selon P. Ménard (« Réflexions sur la porteuse du graal », *Les Personnages autour du graal*, université Jean-Moulin-Lyon 3, Centre d'études des interactions culturelles, 2008, p. 41-59).

3. Par l'expérience de cette lumière émanant et du graal et de la jeune fille qui le porte commence l'initiation spirituelle du jeune héros, qui ne tardera pas à découvrir son nom.

4. C'est le plateau sur lequel on découpait les viandes.

5. Elles font penser au trésor d'une église.

l'eau tiède, deux valets apportèrent une large table d'ivoire :
comme l'atteste l'histoire, elle était d'une seule pièce.
Devant le seigneur et le jeune homme, ils la tinrent un
moment, jusqu'à l'arrivée de deux autres valets qui apportèrent deux tréteaux. Le bois dont ils étaient faits avait une
double propriété, car les pièces en sont indestructibles. De
quoi étaient-ils faits ? D'ébène. Personne ne doit redouter
que ce bois pourrisse ou brûle : de ces deux risques il n'a
garde. Sur ces tréteaux fut posée la table, et la nappe mise
par-dessus. Mais que dirais-je de cette nappe ? Jamais
légat, ni cardinal, ni pape ne mangea sur une nappe aussi
blanche.

On servit comme premier mets un cuissot de cerf de
bonne graisse au poivre chaud. Il ne leur manqua ni vin
clair ni râpé aigrelet [1] dont on remplit souvent leurs coupes
d'or. Le cuissot de cerf au poivre fut découpé devant eux
par un valet qui l'a approché de lui sur le tailloir d'argent et
qui devant eux a disposé les tranches sur une galette entière.

Et le graal, pendant ce temps, retraversa la salle devant
eux sans que le jeune homme demandât au sujet du graal à
qui on le servait. Il s'en abstenait à cause du gentilhomme
qui l'avait gentiment détourné de trop parler, et ce conseil
est demeuré dans son cœur et sa mémoire. Mais il se tait
plus qu'il ne convient, car à chaque mets que l'on sert, par-
devant lui il voit repasser le graal, entièrement découvert [2],
mais il ne sait à qui l'on en fait le service, et pourtant il
voudrait bien le savoir. Il le demandera, c'est sûr, se dit-il
en lui-même, avant de s'en retourner, à l'un des valets de
la cour, mais il attendra jusqu'au matin, quand il prendra
congé du seigneur et de tous ses autres gens. Ainsi a-t-il
remis la chose à plus tard, et il s'emploie à boire et à
manger.

---

1. Vin assez âpre, apprécié au Moyen Âge.
2. C'est-à-dire bien visible, en sorte que Perceval n'aura aucune excuse
pour justifier son silence.

C'est sans lésiner qu'on servit à table les mets et les vins, les uns et les autres succulents et délicieux. Quel beau et bon festin ! De tous les mets qui constituent l'ordinaire des rois, des comtes et des empereurs, on servit le gentilhomme ce soir-là, et le jeune homme en même temps que lui. Après le repas tous deux prolongèrent la veillée à parler, tandis que les valets préparèrent les lits et les fruits qu'on mange au coucher, et il y en eut de coûteux : dattes, figues, noix muscades, girofles, grenades, et pour finir électuaires [1], gingembre d'Alexandrie, pleuris, aromatique, résomptif et stomachique. Ensuite, ils burent toutes sortes de boissons : du vin aux aromates sans miel ni poivre, du vin parfumé à la mûre, du sirop limpide. De tout cela s'émerveillait le jeune homme qui n'y était pas habitué.

Le gentilhomme lui dit alors :

« Cher ami, il est temps d'aller se coucher. Je m'en irai, si vous le permettez, pour regagner mon lit là-bas dans ma chambre ; quand vous en aurez envie, vous vous coucherez ici même dans la pièce voisine. Je ne peux plus me servir de mes membres : il faudra qu'on me porte. »

Quatre serviteurs alertes et vigoureux sortirent aussitôt d'une chambre et saisirent aux quatre coins la courtepointe recouvrant le lit sur lequel était étendu le gentilhomme, et ils l'emportèrent là où il fallait. Avec le jeune homme étaient restés d'autres valets pour le servir et satisfaire à tous ses besoins. Quand il le désira, ils lui enlevèrent ses chausses et ses vêtements, et ils le couchèrent dans de fins draps de lin blanc.

---

1. Préparations médicinales. D. Poirion a bien commenté chacun des termes qui suivent : « le gingembre, bon pour l'estomac ; le pleuris, bon pour le poumon en raison d'une étymologie grecque, mais qui console les gens exposés à des pleurs (suggérés par le mot) ; le *stomaticon* [stomachique], qui vise naturellement l'estomac ; le résomptif qui rétablit la santé menacée ; un narcotique (*aronticon*) qu'une des deux leçons remplace par quelque gentiane amère (*amaricum*) » (voir Chrétien de Troyes, *Œuvres complètes*, *op. cit.*, p. 1350).

Il dormit jusqu'au matin. C'était déjà l'aube, et les gens de la maison étaient levés. Mais il ne vit personne à l'intérieur quand il regarda autour de lui. Aussi lui fallut-il se lever tout seul. Quoi qu'il doive lui en coûter, du moment qu'il voit qu'il faut le faire, il se lève, faute de mieux, et met ses chausses sans attendre d'aide ; puis il va prendre son armure qu'il a trouvée au bout de la table où on la lui avait apportée. Une fois son corps bien équipé [1], il se dirige vers les portes des chambres que, cette nuit, il avait vues ouvertes, mais c'est pour rien qu'il s'est dérangé, car il les trouve fermées à double tour. Il appelle, il pousse, il frappe tant qu'il peut : personne ne lui ouvre ni ne lui dit mot.

Quand il eut appelé tant et plus, il s'en va à la porte de la grande salle qu'il trouve ouverte, et il descend toutes les marches jusqu'en bas : il trouve son cheval tout sellé, il voit sa lance et son bouclier appuyés contre le mur. Alors il se met en selle et parcourt tout le château, mais il ne rencontre aucun serviteur, il ne voit ni écuyer ni valet. Il va tout droit à la porte et il trouve le pont-levis abaissé : on l'avait ainsi laissé pour lui, afin que rien ne le retînt de le franchir d'une seule traite, à quelque heure qu'il y vînt. Il pense que les valets ont été dans la forêt relever collets et pièges, à cause du pont qu'il voit abaissé. Loin de vouloir s'attarder davantage, il se dit qu'il s'en ira à leur suite pour apprendre de l'un d'eux à propos de la lance pourquoi elle saigne – et si c'est possible, il ne reculera devant aucune fatigue – et, au sujet du graal, où on le porte.

Il sortit alors par la porte, mais avant qu'il eût passé le pont, il sentit que les pieds de son cheval se soulevaient, et la bête fit un grand bond : si elle n'avait pas si bien sauté, tous deux auraient été mal en point, le cheval et son cavalier. Le jeune homme tourna la tête pour voir ce qui s'était passé, et il vit qu'on avait relevé le pont. Il appela sans que personne lui répondît.

---

1. Le jeune chevalier est maintenant capable de s'armer tout seul ; mais il ne comprend pas que l'absence de serviteurs est une punition pour ne pas avoir posé de questions.

« Eh bien ! fit-il, toi qui as relevé le pont, viens donc me parler ! Où es-tu pour que je ne te voie pas ? Avance-toi, je te verrai et je t'interrogerai sur quelque chose dont j'aimerais avoir des nouvelles. »

C'est folie que de parler ainsi, car personne ne veut lui répondre [1].

Il se dirige vers la forêt et s'engage dans un sentier où il découvre des traces toutes fraîches de chevaux qui avaient passé par ici.

« C'est de ce côté-ci, fait-il, je crois, que sont allés ceux que je cherche. »

Il s'élance alors à travers le bois en suivant ces traces, jusqu'au moment où l'aventure lui fait découvrir sous un chêne une jeune fille qui crie, pleure et se lamente, en proie à une profonde affliction.

« Hélas ! fait-elle, malheureuse que je suis, sous quelle mauvaise étoile je suis née ! Que l'heure où je fus engendrée soit maudite, et aussi celle de ma naissance, car jamais, oui jamais, je n'ai été autant affligée par rien qui ait pu m'arriver ! Je ne devrais pas tenir ainsi mon ami mort, s'il avait plu à Dieu, car il eût bien mieux fait si lui était vivant et moi morte. La mort qui me désole ainsi, pourquoi a-t-elle pris son âme plutôt que la mienne ? Puisque l'être que j'aimais le plus, je le vois mort, vivre, à quoi bon ? Sans lui, c'est sûr, peu m'importent ma vie et mon corps. Mort, arrache-moi donc l'âme, et qu'elle soit la servante et la compagne de la sienne, si celle-ci veut bien l'accepter. »

---

1. C'est sa cousine qui le fera. Chrétien de Troyes a voulu suggérer, dans cette scène capitale du château du Graal, une autre fuite, hors de l'espace. Il a créé une impression d'irréalité. Perceval, qui d'abord ne distingue rien, voit apparaître le sommet d'une tour, puis le château lui-même. Aucun paysage n'est signalé entre Beaurepaire et le château du Graal ; le héros n'a donc aucune idée de la distance ni de la durée du trajet. C'est sa cousine qui lui assurera qu'il n'y a pas de château à vingt-cinq lieues dans la direction d'où il vient. N'est-ce pas nier la permanence de l'espace et suggérer un monde totalement autre, qui échappe à nos mesures et à nos déterminations ?

C'est ainsi que la jeune fille se désolait sur un chevalier qu'elle tenait dans ses bras, et qui avait la tête tranchée. Le jeune homme s'avança vers elle sans s'arrêter dès qu'il l'eut aperçue. Arrivé tout près, il la salua, et elle lui, tout en gardant la tête baissée, sans pour autant interrompre son deuil. Le jeune homme lui demanda :

« Mademoiselle, qui a tué ce chevalier qui est couché sur vos genoux ?

– Cher seigneur, un chevalier l'a tué, fit-elle, ce matin même. Mais ce qui me frappe du plus grand étonnement, c'est une chose que je constate : en effet, Dieu me garde ! on pourrait chevaucher, tous l'attestent, vingt-cinq lieues tout droit dans cette direction d'où vous venez sans rencontrer un seul hôtel qui fût sûr, bon et convenable. Or votre cheval a les flancs si dodus et le poil si bien lustré que, si on l'avait lavé et étrillé et mis sur une litière d'avoine et de foin, il n'aurait pas eu le ventre plus plein ni le poil mieux peigné. Et vous-même, il me semble que vous avez profité d'une bonne nuit de repos.

– Ma foi, répondit-il, belle amie, j'ai eu cette nuit toutes mes aises, et si on le voit, c'est bien normal, car si on criait bien fort à cet instant ici même où nous sommes, cela s'entendrait distinctement là où j'ai passé la nuit. Vous n'avez pas sillonné ni parcouru tout ce pays, car j'y ai trouvé sans doute le meilleur hôtel de ma vie.

– Ah ! seigneur, vous avez donc dormi chez le riche Roi Pêcheur ?

– Jeune fille, par le Sauveur, je ne sais s'il est pêcheur ou roi, mais il est très riche et très courtois. Je ne peux rien vous en dire de plus, si ce n'est que j'ai trouvé deux hommes hier soir, très tard, dans une barque qui avançait paisiblement. L'un des deux hommes ramait, l'autre pêchait à la ligne ; celui-ci m'indiqua sa maison hier soir et m'y hébergea.

– Cher seigneur, reprit la jeune fille, il est roi, je puis vous l'affirmer ; mais il a été dans une bataille blessé et mutilé si grièvement qu'il est devenu infirme. Il a été blessé par un javelot entre les deux hanches, et il en souffre encore tellement qu'il ne peut pas monter à cheval. Mais quand il veut se distraire et prendre quelque plaisir, il se fait porter dans une barque et il pêche à la ligne. C'est pour cette raison qu'on l'appelle le Roi Pêcheur. Il se distrait ainsi parce qu'il ne pourrait d'aucune manière supporter ni endurer d'autre plaisir. Il ne peut chasser en forêt ni en rivière, mais il a ses chasseurs de rivière, ses archers, ses veneurs qui vont tirer à l'arc dans ses forêts. C'est pourquoi il aime à résider en cet endroit, ici même, car dans le monde entier pour son usage il ne peut trouver meilleure résidence, et il y a fait bâtir la maison qui convient à un riche roi.

– Mademoiselle, par ma foi, fit-il, c'est bien la vérité que je vous entends dire, car hier soir j'en fus frappé d'émerveillement aussitôt que je vins devant lui. Comme je me tenais un peu à l'écart de lui, il me dit de venir m'asseoir à ses côtés et de ne pas prendre pour de l'orgueil s'il ne se levait pas à ma rencontre, parce qu'il n'en avait ni la possibilité ni la force ; je suis donc allé m'asseoir à côté de lui.

– Assurément, c'est un très grand honneur qu'il vous fit en vous plaçant à ses côtés. Mais, une fois assis, dites-moi donc si vous avez vu la lance dont la pointe saigne, bien qu'il n'y ait ni chair ni veines [1].

– Si je l'ai vue ? Oui, par ma foi.

– Et avez-vous demandé pourquoi elle saignait ?

– Je n'en ai soufflé mot.

– Grand Dieu, sachez donc que vous avez mal agi. Et avez-vous vu le graal ?

– Oui, nettement.

– Et qui le tenait ?

– Une jeune fille.

– Et d'où venait-elle ?

– D'une chambre.

– Et où s'en alla-t-elle ?

---

1. Les questions de la jeune fille permettent de revenir sur la scène du graal et de préciser les demandes qu'aurait dû faire Perceval : à qui le graal est-il destiné et pourquoi la lance saigne-t-elle ?

– Elle est entrée dans une autre chambre.
– Devant le graal, quelqu'un marchait-il ?
– Oui.
– Qui ?
– Deux valets seulement.
– Et que tenaient-ils dans leurs mains ?
– Des candélabres pleins de chandelles.
– Et après le graal, qui venait ?
– Une autre jeune fille.
– Et que tenait-elle ?
– Un petit plateau d'argent.
– Avez-vous demandé à ces gens où ils allaient ainsi ?
– Jamais de ma bouche ne sortit un mot.

– Grand Dieu, c'est encore pis. Quel est votre nom, mon ami ? »

Et lui qui ne connaissait pas son nom le devine et dit qu'il s'appelle Perceval le Gallois [1]. Il ne sait s'il dit vrai ou faux, mais il a dit vrai sans le savoir. Quand la demoiselle l'entend, elle s'est dressée contre lui et lui a dit comme une femme en colère :

« Ton nom est changé, cher ami.

– Comment donc ?

– Perceval l'Infortuné [2] ! Ah ! malheureux Perceval, quelle malchance que tu n'aies pas posé toutes ces questions, car tu

---

1. Première occurrence du nom du héros, jusque-là uniquement désigné par des surnoms.

2. Traduction de *li cheitis*. Peut-être est-il préférable de traduire *li cheitis* par « le misérable », *maleüreus* par « infortuné » et *mesavantureus* par « malchanceux ». F. Dubost va plus loin : « Perceval le Chétif est à la lettre un prisonnier [c'est le sens étymologique du mot *chétif*], enchaîné à son propre silence. À côté de l'Œdipe aux yeux crevés, dont *l'ombre mythique* a été si finement analysée par Daniel Poirion, se profile l'ombre du Prométhée enchaîné. Les deux principales références du graal, la folie du "péché" œdipien et la folie de la croix, ne seraient-elles que les masques de l'ambition prométhéenne ? Arracher à la verticalité le monopole du sens et de la vérité, telle était peut-être la chance que le *nice* a laissé échapper, parce qu'elle lui fut offerte trop tôt » (*Le Conte du graal ou l'Art de faire signe*, *op. cit.*, p. 184).

aurais si bien amélioré l'état du roi, qui est infirme, qu'il
aurait retrouvé tout l'usage de ses membres et le gouverne-
ment de sa terre, et qu'il en serait advenu de grands biens [1] !
Mais sache maintenant que de grands malheurs en adviendront à toi et aux autres. C'est, sache-le, pour le péché que
tu as commis contre ta mère [2] que cela t'est advenu, car elle
est morte de chagrin à cause de toi. Je te connais mieux que
tu ne me connais, car tu ne sais qui je suis. J'ai été élevée
avec toi chez ta mère pendant de nombreuses années. Je
suis ta cousine germaine [3] et tu es mon cousin germain. Je
souffre que tu aies eu la malchance de ne pas savoir, au
sujet du graal, ce qu'on en fait et à qui on le porte tout
autant que je souffre de la mort de ta mère ou du sort de ce
chevalier que j'aimais et chérissais tendrement, d'autant
plus qu'il m'appelait sa chère amie et qu'il m'aimait en
noble et loyal chevalier.

– Ah ! cousine, dit Perceval, si c'est la vérité que vous
m'avez dite, dites-moi comment vous la savez.

– Je la sais, répondit la demoiselle, avec la certitude de
celle qui l'a vue mettre en terre.

– Que maintenant Dieu ait pitié de son âme, fit Perceval,
dans sa grande bonté ! Vous m'avez raconté une cruelle histoire. Mais puisqu'elle est mise en terre, pourquoi chercher
plus avant, puisque je n'y allais pour personne d'autre que
pour elle que je voulais revoir ? C'est une autre route qu'il
me faut prendre [4]. Mais si vous vouliez venir avec moi, je
l'accepterais volontiers, car vous n'avez plus rien à attendre

---

1. Comme dans les contes traditionnels, un propos, un acte simple, s'il
advient, peut guérir et ramener la prospérité dans le pays.

2. La jeune fille accuse formellement Perceval d'un péché commis
envers sa mère. D'autres comprennent *por le pechié [...] de ta mere* comme
« à cause du péché commis par ta mère ».

3. La jeune fille, cousine germaine de Perceval, est donc la fille d'un
frère de la Veuve Dame. *Le Conte du graal* se révèle être aussi un roman
familial, la généalogie des personnages étant peu à peu précisée.

4. Après qu'il a appris la mort de sa mère, Perceval se fixe une autre
mission : venger sa cousine.

de cet homme qui est étendu ici, mort, je vous l'assure. Les morts avec les morts, les vivants avec les vivants [1]. Allons-nous-en ensemble vous et moi. Pour vous, c'est pure folie, me semble-t-il, que vous soyez ici seule à veiller ce mort. Mais suivons celui qui l'a tué, et je vous le promets et vous le jure : ou bien il me forcera à m'avouer vaincu, ou bien moi lui, si je peux le rejoindre. »

Mais elle, incapable d'apaiser la grande douleur de son cœur, lui répondit :

« Cher ami, à aucun prix je ne partirais avec vous ni ne le quitterais avant de l'avoir enterré. Vous, vous prendrez ce chemin empierré, si vous m'en croyez, dans cette direction-ci, car c'est par ce sentier que s'en est allé le chevalier cruel et orgueilleux qui m'a tué mon doux ami. Mais cela, je ne l'ai pas dit parce que je désire, Dieu m'aide ! que vous le poursuiviez, et pourtant je lui souhaite autant de malheur que s'il m'avait tuée. Mais où avez-vous pris cette épée qui pend à votre côté gauche, et qui jamais n'a versé de sang humain ni jamais n'a été dégainée en nul besoin ? Je sais bien où elle a été faite, et je sais bien aussi qui l'a forgée. Gardez-vous de vous y fier jamais, car elle vous trahira, c'est certain, quand vous en viendrez à la bataille : elle volera en éclats.

– Chère cousine, c'est une des nièces de mon bon hôte qui la lui envoya hier soir, et il me l'a donnée. J'y ai vu un beau cadeau, mais vous m'avez fort inquiété, si c'est la vérité que vous m'avez dite. Mais dites-moi donc, si vous le savez : pour le cas où elle se briserait, est-ce qu'elle serait jamais refaite ?

– Oui, mais au prix de beaucoup de peine [2]. Celui qui saurait se frayer un chemin jusqu'au lac qui est au-dessus de Cotoatre pourrait là-bas la faire à nouveau forger, tremper et réparer. Si l'aventure vous conduit là-bas, n'allez nulle part sinon chez Trébuchet, un forgeron qui porte ce nom, car

---

1. Autre proverbe médiéval.
2. La cousine de Perceval a le savoir surnaturel d'un être féerique.

c'est lui qui l'a faite et qui la refera, ou jamais elle ne sera faite par nul homme qui s'y emploie. Mais veillez à ce qu'un autre n'y mette la main, car il ne saurait en venir à bout.

– Assurément, je serais très fâché, fit Perceval, si elle se brisait. »

Alors il s'en alla, et elle resta, sans accepter de quitter le cadavre dont la mort affligeait son cœur.

Perceval, tout au long du sentier, suivit des traces de sabots, si bien qu'il finit par trouver un palefroi maigre et fatigué qui allait au pas devant lui. Ce palefroi, il lui semblait, tant il était maigre et pitoyable, qu'il était tombé en de mauvaises mains. Brisé de fatigue et mal nourri, voilà l'impression qu'il donnait, comme un cheval prêté qu'on épuise le jour et soigne mal la nuit. Ainsi en était-il du palefroi, à ce qu'il semblait. Il était si maigre qu'il tremblait comme un cheval morfondu de catarrhe. Avec sa nuque étique et ses oreilles pendantes, c'était la curée et la pâture que guettaient tous les mâtins et les dogues, car il n'avait que la peau sur les os. Sur le dos une selle et sur la tête un harnachement conformes à la bête. Une jeune fille la montait [1]. Jamais personne n'en vit d'aussi misérable. Pourtant elle eût été fort belle et gracieuse dans une situation plus favorable ; mais la sienne était si mauvaise que de la robe qu'elle portait il ne restait pas une largeur de main d'entier, mais par les déchirures sortaient ses seins. Avec des nœuds et de grosses coutures, son habit était rapetassé de place en place ; sa chair paraissait déchiquetée comme à coups de lancette, car elle était gercée et brûlée par la chaleur, le hâle et le gel. Les cheveux défaits, sans manteau, on pouvait voir sur son visage bien de vilaines marques, car ses larmes, à

---

1. On va découvrir qu'il s'agit du second volet de l'histoire de la demoiselle à la tente, que le jeune sauvageon avait traitée sans égards. Chrétien de Troyes reprend ici le motif de l'innocente persécutée.

couler sans cesse, y avaient laissé de nombreuses traces, descendant jusqu'à sa poitrine et par-dessus sa robe coulant jusqu'à ses genoux. Elle pouvait avoir le cœur rempli d'affliction, à connaître une telle détresse.

Aussitôt que Perceval la voit, il vient vers elle à vive allure, et elle serre son vêtement autour d'elle pour cacher son corps. Mais alors des trous s'ouvrent fatalement, car, quand elle se couvre en un endroit, pour un trou qu'elle masque, elle en ouvre cent. C'est cette jeune femme ainsi flétrie et pâle, si misérable, que Perceval a rejointe, et quand il l'aborde, il l'entend se plaindre douloureusement de ses peines et de sa misère :

« Grand Dieu, fait-elle, qu'il ne te plaise pas que je vive longtemps dans cet état ! J'ai été trop longtemps misérable, j'ai trop souffert de malheurs sans l'avoir mérité ! Dieu, comme tu sais bien que je ne l'ai en rien mérité, envoie-moi, s'il te plaît, quelqu'un qui me jette hors de ces peines, ou bien toi-même délivre-moi de celui qui me fait vivre dans une telle honte. En lui je ne trouve nulle pitié, ni je ne puis lui échapper vivante, sans qu'il veuille m'achever. Je ne sais pas pourquoi il désire que je l'accompagne dans de telles conditions, à moins qu'il ne prenne plaisir à ma honte et à mon malheur. S'il avait su de façon certaine que je l'eusse mérité, il devrait pourtant avoir pitié de moi, puisque je l'aurais payé si cher, pour peu que j'eusse pu lui plaire. Mais assurément je ne lui plais pas du tout du moment qu'il me fait endurer à sa suite une vie si rude, et il s'en moque.

– Belle amie, Dieu vous garde ! » lui dit Perceval qui l'a rejointe.

Quand la demoiselle l'entendit, elle baissa la tête et dit tout bas :

« Seigneur, toi qui m'as saluée, que ton cœur ait tout ce qu'il pourrait vouloir, et pourtant je n'ai pas de raison de le dire. »

Perceval lui a répondu, changeant de couleur sous l'effet de la honte :

« Par Dieu, chère amie, pourquoi ? Assurément, je ne pense pas ni ne crois vous avoir jamais vue, ni vous avoir causé aucun tort.

– Si, répondit-elle, car je suis si misérable et si malheureuse que personne ne doit me saluer. J'en suis réduite à suer d'angoisse quand on m'arrête ou me regarde.

– Vraiment, c'est sans le savoir, dit Perceval, que j'ai commis cette faute. Ce n'est assurément pas pour vous outrager que je suis venu par ici, mais mon chemin m'y a conduit. Et dès que je vous ai vue si mal en point, si pauvre, si nue, jamais je n'aurais eu de joie au cœur si je n'avais su la vérité sur l'aventure qui vous plonge dans une telle douleur et de telles peines.

– Ah ! seigneur, reprit-elle, pitié ! Taisez-vous, fuyez d'ici, laissez-moi tranquille. C'est le péché qui vous arrête ici, mais fuyez donc, vous agirez sagement.

– Ce que je veux savoir, dit Perceval, c'est pour quelle crainte et pour quelle menace je fuirai, alors que personne ne me pourchasse.

– Seigneur, fit-elle, sans qu'il vous déplaise, fuyez donc tant que c'est possible, de peur que l'Orgueilleux de la Lande [1], qui ne rêve que batailles et combats, ne survienne pendant que nous sommes ensemble, car s'il vous trouvait ici même, certainement il vous tuerait sur-le-champ. Il lui déplaît tant qu'on me retienne qu'on ne peut sauver sa tête si l'on me parle ou m'arrête, pour peu qu'il survienne sur ces entrefaites. Naguère encore il en a tué un, mais il raconte auparavant à chacun pourquoi il m'a réduite à un tel état de misère. »

Pendant qu'ils parlaient ainsi, l'Orgueilleux sortit du bois et fondit sur eux comme la foudre à travers le sable et la poussière en criant :

« Oui, vraiment, c'est pour ton malheur que tu t'es arrêté ici, toi qui te tiens près de la jeune fille. Sache que ta dernière heure est arrivée pour l'avoir retenue et arrêtée, fût-ce

---

1. Ici encore, on apprend tardivement le nom du chevalier.

d'un seul pas. Mais je ne te tuerai pas avant de t'avoir raconté pour quelle raison et pour quelle faute je la fais vivre dans cette indignité. Écoute donc, et tu entendras l'histoire.

« Dernièrement j'étais allé dans le bois et j'avais laissé dans ma tente cette demoiselle, la seule que j'aimais au monde. Or voici qu'il arriva par aventure qu'un jeune Gallois survint en ce lieu [1]. Je ne sais comment il procéda, mais il en fit tant qu'il l'embrassa de force, ainsi qu'elle me l'a avoué. Si elle m'a menti, qu'est-ce qu'elle risquait ? Et s'il l'embrassa malgré elle, est-ce qu'il n'a pas fait ensuite toutes ses volontés ? Oui, personne ne croirait jamais qu'il l'a embrassée sans aller plus loin, car une chose en entraîne une autre. Qui embrasse une femme sans rien faire de plus, alors qu'ils sont tous deux seul à seule, je crois que c'est lui qui s'en abstient. Femme qui abandonne sa bouche donne facilement le surplus si l'on s'y applique résolument. Quand bien même il arrive qu'elle se défende, on sait bien, sans aucun doute, qu'une femme veut toujours l'emporter, sauf dans cette seule bataille où elle tient l'homme à la gorge, l'égratigne, le mord, le tue, tout en souhaitant être vaincue. Elle se défend, mais il lui tarde de céder. Elle a si peur de s'abandonner, mais elle veut qu'on la prenne de force, et ainsi elle n'est pas tenue d'en savoir gré [2]. C'est pourquoi je pense qu'il a couché avec elle, et il lui a même pris un anneau à moi qu'elle portait à son doigt, et qu'il a emporté, j'en suis furieux. Mais avant il a bu et mangé tout son soûl d'un vin fort et de trois pâtés que j'avais fait mettre de côté pour moi. Et maintenant mon amie en a une belle récompense, comme on peut le voir. Si on a commis une folie, qu'on la paie pour se garder d'y retomber ! On a pu voir

---

1. Ainsi découvre-t-on que le héros de cet épisode, qui est une histoire à l'intérieur du roman, est Perceval lui-même.

2. Ce développement misogyne est à mettre en rapport avec l'héritage médiéval de l'*Art d'aimer* d'Ovide et avec l'esprit des fabliaux. Mais il faut ajouter aussitôt qu'il est placé dans la bouche d'un être violent et discrédité.

ma fureur quand je revins et que je l'appris. J'ai solennellement juré, et j'avais raison, que son palefroi ne mangerait
pas d'avoine et qu'il ne serait ni saigné ni ferré à nouveau,
et qu'elle-même n'aurait pas de tunique ni de manteau
autres que ceux qu'elle portait à ce moment-là jusqu'à ce
que j'aie vaincu celui qui l'avait prise de force et que je
l'aie tué et que je lui aie coupé la tête. »

Quand Perceval l'eut écouté, il lui répondit sur chaque
point :

« Ami, sache sans aucun doute qu'elle a accompli sa
pénitence, car c'est moi qui l'ai embrassée contre son gré,
et elle en a beaucoup souffert ; c'est moi qui ai enlevé
l'anneau de son doigt. Il n'y eut rien de plus, et je ne lui fis
rien d'autre. J'ai aussi mangé, je le reconnais, un pâté et
demi sur les trois ; quant au vin, j'en ai bu autant que j'ai
voulu : en cela je n'ai pas agi en sot.

– Par ma tête, fit l'Orgueilleux, tu as tenu des propos
incroyables en avouant ce crime ; tu as bien mérité la mort
pour cette confession véridique.

– La mort n'est pas encore aussi proche que tu le crois »,
répliqua Perceval.

Alors ils lancent leurs chevaux l'un contre l'autre sans
parler davantage et se rencontrent si furieusement qu'ils
font voler leurs lances en éclats et que tous deux vident
leurs selles, se jetant à bas l'un l'autre. Mais ils ont tôt fait
de se relever et, dégainant leurs épées, ils échangent des
coups violents. La bataille fut acharnée et rude. Je n'ai pas
envie de prolonger la description, car ce serait peine perdue,
me semble-t-il. Pour finir, ils s'affrontent jusqu'à ce que
l'Orgueilleux de la Lande s'avoue vaincu et lui demande
grâce. Le jeune homme, qui n'a jamais oublié le gentilhomme qui l'avait prié de ne pas tuer un chevalier du
moment qu'il lui demandait grâce, lui dit :

« Chevalier, par ma foi, je ne te ferai jamais grâce avant
que tu ne fasses grâce à ton amie, car elle n'avait pas mérité
le mal que tu lui as fait endurer, je peux te le jurer. »

Celui qui aimait plus son amie que ses propres yeux lui répondit :

« Cher seigneur, moi aussi je veux réparer mes torts envers elle selon votre volonté. Vous ne saurez rien exiger que je ne sois prêt à faire. Du mal que je lui ai fait endurer, j'ai le cœur affligé et assombri.

– Va donc, fit l'autre, au manoir le plus proche que tu as dans les alentours, et fais-la baigner et reposer jusqu'à ce qu'elle soit guérie et en bonne santé, puis fais tes préparatifs et emmène-la bien parée et bien vêtue au roi Arthur ; salue-le de ma part et mets-toi en sa merci dans l'état où tu seras en partant d'ici. S'il te demande de la part de qui, tu lui diras de la part de celui qu'il fit chevalier vermeil à l'invitation et sur le conseil de monseigneur Keu le sénéchal. Quant à la pénitence et au mal que tu as fait subir à ta demoiselle, il te faudra les retracer à la cour, en présence de tous ceux qui y seront, de telle manière que tous et toutes l'entendront, et la reine et ses suivantes dont certaines, autour d'elle, sont très belles. Mais, plus que toutes, il en est une que j'estime, car, pour avoir ri à mon intention, elle reçut de Keu une telle gifle qu'elle en fut tout étourdie. Tu la chercheras, je te l'ordonne, et tu lui diras que je lui fais savoir que jamais, à aucun prix, je ne me rendrai à une cour que tiendra le roi Arthur avant que je l'aie si bien vengée qu'elle en soit toute joyeuse. »

L'autre répond qu'il s'y rendra bien volontiers et qu'il dira tout ce qu'il lui a ordonné, sans aucun autre retard que le temps pour la demoiselle de se reposer et de se préparer autant qu'il sera nécessaire. Lui-même, c'est bien volontiers qu'il l'emmènerait pour qu'il puisse se reposer, se rétablir et soigner ses blessures et ses plaies.

« Maintenant va-t'en, et bonne chance, fait Perceval. Pense à autre chose, et moi je chercherai ailleurs un logis. »

La conversation en resta là, et sans que ni l'un ni l'autre s'attarde davantage, ils se quittèrent sur ces mots. L'Orgueilleux, ce soir-là, fit baigner et richement habiller son amie, il l'entoura de tant de soins qu'elle recouvra sa beauté. Ensuite, ils se rendirent tous deux directement à Carlion où le roi Arthur tenait sa cour, très simplement, car il n'y avait en tout et pour tout que trois mille chevaliers de valeur. À la vue de tous, celui qui venait avec sa demoiselle alla se constituer prisonnier auprès du roi Arthur et il lui dit quand il fut devant lui :

« Sire, me voici prisonnier pour faire toute votre volonté, et c'est tout à fait juste et légitime, car c'est ce que m'a commandé le jeune homme qui vous demanda les armes vermeilles, et qui les obtint. »

Dès que le roi l'entendit, il comprit ce qu'il voulait dire.

« Désarmez-vous, fit-il, cher seigneur. Que la joie et la chance soient avec celui qui m'a fait don de vous, et vous-même soyez le bienvenu ! Pour lui vous serez aimé et honoré en mon hôtel.

– Sire, il me faut encore dire autre chose, fit-il, avant d'être désarmé, mais c'est si important que je voudrais que la reine et ses suivantes viennent écouter ces nouvelles que je vous ai apportées, car elles ne seront pas dites avant que ne soit venue celle qui fut frappée sur la joue seulement pour avoir ri : ce fut son seul crime. »

Il s'arrête alors de parler. Quand le roi entend qu'il lui convient de faire venir devant lui la reine, il s'exécute, et la reine de venir, ainsi que toutes ses suivantes, qui se tiennent par la main deux par deux. Une fois la reine assise au côté de son mari le roi Arthur, l'Orgueilleux de la Lande lui dit :

« Madame, je vous apporte les salutations d'un chevalier que j'estime beaucoup, et qui m'a vaincu par les armes. De lui je ne puis rien vous dire d'autre, mais il vous envoie mon amie, cette jeune fille que voici.

– Mon ami, je vous en remercie beaucoup », répondit la reine.

Il lui raconta alors tous les vilains traitements et toutes les hontes qu'il lui avait fait subir, les peines qu'elle avait endurées et les raisons de son comportement, sans lui cacher absolument rien. Après quoi on lui montra celle que Keu le sénéchal avait frappée, et il lui dit :

« Celui qui m'a envoyé ici m'a prié, mademoiselle, de vous saluer de sa part et de ne pas bouger d'un pouce avant de vous avoir répété son serment : que Dieu ne lui vienne jamais en aide s'il se rend, quoi qu'il advienne, à une cour que tiendrait le roi Arthur, tant qu'il ne vous aura pas vengée de la gifle, du soufflet que vous avez reçu à cause de lui. »

Quand le fou l'eut entendu, il se redressa et s'écria :

« Messire Keu, Dieu me bénisse ! vous le payerez, oui, vraiment, et ce sera bientôt. »

Après le fou, le roi dit de son côté :

« Ah ! Keu, tu n'as pas agi courtoisement [1] avec le jeune homme quand tu te moquas de lui. Par ta moquerie tu me l'as enlevé si bien que je ne pense jamais le revoir. »

Le roi fit alors asseoir devant lui le chevalier son prisonnier, il le dispensa de sa prison et commanda ensuite qu'on le désarmât. Monseigneur Gauvain [2], assis à la droite du roi, demanda :

« Par Dieu, sire, qui peut être cet homme qui seul a vaincu par ses armes un chevalier aussi valeureux que celui-ci ? Car dans toutes les Îles de la Mer je n'ai entendu nommer de chevalier, ni n'en ai vu ni connu aucun qui pût se comparer à lui en fait d'armes et de chevalerie.

– Cher neveu, je ne le connais pas, fit le roi, et pourtant je l'ai vu. Quand je le vis, je n'ai pas pensé à lui demander quoi que ce soit. Lui me dit de le faire chevalier tout aussitôt. Je vis qu'il était beau et élégant, et je lui dis : "Mon frère, volontiers, mais descendez de cheval le temps qu'on vous apporte une armure toute dorée." Et il répondit qu'il ne la prendrait pas ni ne mettrait pied à terre avant qu'il en eût une vermeille, et il tint aussi d'autres propos bien étonnants, car il ne voulait pas prendre d'autre armure que celle

---

1. Arthur reproche de nouveau à son sénéchal son manque de courtoisie. Voir p. 45-46.

2. Parangon de la chevalerie courtoise, Gauvain, neveu d'Arthur, apparaît ici pour la première fois. Sur ce personnage, voir la présentation, p. 8.

du chevalier qui emportait ma coupe d'or. Et Keu, qui était hargneux comme il l'est encore et le sera toujours, et qui jamais ne veut rien dire de gentil, lui affirma : "Mon frère, le roi te donne l'armure et il te l'abandonne pour que tu ailles sur-le-champ t'en emparer." L'autre, ne comprenant pas la plaisanterie, crut qu'il lui parlait sérieusement, il partit à sa poursuite et le tua d'un javelot qu'il lui lança. Je ne sais comment s'engagèrent l'affrontement et le combat, si ce n'est que le Chevalier Vermeil de la Forêt de Quinque-roi le frappa, je ne sais pourquoi, de sa lance, emporté par son orgueil, que le jeune homme, en plein dans l'œil, le frappa d'un de ses javelots, qu'il le tua et prit son armure. Ensuite, il m'a si parfaitement servi que, par monseigneur saint David [1] qu'on honore et prie au pays de Galles, jamais dans une chambre ou une salle je ne coucherai deux nuits de suite avant de l'avoir vu, s'il est vivant, en mer ou sur terre ; et je vais me mettre en route pour aller à sa recherche. »

Dès que le roi eut juré ce serment, tous furent convaincus qu'il n'y avait plus qu'à partir.

Ah ! si vous aviez vu mettre dans les malles draps, couvertures et oreillers, remplir les coffres, charger les bêtes de somme, les charrettes et les chariots, car ils n'emmenèrent pas avec parcimonie des tentes de toutes les dimensions ! Un clerc habile et cultivé ne pourrait énumérer l'ensemble des harnachements et équipements qu'on prépara aussitôt. Comme pour aller en guerre, le roi quitta Carlion, suivi de tous ses barons. Il n'y resta pas une seule demoiselle que la reine ne l'emmenât pour rehausser l'éclat et la magnificence du cortège.

Ce soir-là, en une prairie, près d'une forêt, les voici installés. Au matin, il y eut beaucoup de neige [2], car très

---

1. Saint David, honoré au pays de Galles, passait pour être l'oncle d'Arthur.

2. La neige joue ici un rôle important, symbolique. Selon G. Durand, elle est créatrice d'intimité, elle isole celui qu'elle entoure, effaçant les bruits (Perceval n'entend pas arriver les chevaliers), créant un vide autour

froide était la contrée. Perceval, lui, s'était levé à son habitude de bon matin, car il voulait chercher et rencontrer des aventures chevaleresques. Il vint droit à la prairie gelée et enneigée où s'était installée l'armée du roi. Mais avant qu'il n'arrivât aux tentes passa un vol d'oies sauvages que la neige avait éblouies. Il les a vues et entendues, car elles fuyaient à grand bruit un faucon qui les pourchassait à vive allure. Il en trouva une à l'écart, séparée des autres, et il l'a frappée et heurtée si violemment qu'il l'a abattue sur le sol. Mais c'était trop tôt : il s'en éloigna sans chercher à la saisir et à s'en assurer [1]. Et Perceval se mit à piquer des éperons dans la direction du vol. L'oie, blessée au cou, saigna trois gouttes de sang [2] qui s'épandirent sur le blanc, comme une couleur naturelle. L'oie n'était pas assez blessée ni souffrante pour rester clouée au sol jusqu'à ce qu'il eût le temps d'arriver : elle s'était déjà envolée.

Quand Perceval vit la neige qui était tassée à l'endroit où s'était abattue l'oie et le sang qui apparaissait encore, il s'appuya sur sa lance pour contempler cette image, car le sang et la neige ensemble lui rappelaient le teint frais du visage de son amie. Absorbé par cette pensée, il s'oublia

---

du personnage, uniformisant le paysage : la neige « défait tout [...] défait les sons, les couleurs. Dans l'univers de l'hiver, la pensée se recueille et devient angélique, loin des exubérances charnelles de l'être » (« Psychanalyse de la neige », *Mercure de France*, n° 1080, août 1953). La neige est ici négative : elle crée un espace froid dont il faut se protéger. À quoi s'ajoutent l'agression du faucon et les interventions brutales de Sagremor et de Keu. Perceval fait l'expérience d'un isolement parfait, d'un rapport exclusif à lui-même.

1. L'explication est plaisante : le faucon a sans doute été effrayé par Perceval qui arrive au galop.

2. Les gouttes de sang, rondes et au nombre de trois, créent une certaine idée de perfection. D'autre part, tout tend vers l'évocation d'un rachat : la blessure de l'oiseau a lieu dans le ciel ; le soleil, maître de la vision, est un symbole de purification ; l'oiseau continue de vivre et disparaît dans le ciel. Mais, si le rachat est à peine entrevu, la scène valorise la vie intérieure et le respect de l'intimité de chacun, comme le soulignent plus loin les propos de Gauvain (voir p. 115).

lui-même [1] : le vermeil de son visage ressortait sur le blanc de la même manière que ces trois gouttes de sang qui apparaissaient sur la neige blanche. À force de regarder, il lui semblait, fasciné par ce spectacle, qu'il voyait les fraîches couleurs de sa si belle amie. Perceval rêva [2] sur les gouttes, il y passa toute la matinée, jusqu'au moment où sortirent des tentes les écuyers qui, le voyant rêver, crurent qu'il dormait.

Avant que le roi ne s'éveillât – il dormait encore dans sa tente –, les écuyers rencontrèrent devant la grande tente royale Sagremor que son dérèglement faisait appeler le Déréglé.

« Allons, fit-il, ne me le cachez pas, pourquoi venez-vous si tôt par ici ?

---

1. Selon P. Ménard, « *s'oublier*, c'est être plongé dans une sorte d'état second où l'esprit et les sens semblent obnubilés. Pour les auteurs courtois, il est dangereux de s'abstraire ainsi du monde extérieur. Le verbe *s'oublier* suggère donc un léger reproche. Il implique que l'on ne se surveille plus, que l'on perd le contrôle de soi-même, que l'on manque à ses devoirs » (*Le Rire et le sourire dans le roman courtois en France au Moyen Âge, 1150-1250*, Genève, Droz, 1969, p. 465-466).

F. Dubost a bien commenté cette scène : « deux points de vue sont nettement opposés, car les regards ne voient pas la même chose. Le point de vue arthurien se résume à ceci : comment faire venir à la cour ce chevalier *pensif* ? Le regard de Perceval est absorbé par tout autre chose, par une *semblance*, par une image qui lui fait signe, et à lui seul » (*Le Conte du graal ou l'Art de faire signe, op. cit.*, p. 73).

2. « Rêver » est la traduction du verbe *muser*, qui signifie en général « perdre son temps, baguenauder », voire « agir sottement ». Peut-être le salut réside-t-il en dehors du cadre spatio-temporel. La vie intérieure est valorisée. Si l'on trouve des épisodes semblables à l'extase de Perceval dans *Le Chevalier de la charrette*, où Lancelot est plongé dans une rêverie ou dans ses souvenirs, ou saisi à la vue du peigne de Guenièvre, ce qui est propre au *Conte du graal*, c'est que la rêverie de Perceval est suscitée par la rencontre entre un spectacle naturel et un souvenir personnel : la neige donne naissance à la vision, le soleil y met fin. L'extase de Perceval prend la forme d'un repliement total sur soi-même dans un monde hostile.

Cette scène, qui reprend un texte irlandais (*Le Livre irlandais de Leister*, 1165) et que Jean Giono, au XXᵉ siècle, n'a cessé de réécrire, d'*Angelo* à *Un roi sans divertissement*, suggère que Perceval apprend à déchiffrer le monde.

– Seigneur, répondirent-ils, en dehors du camp nous avons vu un chevalier qui dort sur son destrier.

– Est-il armé ?

– Par ma foi, oui.

– J'irai lui parler et je l'amènerai à la cour. »

Aussitôt Sagremor courut à la tente du roi et le réveilla : « Sire, fit-il, là-bas au-dehors, un chevalier dort, sur la lande. »

Le roi lui commande d'y aller, et de plus il le prie de l'amener sans y manquer. Sur-le-champ Sagremor commande qu'on lui sorte son cheval et qu'on lui apporte ses armes. Sitôt dit, sitôt fait. Il se fait armer vite et bien. Armé de pied en cap, il sort du camp et va jusqu'au chevalier.

« Seigneur, fait-il, il faut que vous veniez à la cour. »

L'autre ne dit mot, il donne l'impression [1] qu'il ne l'entend pas. Sagremor recommence à lui parler et, comme il ne dit mot, il se met en colère et lui crie :

« Par saint Pierre l'apôtre, oui, vous y viendrez, et malgré vous. Si je vous en ai prié, je le regrette, car j'ai gaspillé mes paroles. »

Alors il a déployé l'enseigne enroulée au sommet de sa lance, et sous lui son cheval s'élance, il prend du champ et dit à l'autre de se mettre en garde, car il le frappera s'il ne se défend pas. Perceval regarde vers lui et le voit venir à vive allure. Du coup il a laissé sa rêverie et à son tour il se précipite à sa rencontre. Quand ils entrent en contact, Sagremor brise sa lance, tandis que celle de Perceval ne rompt ni ne plie, mais frappe son adversaire avec une telle force qu'il

---

1. Traduction de *fet sanblant*. Au Moyen Âge, le mot *semblant* signifie, outre la « ressemblance », l'expression du visage : *faire/mostrer bel semblant*, c'est « faire bonne figure, bel accueil ». Il désigne aussi « l'apparence, l'aspect » ; de là, *par semblant*, « à ce qu'il semble, apparemment », et *faire/mostrer semblant*, « montrer par son comportement, par des signes extérieurs, laisser paraître par l'expression de son visage, avoir l'air ». *Semblant* peut enfin signifier « avis, opinion ». Le mot n'était pas péjoratif au Moyen Âge comme il l'est aujourd'hui, qualifiant une apparence trompeuse.

est abattu au milieu du champ. Et son cheval s'enfuit aussitôt tête haute vers les tentes, où il est aperçu de ceux qui se levaient. Si certains en sont mécontents, Keu, qui ne put jamais se retenir de dire une méchanceté, en fait des gorges chaudes et dit au roi :

« Cher seigneur, voyez dans quel état revient Sagremor ! Il tient le chevalier par les rênes et l'amène contre son gré.

– Keu, fait le roi, ce n'est pas bien de vous moquer des gentilshommes. Eh bien ! allez-y et nous verrons si vous ferez mieux que lui.

– Sire, répond Keu, je suis très heureux qu'il vous plaise que j'y aille ; je le ramènerai sans faute, de vive force, qu'il le veuille ou non, et je le contraindrai à dire son nom. »

Il se fait alors armer dans les règles. Ensuite, il monte à cheval et s'en va vers celui qui était si absorbé par la contemplation des trois gouttes que rien d'autre n'existait pour lui. Keu lui crie de très loin :

« Holà ! vous, le vassal, venez au roi ! Oui, vous y viendrez, par ma foi, ou vous le payerez très cher [1]. »

Perceval tourne vers lui la tête de son cheval quand il s'entend menacer, et il pique des éperons d'acier sa monture qui ne traîne pas. Chacun brûle de se distinguer, et ils se heurtent franchement. Keu frappe si violemment que sa lance se brise en morceaux comme une simple écorce, car il y a mis toute sa force. Quant à Perceval, il y va de bon cœur : il l'atteint au-dessus de la bosse du bouclier, et il l'abat sur une roche si bien qu'il lui déboîte la clavicule et qu'entre le coude et l'aisselle il lui brise, comme un bout de bois sec, l'os du bras droit, ainsi que l'a indiqué le fou qui l'avait prédit plus d'une fois. La prédiction du fou se révéla juste. Keu s'évanouit de douleur [2], et son cheval s'enfuit tout droit vers les tentes au grand trot.

---

1. Face à l'extase de Perceval, Keu et Gauvain, chacun à leur manière, ont le même comportement que dans *Érec et Énide*, lors de l'arrivée du jeune couple à la cour du roi Arthur.

2. Chrétien insiste sur la mésaventure de Keu, qu'il évoque p. 117.

Les Bretons voient la monture qui revient sans le sénéchal ; et valets de se précipiter, dames et chevaliers de se mettre en route. Quand ils trouvèrent le sénéchal évanoui, ils furent persuadés qu'il était mort. Alors quel grand deuil commencèrent à mener toutes et tous !

Perceval, fixant les trois gouttes, s'appuya de nouveau sur sa lance, tandis que le roi se désolait fort de la blessure du sénéchal ; il fut en proie à la douleur et à la colère jusqu'au moment où on lui dit de ne pas s'inquiéter, car « il guérira tout à fait à condition d'avoir un médecin qui s'y connaisse pour remettre en place la clavicule et réduire la fracture de l'os ». Le roi, qui avait beaucoup de tendresse pour lui et l'aimait du fond de son cœur, lui envoya un médecin fort savant et trois jeunes filles de son école qui lui remirent en place la clavicule et lui bandèrent le bras et ressoudèrent l'os brisé. Puis ils l'ont porté à la tente du roi et ils l'ont bien réconforté en lui disant qu'il guérirait complètement et qu'il n'avait pas à s'inquiéter.

Monseigneur Gauvain dit au roi :

« Sire, aussi vrai que je demande à Dieu de m'aider, il n'est pas juste, vous le savez bien, vous l'avez toujours dit et prescrit, qu'un chevalier ose, comme ces deux-là l'ont fait, arracher un autre chevalier à ses pensées, quelles qu'elles soient. S'ils ont été dans leur tort, je ne le sais pas, mais il leur en est arrivé malheur, c'est sûr et certain. Le chevalier songeait à une perte qu'il avait subie, ou bien on lui avait enlevé son amie, et il en souffrait et il en était tout absorbé. Mais si c'était votre plaisir, j'irais voir comment il se comporte, et si je le trouvais à un moment où il fût sorti de ses pensées, je lui demanderais et le prierais de venir à vous jusqu'ici. »

À ces mots Keu se mit en colère :

« Ah ! messire Gauvain, dit-il, vous l'amènerez par la main, ce chevalier, malgré qu'il en ait. Ce sera parfait, si on vous le permet et si vous en avez le pouvoir. C'est de cette manière que vous en avez pris plus d'un. Quand le chevalier est fatigué et qu'il a accompli de nombreux faits d'armes, alors un gentilhomme doit requérir la faveur qu'on lui permette d'aller le capturer. Gauvain, que cent malédictions m'accablent le cou si vous êtes si fou qu'on ne puisse rien apprendre de vous ! Vous savez bien vendre vos salades, ce sont paroles bien belles et policées. Oui, vous lui tiendrez des propos orgueilleux, méchants et blessants. Maudit qui l'a jamais cru, et qui le croit, à commencer par moi ! Certainement, c'est en tunique de soie que vous pourrez accomplir cette tâche. Non, vous n'aurez pas à tirer l'épée ni à briser une lance. Oui, vous pouvez vous en faire fort : si votre langue ne vous manque pas pour dire "Seigneur, que Dieu vous garde et qu'il vous donne joie et santé !", il fera votre volonté. Je ne le dis pas pour vous apprendre quelque chose, mais vous saurez bien le caresser comme on caresse un chat, et l'on dira "Monseigneur Gauvain livre une farouche bataille."

– Ah ! seigneur Keu, vous pourriez être plus aimable dans vos propos. Croyez-vous passer sur moi votre colère et votre mauvaise humeur ? Je le ramènerai, par ma foi, si je le puis, mon cher ami, et pour autant je n'en aurai pas le bras mis à mal ni la clavicule démise, car je n'aime pas ce genre de salaire.

– Allez-y donc pour moi, mon neveu, fit le roi, car vous avez parlé avec beaucoup de courtoisie. Si possible, ramenez-le, mais prenez toutes vos armes : vous n'irez pas désarmé. »

Et de se faire armer sur-le-champ celui qui de toutes les vertus avait le renom et le prix. Il monta sur un cheval vigoureux et docile, et il vint tout droit au chevalier qui était appuyé sur sa lance et qui, loin d'être lassé de ses pensées, s'en délectait encore, bien que le soleil eût fait fondre deux des gouttes de sang qui ressortaient sur la neige, et que la troisième fût en train de fondre [1]. Aussi le chevalier était-il

---

1. De ce fait, la tâche de Gauvain est facilitée dans la mesure où la méditation de Perceval est moins profonde.

moins absorbé dans ses pensées. Monseigneur Gauvain s'avança vers lui tout doucement à l'amble, sans montrer aucune agressivité, et il lui dit :

« Seigneur, je vous aurais salué si je connaissais votre cœur aussi bien que le mien ; mais ce que je puis vous affirmer, c'est que je suis le messager du roi qui vous demande et vous prie par ma bouche de venir lui parler.

– Il y en a déjà eu deux, répondit Perceval, qui m'arrachaient à ma joie et voulaient m'emmener, comme si j'étais prisonnier, et moi j'étais plongé dans des pensées qui me remplissaient de joie. Celui qui voulait m'en détacher ne recherchait pas mon bien, car devant moi, en ce lieu-ci, il y avait trois gouttes de sang frais qui illuminaient le blanc. À les regarder, j'avais l'impression d'y voir la fraîche couleur du visage de mon amie qui est si belle, et jamais je n'aurais voulu m'en détacher.

– Assurément, reprit monseigneur Gauvain, ces pensées, loin d'être vulgaires, étaient fort courtoises et douces [1]. Il fallait être fou et présomptueux pour en détourner votre cœur. Mais je brûle de savoir ce que vous voulez faire. Au roi, si vous n'y voyiez pas d'inconvénient, je vous mènerais bien volontiers.

– Mais dites-moi d'abord, bien cher ami, ajouta Perceval, si Keu s'y trouve, le sénéchal.

– Par ma foi, oui, vraiment il y est, et sachez que c'est lui qui vient de jouter ici même avec vous, et la joute lui a coûté si cher que vous lui avez brisé le bras droit – peut-être ne le savez-vous pas – et déboîté la clavicule.

– J'ai donc bien vengé, dit Perceval, la jeune fille qu'il frappa. »

Quand monseigneur Gauvain l'entendit, de surprise il sursauta :

« Seigneur, dit-il, par Dieu, c'est bien vous que le roi cherchait. Seigneur, comment vous appelez-vous ?

---

1. Perceval a maintenant atteint un haut degré de courtoisie que constate Gauvain, orfèvre en la matière.

– Perceval, seigneur, et vous-même, comment ?

– Seigneur, sachez en vérité que je fus appelé au baptême Gauvain.

– Gauvain ?

– Oui, vraiment, cher seigneur. »

Perceval en fut tout joyeux :

« Seigneur, dit-il, j'ai bien entendu parler de vous en de nombreux endroits, et mon plus cher désir serait que nous nous fréquentions, si cela ne devait pas vous déplaire.

– Assurément, fit monseigneur Gauvain, je n'en suis pas moins heureux que vous, et même plus, je crois. »

Et Perceval répondit :

« Par ma foi, j'irai donc, car c'est justice, bien volontiers là où vous voudrez, et je serai d'autant plus fier que je suis votre compagnon. »

Alors ils vont se jeter dans les bras l'un de l'autre, ils commencent à délacer les heaumes, les coiffes et les ventailles, et ils en rabattent les mailles ; puis ils s'en vont, exultant de joie. Et les valets courent aussitôt, quand ils les voient se faire fête d'une hauteur où ils se tenaient ; les voici devant le roi :

« Sire, sire, font-ils, sur l'honneur, monseigneur Gauvain amène le chevalier, et ils se manifestent l'un à l'autre une vive allégresse. »

Il n'est personne qui, à cette nouvelle, ne s'élance hors de sa tente pour aller à leur rencontre, tandis que Keu dit au roi, son seigneur :

« Le voici maintenant avec la gloire et l'honneur, monseigneur Gauvain votre neveu. Ce fut une périlleuse et rude bataille, sauf erreur de ma part, puisqu'il s'en retourne tout aussi alerte qu'il est parti, sans qu'il ait jamais reçu un coup d'autrui ni qu'autrui ait senti aucun coup venant de lui, sans qu'il ait exprimé le moindre démenti. Il est juste qu'il en ait la gloire et le prix, et qu'on dise qu'il a réussi ce que nous n'avons pu mener à bien, tout en y mettant toute notre puissance et toutes nos forces. »

C'est ainsi que Keu, à tort ou à raison, a exprimé son sentiment, comme il en a l'habitude.

Quant à monseigneur Gauvain, il ne veut amener son compagnon qu'une fois désarmé. Il le fait désarmer dans sa tente, et un de ses chambellans sort d'un coffre un costume qu'il lui présente pour qu'il s'en revête. Une fois habillé en bonne et due forme de la cotte et du manteau qui était de très bonne qualité et lui seyait parfaitement, vers le roi qui était assis devant sa tente ils s'en viennent tous deux la main dans la main.

« Sire, sire, je vous amène, fait monseigneur Gauvain au roi, celui que vous, à ce que je crois, auriez vu avec le plus grand plaisir depuis une bonne quinzaine de jours. C'est celui dont vous parliez tant, c'est celui que vous recherchiez. Je vous l'amène, le voici.

– Cher neveu, grand merci à vous ! » fait le roi qui accorde à la chose une telle importance qu'il se lève d'un bond à sa rencontre et lui dit :

« Cher seigneur, soyez le bienvenu ! Je vous en prie, apprenez-moi comment je devrai vous appeler.

– Par ma foi, fait Perceval, je ne vous le cacherai pas, cher seigneur roi : je me nomme Perceval le Gallois.

– Ah ! Perceval, mon cher ami, maintenant que vous avez mis le pied à ma cour, jamais plus vous n'en partirez, s'il dépend de moi. J'ai été fort affligé à votre sujet, quand je vous vis pour la première fois, car je n'ai pas prévu le glorieux destin que Dieu vous avait réservé, alors qu'il avait été bel et bien prédit, au vu et au su de toute ma cour, par la jeune fille et par le fou que frappa le sénéchal Keu. Et vous avez parfaitement réalisé leur prédiction de bout en bout : sur ce point il n'y a maintenant plus de doute, car de vos exploits on m'a fait un récit véridique. »

Survint alors la reine qui avait appris la nouvelle de sa venue. Dès que Perceval la vit et qu'on lui eut dit que c'était elle, et qu'elle était suivie par la damoiselle qui avait ri quand il l'avait regardée, aussitôt il alla à leur rencontre et leur dit :

« Que Dieu donne joie et honneur à la plus belle, à la meilleure de toutes les dames qui soient, comme en témoignent tous les yeux qui la voient et tous ceux qui l'ont vue ! »

La reine lui répondit :

« Et vous, soyez le bienvenu, comme un chevalier qui a fait preuve d'une grande et belle vaillance ! »

Perceval salua ensuite la jeune fille, celle qui avait ri à son intention ; il la serra dans ses bras et lui dit :

« Belle amie, si vous en aviez besoin, je serais le chevalier qui jamais ne manquerait de vous aider. »

La jeune fille l'en remercia.

Grande fut la fête que le roi fit à Perceval le Gallois, ainsi que la reine et les barons, qui l'emmenèrent à Carlion où ils parvinrent le soir même. Toute la nuit se passa en festivités, de même que le lendemain, jusqu'au troisième jour où ils virent arriver une demoiselle sur une mule fauve, tenant dans la main droite un fouet [1].

Elle portait deux tresses tordues et noires ; et si c'est la vérité que le livre rapporte dans sa description, jamais il n'exista créature si merveilleusement laide, pas même en enfer. Jamais vous ne vîtes fer aussi noir que l'étaient son cou et ses mains. Mais encore était-ce négligeable au regard du reste de sa laideur, car ses yeux étaient deux trous aussi petits que ceux d'un rat. Elle avait le nez d'un singe ou d'un chat, et les lèvres d'un âne ou d'un bœuf. Ses dents avaient

---

1. Selon F. Dubost, « La couleur fauve était perçue comme un emblème de duplicité et de tromperie. C'est elle qui porte la connotation péjorative, car la mule est un animal neutre, dont la position axiologique est déterminée par la couleur qui lui est attribuée. Blanche, elle a par exemple un rôle positif dans le *Perlesvaus*, où elle fait partie des deux auxiliaires confiés au héros pour l'aider à reconquérir le château du Graal. Le fouet à longues lanières de cuir, l'*escorgiee* (*excoria* pour le latin classique *excorium*), est à distinguer de la *reorte* dont Perceval cingle son cheval et qui est une sorte de cravache faite de brins d'osier tressés (latin *retorta*). [...] L'*escorgiee* (ou la *corgiee*) appartient donc au code de la brutalité sadique exercée contre les êtres sans défense » (*Le Conte du graal ou l'Art de faire signe, op. cit.*, p. 78).

la couleur du jaune d'œuf, tant elles étaient rousses, et elle était barbue comme un bouc. Au milieu de la poitrine elle portait une bosse, son échine était tordue comme une crosse, et ses reins et ses épaules étaient fort bien faits pour mener le bal. Avec une bosse dans le dos et des jambes tordues comme verges d'osier, elle était faite pour mener la danse [1].

Et voici que devant le roi s'avança la demoiselle sur la mule. Jamais pareille demoiselle ne vint en cour de roi. Elle salua le roi et les barons tous ensemble, en bloc, à la seule exception de Perceval, à qui elle dit, montée sur la mule fauve :

« Ah ! Perceval, la Fortune [2] est chauve par-derrière et chevelue par-devant. Maudit soit celui qui te salue et te souhaite du bien dans ses prières, car tu n'as pas su la retenir, la Fortune, quand tu la rencontras ! Chez le Roi Pêcheur tu entras, et tu vis la lance qui saigne, mais ce fut pour toi alors un effort si pénible d'ouvrir la bouche et de parler que tu fus incapable de demander pourquoi cette goutte de sang jaillit à la pointe du fer de lance blanc ! Quant au graal que tu vis, tu ne demandas pas ni ne recherchas à quel puissant

---

1. Selon F. Dubost, ce portrait constitue « une anthologie de l'horrible » (*ibid.*, p. 154) : inversion systématique des données qui composent les canons de la beauté féminine (noir/blanc, tresses brunes/cheveux d'or, etc.), comparaisons zoologiques dévalorisantes, évocation de la barbe, du bouc et de la danse suggérant une sorcière et le sabbat. L'auteur « puise comme en s'amusant dans le répertoire tératologique pour faire surgir devant Perceval une vivante image du remords, une anti-Blanchefleur, une *fleur inverse* noire, rousse et difforme, un fantasme de culpabilité » (*ibid.*, p. 155). La demoiselle à la mule rousse joue le rôle de la mauvaise fée, mais Perceval, qui accepte sa responsabilité, refuse la fatalité.

2. C'est un vieux thème apprécié de tout le Moyen Âge que celui de cette capricieuse déesse, maîtresse tyrannique du monde entier, représentant, selon I. Siciliano, « la fatalité, le hasard, le principe de l'impondérable et de l'inexplicable, l'explication du mystère, la loi de la justice immanente » (*François Villon et les thèmes poétiques du Moyen Âge*, Armand Colin, 1934, p. 282). Ce sombre personnage, inventé par Boèce dans son *De consolatione philosophiae* (vers 524), est tantôt providence divine, tantôt hasard et aventure.

seigneur on en faisait le service [1]. Misérable est l'homme qui voit la plus belle occasion qui soit, et qui en attend encore une plus belle. C'est toi, le misérable, qui vis qu'il était temps et lieu de parler, et qui te tus [2]. Tu en eus tout le loisir. Quel malheur que tu te sois si longtemps tu, car, si tu l'avais demandé, le riche roi qui vit dans l'affliction serait déjà complètement guéri de sa blessure et gouvernerait paisiblement sa terre dont il ne possédera plus jamais rien. Et sais-tu ce qu'il résultera du fait que le roi ne tiendra plus de terre et qu'il ne sera pas guéri de ses blessures ? Les dames en perdront leurs maris, les terres en seront dévastées, les jeunes filles privées de toute aide car elles seront orphelines, et de nombreux chevaliers en mourront. Tous ces maux arriveront par ta faute. »

Puis la demoiselle s'adressa au roi :

« Roi, je m'en vais avec votre permission, car il me faut encore passer la nuit loin d'ici. Je ne sais si vous avez entendu parler du Château Orgueilleux, mais dès ce soir il faut que je m'y rende. Dans le château demeurent des chevaliers d'élite, cinq cent soixante-six, et sachez qu'il n'y en a aucun qui n'ait son amie avec lui, de nobles femmes courtoises et belles. C'est pourquoi je vous informe que personne qui s'y rendra ne peut manquer d'y trouver joute ou bataille. Quiconque veut réaliser des exploits chevaleresques, s'il les cherche là-bas, il ne manquera pas de les trouver. Mais si l'on voulait remporter le prix sur tout le monde, je crois savoir le lieu et l'endroit où l'on pourrait le mieux l'obtenir, s'il était un homme qui en eût l'audace. Sur la colline au-dessous de Montéclaire, une demoiselle est assiégée : c'est un très grand honneur qu'acquerrait celui qui pourrait en lever le siège et délivrer la jeune fille ! Il en recueillerait toutes les louanges et il pourrait ceindre sans

---

1. Ici sont exposées en clair les deux questions qu'aurait dû poser Perceval au château du Roi Pêcheur.

2. Le silence de Perceval, dû à une mauvaise interprétation d'une recommandation de Gornemant, explique la désolation de la terre.

rien redouter l'Épée à l'extraordinaire baudrier, l'homme à qui Dieu accorderait un si grand bonheur. »

La demoiselle se tut alors, ayant dit tout ce qu'elle voulait, et elle partit sans rien ajouter. Monseigneur Gauvain se redressa d'un bond et déclara qu'il ferait son possible pour secourir la jeune fille et qu'il partirait. Et Girflet, le fils de Do, dit à son tour qu'il irait avec l'aide de Dieu devant le Château Orgueilleux.

« Et moi, fit Kahédin, c'est sur le Mont Douloureux que j'irai, et je ne m'arrêterai pas avant. »

Quant à Perceval, il tient de tout autres propos : il ne couchera pas en un même hôtel deux nuits de suite, de toute sa vie, et il n'entendra parler de passage extraordinaire sans s'y risquer, ni de chevalier supérieur à un autre, voire à deux, sans aller l'affronter, jusqu'à ce que, pour le graal, il sache à qui l'on en fait le service, et qu'il ait trouvé la lance qui saigne et qu'on lui ait révélé en toute certitude pourquoi elle saigne : il n'y renoncera jamais, quelque souffrance qu'il doive endurer.

Ils sont jusqu'à cinquante qui se lèvent ainsi, et qui s'engagent l'un envers l'autre et qui disent et jurent qu'ils n'auront vent de merveille ou d'aventure sans aller à sa recherche, fût-ce dans la plus redoutable région.

Or, tandis qu'ils se préparaient à travers la salle et qu'ils s'armaient, Guinganbrésil entra[1]. Il portait un bouclier d'or dont le tiers était couvert par une bande d'azur très exactement dessinée. Il reconnut le roi et le salua comme il convenait, mais il ne salua pas Gauvain : au contraire il l'accusa de trahison[2].

---

1. Ici commence la partie du texte consacrée à Gauvain, qui correspond à un autre modèle de chevalerie.

2. Traduction du mot *felenie*, *felonie*, qui fut d'abord l'infidélité au code du noble, et accessoirement l'infidélité envers Dieu, et qui désigna ensuite les défauts associés au caractère du félon : tromperie, orgueil, cruauté, férocité.

« Gauvain, tu as tué mon seigneur [1], dit-il, et tu l'as frappé sans l'avoir défié à aucun moment. Sur toi retombent la honte, le déshonneur et le blâme. Je t'accuse donc de trahison, et que tous les barons sachent bien que je n'en ai pas menti d'un seul mot. »

À ces mots, monseigneur Gauvain s'est relevé d'un bond, tout rempli de honte, et Agravain l'Orgueilleux, son frère, bondit et, le tirant vers lui, lui dit :

« Par Dieu, cher seigneur, ne déshonorez pas notre lignage. De ce blâme, de ce déshonneur dont ce chevalier vous accuse, je vous défendrai, je vous le promets.

– Frère, lui répondit-il, jamais personne d'autre que moi ne m'en défendra, et je dois le faire puisqu'il n'en accuse personne d'autre que moi. Mais si j'avais causé du tort au chevalier et que j'en eusse connaissance, c'est très volontiers que je rechercherais la paix et que je lui offrirais une réparation telle que tous ses amis et les miens la jugeraient équitable. Mais si ce qu'il a dit dépasse la mesure, je me défends – voici mon gage – ici ou là où il lui plaira. »

Et l'autre répond qu'il le convaincra d'avoir commis une odieuse et ignoble trahison, dans un délai de quarante jours, devant le roi d'Escavalon, qui est plus beau qu'Absalon, à son sens et à son avis.

« Et moi, fait Gauvain, je promets de te suivre dès maintenant, et là-bas nous verrons de quel côté sera le droit. »

Aussitôt Guinganbrésil s'en retourna et monseigneur Gauvain s'apprêta à le suivre sans retard. On lui offrit qui un bon bouclier, qui une bonne lance, qui un bon heaume, qui une bonne épée ; mais il n'accepta pas d'emporter rien qui appartînt à autrui. Il emmena avec lui sept écuyers, sept destriers et deux boucliers. Avant qu'il n'eût quitté la cour, il laissa derrière lui d'amers regrets : ils furent nombreux à se battre la poitrine, à s'arracher les cheveux, à s'égratigner

---

1. Le roi d'Escavalon.

le visage. Il n'était dame si discrète qui, pour lui, ne mani-
festât une grande douleur. Ils furent nombreux à montrer
une grande douleur [1].

Monseigneur Gauvain s'en va. Des aventures qu'il rencontra, vous m'entendrez parler très longuement.

C'est tout d'abord une troupe de chevaliers qu'il voit traverser la lande, et il demande à un écuyer qui venait tout
seul derrière eux, menant de la main droite un cheval espa-
gnol et portant un bouclier au cou :

« Écuyer, dis-moi qui sont ces gens qui passent ici.

– Seigneur, répondit-il, c'est Méliant de Lis, un chevalier
courageux et hardi.

– Es-tu à lui ?

– Non, seigneur. Mon seigneur s'appelle Traé d'Anet, et
il n'est pas moins valeureux que lui.

– Par ma foi, fait monseigneur Gauvain, Traé d'Anet, je
le connais bien. Où va-t-il ? Ne me cache rien.

– Seigneur, il va à un tournoi où Méliant de Lis doit se
mesurer à Tiébaut de Tintagel. Vous-même, je souhaite que
vous alliez rejoindre ceux du château contre les gens du
dehors.

– Grand Dieu, fait alors monseigneur Gauvain, est-ce que
Méliant de Lis n'a pas été élevé dans la maison de Tiébaut ?

– Si, seigneur, que Dieu me sauve ! Son père aima beaucoup Tiébaut comme son vassal, et il avait en lui une si
grande confiance que, gisant sur son lit de mort, il lui
recommanda son fils, qui était petit, et Tiébaut l'éleva et le
protégea le plus tendrement possible, jusqu'au jour où il fut
en état de prier et de requérir d'amour une de ses filles ; et
celle-ci lui répondit que jamais elle ne lui accorderait son
amour avant qu'il ne fût chevalier. Lui, brûlant de réussir,
se fit aussitôt adouber ; puis il renouvela sa requête.

_____

1. Scène de douleur collective, qui souligne l'importance de Gauvain à
la cour et annonce le rôle que Chrétien de Troyes lui octroiera dans la
seconde partie.

« "C'est absolument impossible, fit la jeune fille, par ma foi, jusqu'à ce que vous ayez en ma présence accompli tant de faits d'armes et tant jouté que vous ayez payé le prix de mon amour, car les choses qu'on a pour rien n'ont pas la douceur ni la saveur de celles qu'on paie. Organisez un tournoi contre mon père si vous voulez obtenir mon amour, car je veux savoir sans le moindre doute si mon amour serait bien placé dès lors que je vous l'aurais accordé."

« C'est donc sur la proposition de celle-ci qu'il a entrepris le tournoi, car Amour a une si grande puissance sur ceux qu'il tient sous son empire qu'ils ne sauraient rien refuser de ce qu'on daignerait leur commander. Et vous seriez d'une singulière paresse si vous ne les rejoigniez pas dans le château, car ils auraient grand besoin de vous, si vous vouliez les aider.

– Mon frère, va-t'en, répondit Gauvain, suis ton seigneur, ce sera sage, et arrête là ton discours. »

Aussitôt l'écuyer est reparti, et monseigneur Gauvain poursuit son chemin, sans cesser d'aller en direction de Tintagel, car il n'y a pas d'autre route. Quant à Tiébaut, il avait fait rassembler tous ses parents et ses cousins, il avait convoqué tous ses voisins, et tous étaient venus, les grands et les humbles, les jeunes et les vieux. Mais ses proches conseillers ne l'ont pas incité à tournoyer contre son seigneur, car ils avaient très grand-peur qu'il ne voulût les ruiner. Aussi a-t-il fait murer et maçonner toutes les entrées du château. Les portes furent murées de solides blocs de pierre et de mortier en sorte qu'il n'y eût pas d'autre portier hormis une petite poterne dont la porte n'était pas en bois de vergne : ils avaient renoncé à la murer. La porte, pour résister à toute épreuve, était en cuivre et renforcée par une barre de fer, équivalente à la charge d'une charrette.

Monseigneur Gauvain se dirigeait vers la porte, derrière tout son équipage. Il lui fallait passer par là ou retourner sur ses pas, car il n'y avait pas d'autre chemin ni d'autre route jusqu'à sept journées de là. Quand il vit la poterne fermée, il entra dans un pré au pied de la tour, entouré de pieux, et

il descendit de cheval sous un chêne auquel il suspendit ses
boucliers, à la vue des gens du château dont un grand
nombre se désolaient que le tournoi n'eût pas lieu. Mais il
y avait dans le château un vieux vavasseur redouté et sage,
puissant par ses terres et son lignage : jamais, quoi qu'il pût
dire et quelles qu'en fussent les conséquences, on n'aurait
refusé de le croire dans le château. Or il avait vu ceux qui
arrivaient : on les lui avait montrés au loin avant qu'ils ne
fussent entrés dans l'enclos. Aussi alla-t-il parler à Tiébaut.

« Seigneur, dit-il, que Dieu me sauve ! j'ai vu, à ce que je
crois, des compagnons du roi Arthur, deux chevaliers [1] qui
approchent d'ici. Deux gentilshommes tiennent une large
place, au point que même un seul peut remporter un tournoi.
Je vous conseillerais, quant à moi, de vous rendre au tournoi
en toute tranquillité, car vous avez de bons chevaliers, de
bons sergents et de bons archers qui tueront leurs chevaux, et
je suis sûr qu'ils viendront engager le tournoi devant cette
porte. Si leur orgueil les conduit jusque-là, nous, nous en
aurons le gain et eux, la perte et le préjudice. »

Sur le conseil de celui-là, Tiébaut permit de s'armer et de
sortir armés de pied en cap à tous ceux qui le voudraient.
Voici les chevaliers tout joyeux ; les écuyers coururent aux
armes et aux chevaux, et mirent les selles. Quant aux dames
et aux jeunes filles, elles allèrent s'asseoir aux endroits les
plus hauts pour voir le tournoi. Elles virent alors, au-dessous
dans la plaine, l'équipage de monseigneur Gauvain. Elles
s'imaginèrent de prime abord qu'il y avait deux chevaliers,
puisqu'elles voyaient deux boucliers suspendus au chêne.
Les dames, une fois en haut, dirent qu'elles avaient beaucoup de chance, car elles verraient ces deux chevaliers
s'armer devant elles.

Les unes devisaient ainsi, tandis que d'autres disaient :

« Dieu, cher seigneur, ce chevalier a tant d'équipements
et tant de destriers qu'il y en aurait assez pour deux. S'il

---

1. Ceux du château croient d'abord à la présence de deux chevaliers,
car Gauvain a apporté deux boucliers (p. 124).

n'a pas de compagnon avec lui, que fera-t-il de deux boucliers ? On n'a jamais vu de chevalier porter deux boucliers
à la fois. C'est pourquoi il me semble tout à fait étonnant
que ce chevalier qui est seul puisse porter ces deux
boucliers. »

Tandis qu'elles parlaient ainsi, les chevaliers sortirent. La
fille aînée de Tiébaut était montée au sommet de la tour :
c'est elle qui était à l'origine du tournoi. Avec l'aînée se
tenait la cadette qui portait des manches si élégantes qu'on
l'appelait la Demoiselle aux Petites Manches : elles étaient
comme dessinées sur ses bras. Avec les deux filles de Tiébaut s'étaient rassemblées au sommet dames et jeunes filles.
Aussitôt on s'assembla pour le tournoi devant le château.
Mais aucun chevalier n'était aussi gracieux que Méliant de
Lis, à en croire son amie qui disait aux dames tout autour
d'elle :

« Mesdames, vraiment non, jamais aucun chevalier que
j'ai vu ne m'a plu autant que Méliant de Lis, je ne sais
pourquoi je vous en mentirais. N'est-ce pas le plus suave
des plaisirs que de voir un si bon chevalier ? On est en droit
de monter à cheval et de porter la lance et le bouclier quand
on sait si bien en jouer. »

Mais sa sœur, qui était assise à son côté, lui dit qu'il y
en avait un plus beau. L'autre en fut furieuse, et elle se
leva pour la frapper, mais les dames la tirèrent en arrière, la
retinrent et l'en empêchèrent si bien qu'elle ne la toucha
pas ; elle en fut très contrariée.

Le tournoi commence. On y brise plus d'une lance, on y
assène plus d'un coup d'épée, on y abat plus d'un chevalier.
Mais sachez qu'il en coûte très cher de jouter contre Méliant
de Lis, car personne ne tient devant sa lance sans qu'il le
projette au sol ; et si sa lance se brise, il y prodigue de
grands coups d'épée. Il se bat mieux que tous les autres, de
quelque camp qu'ils soient. Son amie en éprouve une si
grande joie qu'elle ne peut se retenir de dire :

« Mesdames, regardez ces merveilles : jamais vous n'en
avez vu de pareilles, ni même vous n'en avez entendu

parler. Regardez le meilleur des jeunes chevaliers [1] que vous ayez jamais pu voir de vos yeux, car il est plus beau et plus fort que tous ceux qui participent au tournoi. »

La petite rétorque :

« J'en vois un plus beau et meilleur, peut-être bien. »

L'autre se jette sur elle, tout enflammée de colère :

« Vous, sale garce, vous avez le front d'être assez maudite pour oser blâmer une personne dont j'ai fait l'éloge ? Attrapez donc cette gifle, et gardez-vous-en une autre fois. »

Elle la frappe alors si fort que ses cinq doigts en restent marqués sur son visage. Les dames qui sont à côté l'en blâment fort et lui arrachent la petite ; puis elles recommencent à parler entre elles de monseigneur Gauvain.

« Mon Dieu, fait l'une des demoiselles, ce chevalier sous ce charme, qu'attend-il pour s'armer ? »

Une autre, plus impertinente, dit de son côté :

« C'est qu'il a juré la paix. »

Une troisième dit à son tour :

« C'est un marchand. Ne dites plus qu'il pense à participer au tournoi. Tous ces chevaux, il les mène vendre.

– C'est plutôt un changeur [2], fait une quatrième. Il n'a pas l'intention de distribuer aujourd'hui aux pauvres chevaliers ces biens qu'il apporte avec lui. Ne croyez pas que je

---

1. Traduction de *le meillor bacheler*. J. Flori a montré que *bacheler* pouvait s'appliquer aux nobles et aux roturiers, aux chevaliers comme à toutes sortes de personnages : rois, évêques, forestiers, jongleurs, etc. Le terme peut désigner des possesseurs de fiefs, de terres, de comtés, de royaumes, mais il s'applique toujours à des jeunes gens et peut souvent être traduit par « adolescent » ou « garçon ». Enfin, il a toujours une résonance idéologique particulière, employé en bonne part et flanqué d'adjectifs laudatifs. « Le clivage ne semble pas se situer entre haute et basse noblesse, mais entre ceux qui ont entre leurs mains la réalité du pouvoir et ceux qui ne l'ont pas parce qu'ils sont *juniores* ou/et pauvres » (*L'Épopée*, Turnhout, Brepols, 1988, p. 116 ; voir aussi *Romania*, t. XCVI, 1975, p. 312-313).

2. Les changeurs ou banquiers lombards ou Juifs étaient souvent critiqués : on leur reprochait d'être des usuriers. Le roman prend ici une légère coloration burlesque.

vous mente : c'est de l'argent et de la vaisselle qu'il y a dans ces coffres et dans ces malles.

– Vraiment, vous n'êtes que de mauvaises langues, rétorque la petite, et vous vous trompez. Croyez-vous qu'un marchand porte d'aussi grosses lances que celui-ci ? C'est sûr, vous m'avez véritablement tuée aujourd'hui à débiter de semblables diableries. Par la foi que je dois au Saint-Esprit, il ressemble mieux à un habitué des tournois qu'à un marchand ou à un changeur. C'est un chevalier, il en a tout l'air. »

Toutes les dames lui répondent d'une seule voix :

« Quoi qu'il en soit, chère amie, s'il en a l'air, il ne l'est pas ; mais il en prend l'apparence parce qu'il croit ainsi échapper aux droits de péage. Il est fou, tout en se croyant sage, car pour cette ruse il sera arrêté comme un voleur pris sur le fait et accusé d'un larcin indigne et sot, et on lui passera la corde au cou. »

Monseigneur Gauvain entend distinctement et comprend les quolibets que lancent les dames à son sujet. S'il en est rempli de honte et de confusion, il pense avec raison qu'on l'accuse de trahison et qu'il lui faut aller s'en défendre, car s'il n'allait pas à la bataille comme il s'y est engagé, il se déshonorerait lui le premier, et puis son lignage tout entier. C'est parce qu'il redoutait d'être blessé ou pris qu'il ne s'est pas mêlé au tournoi, bien qu'il en eût très grande envie, d'autant plus qu'il voyait le tournoi devenir sans cesse plus intense et plus beau. Méliant de Lis demande de grosses lances pour mieux frapper. Toute la journée, jusqu'à la tombée de la nuit, le tournoi se tient devant la porte. Celui qui fait du butin l'emporte là où il croit qu'il sera le mieux en sûreté.

Les dames aperçoivent un écuyer très grand et chauve qui tenait un tronçon de lance et portait au cou une têtière. L'une d'elles le traite aussitôt de niais et de fou.

« Seigneur écuyer, lui dit-elle, grand Dieu, vous êtes complètement fou d'aller dans cette mêlée attraper ces fers de lance, ces têtières, ces bouts de bois et ces croupières.

Quel bon écuyer vous faites ! S'amuser à cela, c'est faire peu de cas de soi-même, alors que je vois ici, tout près de vous, en ce pré qui est au-dessous de nous, des richesses sans surveillance ni défense. Il faut être fou pour ne pas penser à son profit lorsqu'on en a l'occasion. Or vous avez sous les yeux le plus débonnaire chevalier qui soit jamais né, car même si on lui avait plumé toute la moustache, il ne bougerait pas. Ne méprisez donc pas le gain, mais prenez, ce sera sage, tous les chevaux et tous les biens, car jamais personne ne vous l'interdira. »

L'écuyer pénètre aussitôt dans le pré et frappe un des chevaux de son tronçon de lance en disant :

« Vassal, est-ce que vous ne vous sentez pas bien pour être aux aguets toute la journée sans rien faire du tout, sans avoir troué de bouclier ni rompu de lance ?

– Allons, allons, répondit Gauvain, en quoi cela te regarde-t-il ? La raison pour quoi il ne se passe rien, peut-être l'apprendras-tu un jour ou l'autre, mais, par ma tête, ce ne sera pas aujourd'hui, car je ne m'abaisserai pas à te le dire. Dépêche-toi de te sauver, passe ton chemin et va t'occuper de tes affaires. »

L'écuyer s'éloigna sur-le-champ (il n'était pas homme à oser parler de chose qui pût lui nuire), tandis que le tournoi s'arrêtait, après que des chevaliers eurent été pris en grand nombre et que nombre de chevaux eurent été tués. L'avantage revint à ceux du dehors, mais ceux du dedans firent du butin. En se séparant, chacun promit de se rassembler le lendemain dans le champ et de reprendre le tournoi.

Ainsi se séparèrent-ils à la nuit, et rentrèrent au château tous ceux qui en étaient sortis, et parmi eux monseigneur Gauvain qui suivit la troupe. Devant la porte il rencontra le gentilhomme, le vavasseur qui avait conseillé à son seigneur de commencer le tournoi, et qui le pria d'accepter son hospitalité en des termes particulièrement généreux et courtois :

« Cher seigneur, en ce château, dit-il, un logis est tout préparé pour vous. S'il vous plaît, passez-y le reste de la journée, car, si vous alliez plus avant, vous ne trouveriez pas de bon logis de la journée ; c'est pourquoi je vous prie de rester.

– Je resterai, fit monseigneur Gauvain, et je vous en remercie, car j'ai entendu des propos beaucoup plus désagréables. »

Le vavasseur l'emmène à son hôtel en lui parlant de choses et d'autres, et il lui demande comment il se faisait que ce jour-là il n'eût pas pris les armes avec eux pendant le tournoi. Gauvain lui en expose toute la raison : comme il est accusé de trahison, il doit se garder d'être fait prisonnier, blessé et mis à mal, jusqu'à ce qu'il puisse se disculper du blâme qui pèse sur lui, car il pourrait déshonorer lui-même et tous ses amis si un retard l'empêchait de venir à l'heure précise à la bataille pour laquelle il s'était engagé. Le vavasseur ne l'en estime que davantage et lui dit qu'il l'approuvait : si c'est pour cela qu'il avait renoncé au tournoi, il avait eu raison. Ainsi l'emmène-t-il chez lui, et ils descendent de cheval, tandis que les gens de la cour s'occupent à lancer contre lui de graves accusations et sont en grande discussion pour décider comment leur seigneur irait l'arrêter. Sa fille aînée y travaille de toutes ses forces par haine de sa sœur :

« Seigneur, fait-elle, je sais bien que vous n'avez rien perdu aujourd'hui ; je crois même que vous avez gagné beaucoup plus que vous ne pensez, et je vais vous dire comment. Vous auriez bien tort de ne pas vous contenter de commander qu'on aille le prendre. Jamais celui qui l'a amené dans la ville n'osera le défendre, car il se sert d'une bien mauvaise ruse : il transporte des boucliers et des lances, il emmène des chevaux par la bride, et c'est ainsi qu'il se dérobe aux taxes coutumières, en ressemblant à un chevalier, et il passe pour noble de cette manière, alors qu'il fait du commerce. Mais donnez-lui son dû. Il est chez Garin, le fils de Berthe, en sa maison où il l'a hébergé. C'est de ce côté-ci qu'il est passé il y a un instant, car j'ai vu qu'il l'emmenait. »

Ainsi se donne-t-elle beaucoup de peine pour couvrir Gauvain de honte. Le seigneur monte aussitôt à cheval, car il veut y aller en personne ; il se dirige tout droit vers la maison où se trouvait monseigneur Gauvain. Quand sa plus jeune fille le voit partir de cette manière, elle s'en va par une porte de derrière : elle n'a pas envie qu'on la voie, mais elle file tout droit jusqu'au logis de monseigneur Gauvain, chez le seigneur Garin, le fils de Berthe, qui avait deux très belles filles. Et quand celles-ci voient venir leur petite dame, leur joie éclate spontanément. Chacune l'a prise par la main et elles l'emmènent en s'abandonnant à la joie, en lui baisant les yeux et la bouche.

Quant au seigneur Garin, qui n'avait rien de misérable, il était remonté à cheval, ainsi que son fils Bertrand, et tous deux s'en allaient à la cour comme ils en avaient l'habitude, avec l'intention de parler à leur seigneur. Or voici qu'ils le rencontrent au milieu de la rue. Le vavasseur le salue et lui demande où il allait, et il lui dit qu'il voulait aller chez lui se distraire.

« Ma foi, cela ne saurait pas me faire du tort, dit le seigneur Garin, ni me déplaire ; et vous pourrez y voir précisément le plus beau chevalier de la terre.

– Par ma foi, ce n'est pas ce que je viens chercher, mais je le ferai prendre : c'est un marchand qui amène des chevaux pour les vendre, et il se fait passer pour un chevalier.

– Çà, par exemple ! Quels bien méchants propos, fait Garin, je vous entends dire ! Je suis votre vassal et vous êtes mon seigneur, mais je vous rends ici même votre hommage : en mon nom et au nom de tout mon lignage, je vous défie sur-le-champ plutôt que de supporter en mon hôtel une telle indignité de votre part.

– Mais je n'en avais pas l'intention, fait le seigneur, que Dieu m'aide ! Votre hôte et votre hôtel ne recevront que des honneurs de ma part. Ce n'est pas, je vous l'assure, qu'on ne m'ait fort incité et poussé à le faire.

– Grand merci ! dit le vavasseur. Ce sera pour moi un très grand honneur que vous veniez voir mon hôte. »

Ils se placent l'un à côté de l'autre tout aussitôt, et ils s'en vont jusqu'au logis où se trouvait monseigneur Gauvain. Quand celui-ci les voit, en chevalier très bien élevé, il se lève et dit :

« Soyez les bienvenus ! »

Tous deux le saluent et s'assoient à côté de lui. Alors le gentilhomme, qui était le seigneur du pays, lui a demandé pourquoi il s'était abstenu toute la journée de combattre, du moment qu'il était venu au tournoi. Il n'a pas contesté que sa conduite ait eu quelque chose de méprisable et de honteux, mais il lui raconte tout de suite après qu'il était accusé de trahison par un chevalier et qu'il allait s'en défendre dans une cour royale.

« Vous aviez une raison légitime, fait le seigneur, sans aucun doute. Mais où aura lieu cette bataille ?

– Seigneur, dit-il, je dois aller devant le roi d'Escavalon, et j'y vais tout droit, à ce que je crois.

– Je vous donnerai une escorte qui vous y conduira, fait le seigneur, et comme vous aurez à passer par un très pauvre pays, je vous donnerai des vivres à emporter et des chevaux pour les porter. »

Monseigneur Gauvain répond qu'il n'a pas besoin d'en prendre, car s'il peut en trouver à acheter, il aura des vivres en quantité et de bons logis, où qu'il aille, et tout ce dont il aura besoin. C'est pourquoi il ne veut rien de ses biens.

À ces mots, le seigneur le quitte. C'est alors qu'il a vu venir de l'autre côté sa plus jeune fille qui aussitôt saisit monseigneur Gauvain par la jambe :

« Cher seigneur, dit-elle, prêtez-moi attention, car je suis venue me plaindre à vous de ma sœur qui m'a battue ; faites-m'en justice, s'il vous plaît. »

Monseigneur Gauvain se tait, car il ne savait pas de quoi elle parlait ; mais il lui a posé la main sur la tête. La demoiselle, elle, le secoue en disant :

« C'est à vous, cher seigneur, que je parle, à vous que je me plains de ma sœur pour qui je n'ai ni affection ni amour, car c'est à cause de vous qu'elle m'a couverte de honte aujourd'hui.

– Mais moi, belle amie, fait-il, en quoi cela me concerne-t-il ? Quel droit puis-je donc vous en faire ? »

Le gentilhomme, qui avait pris congé, entend ce que sa fille demande :

« Ma fille, dit-il, qui vous commande de venir vous plaindre à des chevaliers ? »

Et Gauvain dit alors :

« Bien cher seigneur, c'est donc votre fille ?

– Oui, mais n'accordez aucune attention à ses paroles. C'est une enfant, un être naïf et simplet.

– Assurément, fait monseigneur Gauvain, je serais vraiment grossier [1] si je ne faisais pas sa volonté. Mais dites-moi donc, ma douce et noble enfant, quel droit pourrai-je obtenir pour vous de votre sœur, et comment ?

– Seigneur, demain, il vous suffira, s'il vous plaît, de porter les armes au tournoi pour l'amour de moi.

– Dites-moi donc, chère amie, si vous avez jamais adressé une requête à un chevalier en quelque besoin [2].

– Non pas, seigneur.

– Ne vous souciez pas, dit le père, de ce qu'elle peut dire ; n'accordez pas d'attention à sa folie. »

Monseigneur Gauvain lui répondit :

« Seigneur, que Notre-Seigneur Dieu m'aide ! Mais c'est un bien joli enfantillage pour une si petite fillette, et loin de

---

1. Traduction de *trop vilains*. Le *vilain* était à l'origine un paysan libre, sans tare déshonorante, au contraire du *serf* qui était dans un état de dépendance personnelle et héréditaire, dans la mesure où il ne pouvait entrer dans l'Église, ni prêter serment, ni se marier en dehors du groupe des serfs dépendant de son seigneur, ni léguer ses biens à ses enfants. Comme le paysan était méprisé et que *vilain* était en contact avec l'adjectif *vil*, le mot a pris le sens péjoratif de « bas », « méchant », « sans noblesse ». Ensuite, trop employé, ce mot injurieux s'est affaibli. Voir notre « Portrait d'un Paysan du Moyen Âge : le vilain Liétard », *Le Goupil et le Paysan (Roman de Renart, Branche X)*, Champion, 1990, p. 57-105.

2. Petite touche ironique : Gauvain sera flatté d'être le premier chevalier à être sollicité.

lui opposer un refus, je serai, puisque c'est son plaisir, son chevalier pour un moment.

– Je vous remercie, mon bien cher seigneur », fait-elle, et elle est si remplie de joie qu'elle s'inclina devant lui jusqu'à terre.

Ils se séparent alors sans rien ajouter. Le seigneur remmène sa fille assise sur le cou de son palefroi, et il lui demande ce qui a suscité cette querelle. Elle lui en a raconté toute la vérité de bout en bout.

« Seigneur, dit-elle, il m'était très désagréable que ma sœur soutînt que Méliant de Lis était le meilleur et le plus beau de tous, alors que j'avais vu là-bas, au-dessous dans le pré, ce chevalier. Je n'ai donc pas pu me retenir d'affirmer contre elle que j'en voyais un plus beau que lui. C'est pourquoi ma sœur me traita de folle et de garce et elle me tira les cheveux. Maudit soit celui qui s'en réjouit ! Mes tresses, j'accepterais qu'on me les coupât complètement toutes les deux, ce qui m'enlaidirait fort, à la condition que demain, au lever du jour, ce chevalier, en plein tournoi, abattît Méliant de Lis. Dès lors c'en serait fini des cris d'admiration de madame ma sœur. Elle a tenu sur lui aujourd'hui de si grands discours que toutes les dames en sont fatiguées ; mais petite pluie abat grand vent [1].

– Chère fille, fait le gentilhomme, je vous invite et vous autorise à lui envoyer, par courtoisie, un gage d'affection, une manche ou une guimpe [2]. »

La petite répond en toute simplicité :

« Bien volontiers, puisque c'est vous qui le dites. Mais mes manches sont si petites que je n'oserais pas lui en envoyer une. Peut-être bien que si je la lui envoyais, il ne lui accorderait aucun prix.

---

1. Proverbe n° 1624 du recueil de J. Morawski, *Proverbes français antérieurs au XV*^{e} *siècle*, *op. cit.*

2. Gauvain portera une manche ou une guimpe (pièce de vêtement féminin) sur sa lance lors du tournoi comme enseigne et gage d'amour.

– Ma fille, dit le père, j'en fais mon affaire. Taisez-vous donc, car j'en ai tout à fait les moyens. »

C'est en parlant ainsi qu'il l'emporte dans ses bras ; il éprouve une très grande joie à la tenir serrée contre lui. Le voici enfin devant son palais. Quand l'autre fille le voit venir en tenant la cadette devant lui, elle en est profondément ulcérée.

« Seigneur, dit-elle, d'où vient donc ma sœur, la Demoiselle aux Petites Manches ? Ah ! elle s'y connaît en tours et en ruses, elle a commencé toute jeune. Mais d'où l'avez-vous donc ramenée ?

– Mais vous, fait-il, qu'est-ce que cela peut vous faire ? Vous, vous devriez bien vous taire, car elle vaut mieux que vous, qui l'avez tirée par les tresses et battue. J'en suis très mécontent : vous n'avez pas agi avec courtoisie. »

Elle est alors tout humiliée que son père lui ait lancé cette réprimande et cet affront. Quant à lui, il a fait aussitôt sortir d'un de ses coffres une étoffe de soie vermeille dans laquelle il a fait tailler et préparer une manche bien longue et large ; puis il a appelé sa fille cadette et lui a dit :

« Ma fille, levez-vous donc demain au matin et allez chez le chevalier avant qu'il ne parte. Par amour vous lui donnerez cette manche neuve, et il la portera au tournoi quand il s'y rendra. »

Elle répond à son père que, dès qu'elle verra la clarté de l'aube, elle sera, s'il ne dépend que d'elle, réveillée, levée et habillée.

Le père la quitte sur ces mots, tandis qu'elle, transportée de joie, prie toutes ses compagnes de ne pas la laisser dormir longtemps au matin, mais de l'éveiller rapidement dès qu'elles verront le jour, si elles veulent conserver son amour. C'est ce qu'elles firent à la perfection, car, aussitôt qu'elles virent au petit matin poindre l'aube, elles la firent s'habiller et se lever.

La jeune fille se leva donc au matin, et toute seule elle s'en alla à l'hôtel de monseigneur Gauvain. Mais elle n'y vint pas d'assez bonne heure pour qu'ils ne fussent pas déjà tous levés, et ils étaient allés à l'église entendre chanter la messe. La demoiselle resta chez le vavasseur tout le temps qu'ils ont passé à prier longuement et à écouter tout l'office. Quand ils furent revenus de l'église, la jeune fille se précipita à la rencontre de monseigneur Gauvain en lui disant :

« Dieu vous sauve et vous comble d'honneur en cette journée ! Mais portez pour l'amour de moi cette manche que je tiens.

– Volontiers, et je vous en remercie, mon amie », fit monseigneur Gauvain.

Après quoi, les chevaliers ne tardèrent pas à s'armer et ils se rassemblèrent hors de la ville, tandis que les demoiselles remontèrent sur le haut des murailles, ainsi que toutes les dames du château, et elles virent s'affronter les troupes des vigoureux et hardis chevaliers. Devant tout le monde, Méliant de Lis s'en vint contre les rangs adverses, à vive allure ; il avait laissé ses compagnons bien loin derrière, à deux arpents et demi. Quand l'aînée voit son ami, elle ne peut retenir sa langue :

« Mesdames, voyez venir celui qui de la chevalerie a le prix et le renom. »

Monseigneur Gauvain s'élance de toute la force de son cheval contre celui qui, loin de le redouter, brise sa lance en de nombreux éclats. De son côté, monseigneur Gauvain le frappe si fort qu'il lui cause de gros ennuis : il le désarçonne aussitôt et il tend la main vers son cheval qu'il saisit par le frein et remet à un serviteur, en lui demandant d'aller vers celle pour qui il participe au tournoi et de lui dire qu'il lui envoie le premier gain qu'il a fait ce jour-là : il veut qu'il lui appartienne. Et le serviteur conduit le cheval, muni de sa selle, à la jeune fille qui, du haut de la tour, d'une fenêtre où elle se trouvait, a bien vu tomber Méliant de Lis.

« Ma sœur, dit-elle, vous pouvez maintenant voir le seigneur Méliant de Lis étendu de tout son long, lui que vous ne cessiez de couvrir d'éloges. C'est quand on sait qu'on a le droit de faire des éloges. Maintenant il est évident que je

disais vrai hier, maintenant on voit bien – que Dieu me
sauve ! – qu'il y en a un autre qui vaut mieux. »

C'est ainsi qu'elle cherche sciemment à contrarier sa
sœur si bien qu'elle la met hors d'elle-même :

« Petite garce, crie celle-ci, tais-toi ! Si aujourd'hui je
t'entends encore prononcer un seul mot, j'irai te donner une
telle gifle que tes jambes ne pourront plus te soutenir.

– Hé, hé ! ma sœur, pensez à Dieu, fait la petite demoiselle. Puisque j'ai dit la vérité, vous ne devez pas me battre.
Par ma foi, je l'ai bel et bien vu abattre, et vous tout autant
que moi. Et même il me semble qu'il n'ait pas encore la
force de se relever. Et quand bien même vous devriez en
crever de rage, je continuerais à dire qu'il n'est pas ici de
dame qui ne le voie agiter les jambes, étendu de tout son
long. »

L'autre lui aurait bien donné une claque si on l'avait lais-
sée faire, mais elle fut empêchée de la frapper par les dames
qui étaient autour. Elles voient alors venir l'écuyer qui
conduit le cheval de la main droite. Il trouve la jeune fille
assise à une fenêtre et le lui offre. Celle-ci lui adresse force
remerciements et fait prendre le cheval. L'écuyer s'en va
porter les remerciements à son seigneur qui apparaît comme
le maître et le prince du tournoi, car il n'est pas de chevalier
si fier qui, s'il fait connaissance avec sa lance, ne vide
les étriers. Jamais il ne fut aussi désireux de gagner des
destriers. Il en a offert ce jour-là quatre qu'il a gagnés de
sa propre main : il envoya le premier à la petite demoiselle ;
avec le deuxième il s'acquitta envers la femme du vavasseur
qui en fut très satisfaite ; l'une de ses deux filles eut le
troisième et l'autre le quatrième. Le tournoi se termina et
ils rentrèrent dans le château.

Monseigneur Gauvain remporta le prix des deux côtés [1].
Il n'était pas encore midi quand il quitta la bataille. Au
retour, monseigneur Gauvain fut escorté d'une si grande

---

1. Gauvain est reconnu comme le meilleur tant par les gens du dehors
que par ceux du dedans.

troupe de chevaliers que la ville en fut toute pleine, et tous ceux qui le suivaient cherchaient à savoir qui il était et de quel pays. Il rencontra la jeune fille juste à la porte de son hôtel : en un tournemain, elle le saisit aussitôt par l'étrier et le salua en ces termes : « Mille fois merci, mon très doux seigneur. » Il comprit ce qu'elle voulait dire et il lui répondit en noble chevalier :

« Je serai devenu un vieillard aux cheveux blancs, chère amie, avant que je ne renonce à vous servir, où que je sois. Si loin que je sois de vous, si seulement je peux savoir que vous êtes dans le besoin, jamais aucun prétexte ne me retiendra de venir à votre premier message.

– Merci beaucoup », fit la demoiselle.

Ainsi parlaient-ils l'un et l'autre quand survint son père qui de toutes ses forces insista pour que monseigneur Gauvain restât cette nuit-là et qu'il acceptât son hospitalité ; mais d'abord il lui demanda, il le pria de lui dire son nom, s'il le voulait bien. Monseigneur Gauvain refusa de rester, mais il lui dit :

« Seigneur, on m'appelle Gauvain [1]. Jamais mon nom ne fut dissimulé en nul lieu où on me le demanda, et jamais encore je ne le dis sans qu'on me l'eût d'abord demandé. »

Quand le seigneur eut appris que c'était monseigneur Gauvain, son cœur en fut rempli de joie :

« Seigneur, lui dit-il, restez donc, et pour ce soir acceptez mes services car, si je ne vous ai jamais servi en rien, je n'ai jamais vu de ma vie chevalier, je puis vous le jurer, que j'eusse autant voulu honorer. »

Il l'a prié tant et plus de rester, mais monseigneur Gauvain a résisté à toutes ses prières. La petite demoiselle, qui n'était ni folle ni méchante, lui prit le pied et le baisa, tout en le recommandant à Dieu. Monseigneur Gauvain lui demanda dans quelle intention elle l'avait fait ; elle lui

---

1. Gauvain se nomme sans difficulté : c'est un des traits de sa personnalité.

répondit qu'elle lui avait baisé le pied avec l'intention qu'il se souvînt d'elle, en quelque lieu qu'il vînt.

« N'en doutez pas, lui dit-il, car, avec l'aide de Dieu, ma belle amie, jamais je ne vous oublierai, quand je serai parti d'ici. »

Alors il la quitta et prit congé de son hôte et des autres personnes qui le recommandèrent tous à Dieu. Monseigneur Gauvain, cette nuit-là, dormit dans un prieuré où il eut tout ce qui lui était nécessaire. Le lendemain, de très bon matin, comme il continuait sa route à cheval, il vit en passant des bêtes qui paissaient à l'orée d'une forêt. Il donna l'ordre de s'arrêter à Yonet qui conduisait l'un de ses chevaux, le meilleur de tous, et tenait une lance raide et solide ; il lui demanda de lui apporter la lance, de resserrer les sangles du cheval qu'il conduisait par la bride, de prendre son palefroi et de le mener. Yonet, qui ne manqua pas de lui obéir à la lettre, lui a sur-le-champ donné le cheval et la lance, et Gauvain s'élança après les biches. Après force détours et ruses, il en surprit une blanche [1] près d'un roncier et l'immobilisa de sa lance en travers du cou ; mais la biche bondit comme un cerf et lui échappa. Il se lança à sa suite et la pourchassa si fort qu'il s'en fallut de peu qu'il ne la retînt et ne l'arrêtât, si son cheval ne s'était pas déferré [2] tout d'un coup d'un pied de devant. Monseigneur Gauvain se mit à rejoindre son équipage, car il sentit son cheval fléchir sous lui, et il en fut fort marri, mais il ne savait pas ce qui le faisait boiter, à moins qu'une souche n'eût heurté son pied. Il appela aussitôt Yonet et lui commanda de descendre et de s'occuper de son cheval qui boitait si fort. L'autre, exécutant sa volonté, souleva le pied de la monture et découvrit qu'un fer lui manquait.

---

1. La biche blanche passait pour entraîner le chevalier dans l'Autre Monde. Gauvain pénètre alors dans le monde de la merveille.

2. Gauvain ne peut donc plus suivre la biche qui l'aurait entraîné plus loin dans l'aventure merveilleuse.

« Seigneur, dit-il, il faut le ferrer : il n'y a plus qu'à aller tout doucement jusqu'à ce qu'on trouve un forgeron qui puisse le referrer. »

Ils allèrent ensuite tant et si bien qu'ils virent des gens qui sortaient d'un château et venaient tout au long d'une chaussée. Devant, en habits courts, des garçons à pied menaient des chiens ; suivaient des veneurs portant des épieux tranchants, puis des archers et des sergents avec des arcs et des flèches, et enfin des chevaliers. Après tous ceux-ci, il y en avait deux sur des destriers, dont l'un était un tout jeune homme [1], plus que tous les autres élégant et beau. Il fut le seul à saluer monseigneur Gauvain et à le prendre par la main en lui disant :

« Seigneur, je vous retiens. Allez donc là d'où je viens et descendez chez moi. Il est grand temps maintenant de trouver un logement, si cela ne vous gêne pas. J'ai une sœur fort courtoise qui se fera une grande joie de vous voir. Et cet homme-ci, seigneur, que vous voyez à côté de moi, vous y conduira. »

Et, s'adressant à l'autre :

« Allez, je vous envoie, cher compagnon, avec ce seigneur, conduisez-le chez ma sœur. Saluez-la tout d'abord, et puis dites-lui ce que je lui demande : par l'affection et par la loyauté qui doivent exister entre elle et moi, si elle aima jamais un chevalier, qu'elle aime celui-ci et le chérisse, et qu'elle fasse pour lui autant que pour moi qui suis son frère. Qu'elle lui tienne une si agréable compagnie qu'il n'en soit pas lassé jusqu'à ce que nous soyons revenus. Une fois qu'elle l'aura aimablement accueilli, rejoignez-nous en hâte, car je voudrai m'en retourner pour lui tenir compagnie le plus tôt que je le pourrai. »

Le chevalier s'en va donc et conduit monseigneur Gauvain là où tous le haïssent à mort. Mais on ne l'y connaît pas, car jamais on ne l'y a vu, et il ne pense pas qu'il ait à

---

1. Ce *jovanciaus* est le jeune roi d'Escavalon dont le père a été tué par Gauvain.

se tenir sur ses gardes. Il contemple l'emplacement du château situé sur un bras de mer ; il voit les murs et la tour assez forts pour n'avoir rien à redouter ; il examine la ville tout entière [1], peuplée de bien belles personnes, et les comptoirs entièrement recouverts d'or, d'argent et de monnaies ; il voit les places et les rues toutes remplies de bons ouvriers qui travaillent à des métiers aussi divers qu'il en existe dans le monde : l'un fabrique des heaumes et l'autre des hauberts, celui-ci des selles et celui-là des boucliers, qui des courroies, qui des éperons. Ici on fourbit des épées, là on foule des draps, on les tisse, on les peigne, on les tond. Ailleurs, on fond l'or et l'argent, on fabrique de beaux et luxueux objets, des coupes, des hanaps, des écuelles, des joyaux incrustés d'émaux, des anneaux, des ceintures et des agrafes. L'on aurait bien pu imaginer et croire que dans la ville c'était toujours la foire, tant elle abondait en richesses, en cire, en poivre, en épices, en fourrures de vair et de petit-gris, en marchandises de toutes sortes.

C'est en regardant toutes ces choses et en s'attardant de place en place qu'ils sont parvenus jusqu'à la tour. Des valets se précipitent et prennent en main tous les chevaux et le reste des bagages. Le chevalier entre seul dans la tour avec monseigneur Gauvain et le conduit par la main jusqu'à la chambre de la jeune fille :

« Belle amie, lui dit-il, votre frère vous adresse ses salutations et vous recommande que ce seigneur soit honoré et servi, non pas à contrecœur mais de tout aussi bonne grâce que si vous étiez sa sœur et qu'il fût votre frère. Gardez-vous donc de lésiner à faire ce qu'il veut, mais soyez large, libérale et généreuse. Occupez-vous donc de lui, car je m'en vais : il me faut rejoindre votre frère dans le bois. »

Elle répond toute joyeuse :

---

1. Cette ville située sur un bras de mer n'a rien de merveilleux, sinon sa richesse et son activité qui rappellent celles de Troyes ou d'Arras au Moyen Âge.

« Béni soit celui qui m'a envoyé une compagnie comme celle-ci ! Celui qui me prête un si beau compagnon ne me hait pas, je l'en remercie. Cher seigneur, fit la jeune fille, venez vous asseoir ici auprès de moi. Étant donné que je vous trouve beau et gracieux et que mon frère m'en prie, je vous tiendrai bien compagnie. »

Aussitôt le chevalier s'en retourne, sans rester davantage avec eux, et monseigneur Gauvain demeure : il ne se plaint pas d'être seul avec la jeune fille [1] qui était fort courtoise et belle, et qui était si bien élevée qu'elle ne s'imagine pas qu'on l'épie parce qu'elle est seule avec lui. Ils parlent tous deux d'amour, car s'ils avaient parlé d'autre chose ils auraient bien perdu leur temps. Monseigneur Gauvain la requiert et la prie d'amour, et il dit qu'il sera son chevalier toute sa vie. Quant à elle, loin de refuser, elle y consent volontiers.

C'est alors qu'entra dans la pièce un vavasseur [2] qui leur causa bien des ennuis, car il reconnut monseigneur Gauvain et les trouva en train de s'embrasser et de s'abandonner à la joie. À ce spectacle, il ne put rester bouche close, mais il s'écria violemment :

« Femme, honnie sois-tu ! Que Dieu te détruise et t'anéantisse, puisque l'homme que tu devrais haïr le plus au monde, tu le laisses te faire fête, et t'embrasser, et te prendre dans ses bras ! Malheureuse et folle femme, tu agis bien selon ta nature, car tu aurais dû lui prendre le cœur de la poitrine avec tes mains plutôt qu'avec ta bouche. Si tes baisers parviennent à toucher son cœur, oui, tu lui prends son cœur, mais tu aurais beaucoup mieux fait de le lui arracher de tes mains : ton devoir aurait été de le faire, si une femme peut faire le bien. Elle n'a plus rien d'une femme celle qui

---

1. Gauvain ne peut s'empêcher de faire la cour à toutes les femmes qu'il rencontre et qui sont sensibles à ses avances.
2. Nouvelle figure du vavasseur. Celui-ci se pose en défenseur de la morale dans une tirade antiféministe qui rappelle celle de l'Orgueilleux de la Lande (p. 105) et que Chrétien ne prend pas à son compte.

hait le mal et aime le bien : on a tort de continuer à l'appeler femme, car elle en perd le nom dès lors qu'elle n'aime que le bien. Mais toi, tu es vraiment une femme, je le vois bien, puisque celui qui est assis là à tes côtés, a tué ton père, et tu l'embrasses. Du moment qu'une femme peut prendre son plaisir, le reste lui importe peu. »

Sur ce, il disparaît avant que monseigneur Gauvain ait pu lui répondre un seul mot. Et elle tombe sur le pavement où elle reste longtemps évanouie. Monseigneur Gauvain la prend et la relève, pâle et livide de la peur qu'elle a eue. Revenue à elle, elle dit :

« Hélas ! nous sommes morts. Pour vous, je mourrai aujourd'hui injustement, et vous aussi, je le crains, pour moi. Oui, viendra ici, à ce que je crois, la communauté de cette ville. Bientôt ils seront plus de dix mille à être assemblés devant cette tour. Mais à l'intérieur il y a beaucoup d'armes, et j'aurai vite fait de vous en équiper. Un gentilhomme, contre toute une armée, pourrait défendre cette tour. »

Elle courut aussitôt prendre les armes, car elle n'était pas rassurée. Quand elle l'eut bien revêtu de l'armure, ils eurent moins de crainte, elle et monseigneur Gauvain, sauf qu'elle eut la malchance de ne pouvoir trouver de bouclier, mais il s'en fit un d'un échiquier :

« Chère amie, dit-il, je n'ai pas besoin que vous alliez me chercher un autre bouclier. »

Alors il renversa sur le sol les pièces : elles étaient en ivoire, dix fois plus grosses qu'à l'ordinaire, et de l'os le plus dur. Désormais, quoi qu'il dût arriver, il comptait bien tenir la porte et l'entrée de la tour, car il avait ceint Excalibur, la meilleure épée qui fût, tranchant le fer comme du bois [1].

Quant à celui qui était ressorti, il avait trouvé, assis côte à côte, une assemblée de voisins, le maire et les échevins et

---

1. Bataille à tonalité plaisante qui mêle des éléments arthuriens (Excalibur) et des détails burlesques (l'échiquier en guise de bouclier).

d'autres bourgeois à foison, qui ne s'étaient pas nourris de poisson, étant gros et gras. Il survint à toute allure, en criant :

« Vite aux armes, messieurs ! Nous irons prendre le traître Gauvain qui a tué mon seigneur.

– Où est-il, où est-il ? font les uns et les autres.

– Je vous l'assure, dit-il, je l'ai trouvé, Gauvain, le traître fini, dans cette tour où il prend du bon temps à embrasser et à baiser notre dame, sans qu'elle oppose la moindre résistance, mais elle le supporte et l'accepte volontiers. Mais venez donc, et nous irons le prendre. Si nous pouvons le remettre à mon seigneur, nous l'aurons servi comme il convient. Le traître a bien mérité d'être couvert de honte. Toutefois, prenez-le vivant, car mon seigneur aimerait mieux l'avoir vif que mort, et il n'aurait pas tort : un mort ne craint plus rien. Soulevez toute la ville, et faites ce que vous devez. »

Aussitôt le maire s'est levé et tous les échevins à sa suite. Ah ! si vous aviez vu ces vilains furieux qui prennent haches et guisarmes ! L'un attrape un bouclier sans ses courroies [1], l'autre une porte et un troisième un van. Le crieur crie le ban et tout le peuple de se rassembler, et les cloches de la commune de sonner, afin qu'il n'y ait pas d'absent. Il n'en est pas d'assez lâche pour ne pas prendre fourche, fléau, pic ou masse. Jamais pour attaquer la limace [2] on ne vit en Lombardie tel vacarme. Il n'est si petit qui n'y aille et qui n'y porte une arme. Voici monseigneur Gauvain mort si Notre-Seigneur Dieu ne le conseille. La demoiselle se prépare à l'aider en fille hardie ; elle crie au peuple des bourgeois :

---

1. Détail burlesque. Les *enarmes* sont les courroies par lesquelles on tient le bouclier pendant le combat. On notera l'importance accordée, dans l'édition que nous suivons, à la révolte de la commune d'une part, à la violente réaction de la jeune fille d'autre part.

2. Sorte de course ou de chasse à l'escargot. La limace se retrouvera dans le bestiaire des fatrasies, genre poétique en vogue à partir du XIIIe siècle.

« Hou ! Hou ! Canaille, chiens enragés, sale racaille, quels diables vous ont appelés ? Que cherchez-vous, que demandez-vous ? Que Dieu ne vous donne jamais de joie ! Avec l'aide de Dieu, vous n'emmènerez rien du chevalier qui est ici, mais il y aura, s'il plaît à Dieu, je ne sais combien de morts et d'estropiés. Il n'est pas venu ici par les airs ni par une voie secrète, mais il m'a été envoyé comme hôte par mon frère qui m'a vivement priée de le traiter de la même manière que mon propre frère. Et vous me tenez pour vile si, à sa prière, je lui assure une compagnie gaie et agréable ? Que l'entende qui voudra : jamais je ne lui ai fait fête pour une autre raison, et je n'ai pas songé à d'autre folie. C'est pourquoi je vous en veux encore plus de m'avoir couverte de honte en tirant vos épées contre moi à la porte de ma chambre, sans que vous sachiez pourquoi. Et si vous le savez, vous ne m'en avez pas informée : j'enrage de dépit. »

Tandis qu'elle dit ce qu'elle a sur le cœur, les autres, de vive force, mettent en pièces la porte avec leurs cognées, et ils l'ont fendue en deux. Mais le passage leur en a été interdit par le portier qui est dedans : de l'épée qu'il tient, il a si bien payé le premier que les autres en sont tout effrayés et que personne n'ose avancer. Chacun veille sur soi, car chacun craint pour sa vie. Personne n'est assez hardi pour avancer sans redouter le portier ; il n'en est pas pour oser y porter la main ou faire un pas en avant.

Quant à la demoiselle, ce sont les pièces du jeu qui gisaient sur le pavement qu'elle leur lance furieusement, ses vêtements ramassés autour d'elle et retroussés, jurant en femme hors de soi qu'elle les fera tous détruire, si jamais elle le peut, avant de mourir. Mais les vilains s'entêtent, déterminés à abattre sur eux la tour s'ils ne se rendent. Les deux autres se défendent d'autant plus vigoureusement, avec les grosses pièces qu'ils leur lancent. La plupart reculent et prennent la fuite, incapables de résister à leur assaut ; ils défoncent la tour avec des pics d'acier, comme s'ils voulaient l'abattre, car ils n'osent pas repartir à l'attaque et

combattre à la porte qui leur reste interdite. Cette porte, je
vous prie de me croire, était si étroite et si basse qu'il eût
été impossible à deux hommes d'y entrer, sinon à grand-
peine. C'est pourquoi il était possible à un seul gentilhomme de la tenir et de la défendre [1]. Pour pourfendre jusqu'aux dents les vilains sans armures et pour faire éclater
leur cervelle, pas besoin d'appeler un meilleur portier que
celui qui y était.

De toute cette histoire, le seigneur qui l'avait hébergé ne
savait rien ; mais il revint le plus tôt possible du bois où il
était allé chasser. Cependant, de leurs pics d'acier, les autres
creusaient au pied de la tour.

Or voici Guinganbrésil qui, par je ne sais quelle aventure,
parvint au château à vive allure [2]. Il fut extrêmement étonné
du vacarme et des bruits de marteau qu'il entendit faire aux
vilains. De la présence de monseigneur Gauvain dans la
tour, il ne savait rien ; mais quand il en vint à l'apprendre,
il défendit que nul, quel qu'il fût, ne fût assez hardi, s'il
tenait à sa vie, pour oser arracher une seule pierre. Mais ils
répondirent qu'ils n'y renonceraient en rien pour lui, mais
qu'ils abattraient la tour aujourd'hui même sur son propre
corps s'il se trouvait dedans avec l'autre. Quand il vit que
son interdiction serait vaine, il décida d'aller à la rencontre
du roi et de l'amener pour qu'il constatât le désordre provo-
qué par les bourgeois. Au moment où il revenait du bois, il
le rencontra et lui exposa les faits :

« Sire, vous avez été couvert de honte par votre maire et
vos échevins qui s'attaquent depuis ce matin à votre tour et
sont en train de l'abattre. S'ils ne paient pas le prix fort, je
serai très fâché contre vous. J'avais accusé Gauvain de trahison, vous le savez fort bien, et c'est à lui que vous avez
donné l'hospitalité dans votre maison ; aussi ne serait-il que

---

1. Ce passage tend à donner une explication rationnelle à la prouesse
de Gauvain.
2. Retour inopiné de Guinganbrésil sans aucune explication.

juste et raisonnable, du moment que vous avez fait de lui
votre hôte, qu'il ne subît ni honte ni injure. »

Le roi répondit à Guinganbrésil :

« Maître, il n'en subira aucune, une fois que nous serons
là-bas. Ce qui lui est arrivé me déplaît souverainement. Si
mes gens le haïssent mortellement, je ne dois pas m'en
fâcher ; mais qu'on le capture et qu'on le blesse, je dois à
mon honneur de l'en préserver, puisque je lui ai accordé
l'hospitalité [1]. »

C'est ainsi qu'ils parviennent à la tour et qu'ils trouvent
tout autour les gens de la commune qui menaient grand
tapage. Le roi dit au maire qu'il s'en aille, et que les gens
s'en tiennent là. Ils s'en vont, si bien qu'il n'en reste aucun,
pas même un seul, puisque le maire l'a décidé [2].

Sur les lieux, il y avait un vavasseur, natif de la ville, qui
conseillait tout le pays, car il était fort sensé :

« Sire, fait-il, c'est maintenant qu'on doit vous donner un
bon et loyal conseil. Il n'y a pas à s'étonner que celui qui,
par traîtrise, a tué votre père ait été attaqué en ces lieux car
il y est mortellement haï à juste titre, comme vous le savez.
Mais du fait que vous lui avez donné l'hospitalité, il doit
être préservé et protégé de la prison et de la mort. Et, si
l'on voulait parler vrai, son salut et sa protection doivent
être assurés par Guinganbrésil que je vois là-bas : c'est lui
qui est allé à la cour du roi l'accuser de trahison. On ne doit
pas le cacher : il était venu s'en défendre à votre cour. Mais
je conseille qu'on ajourne cette bataille d'une année, et qu'il
s'en aille à la recherche de la lance [3] dont le fer saigne

---

1. Dans l'idéologie de Chrétien de Troyes, le devoir d'hospitalité
l'emporte sur la vengeance. Peu à peu se dessine un nouveau code chevaleresque.

2. Le maire semble tout-puissant. Est-ce le reflet d'une réalité
champenoise ?

3. Une nouvelle aventure est proposée à Gauvain, celle de la lance qui
saigne, parallèle à celle du graal pour Perceval, ce qui tend à placer sur un
pied d'égalité les deux personnages. La ruine du royaume arthurien par la
lance que doit rechercher Gauvain répondra à la destruction du pays du
Roi Pêcheur, causée par le silence de Perceval.

continuellement : on ne l'essuiera jamais si bien qu'une goutte de sang n'y perle. Qu'il vous remette cette lance, ou bien qu'il se remette à votre merci et se retrouve prisonnier comme il l'est ici même. Vous aurez alors une meilleure raison pour le retenir en prison que vous ne l'auriez présentement. Jamais, je crois, vous ne sauriez le plonger dans de si terribles épreuves qu'il n'en sût venir à bout. Par tous les moyens possibles et imaginables, on doit accabler celui qu'on hait : pour tourmenter votre ennemi, je ne sais vous donner de meilleur conseil. »

Le roi se tient à ce conseil et rejoint dans la tour sa sœur qu'il trouve fort irritée. Elle s'est levée à sa rencontre, en même temps que monseigneur Gauvain qui ne change pas de couleur ni ne tremble, quelque peur qu'il ressente. Guinganbrésil s'avance, il salue la jeune fille qui avait changé de couleur, et prononce quelques vaines paroles :

« Seigneur Gauvain, seigneur Gauvain, je vous avais pris sous ma protection, mais avec cette réserve que vous ne fussiez pas assez hardi pour pénétrer dans un château ou une cité qui appartînt à mon seigneur, s'il vous plaisait de vous en détourner. Sur ce qu'on vous a fait ici, il ne convient pas d'en discuter maintenant. »

Le sage vavasseur intervint :

« Seigneur, aussi vrai que je demande l'aide de Notre-Seigneur, toute cette affaire peut s'arranger. À qui demander des comptes pour l'attaque des vilains ? Les débats ne seraient pas terminés au jour du Jugement dernier. Mais il en sera fait selon la volonté de monseigneur le roi ici présent : il me demande de vous dire, si ni vous ni lui n'y voyez d'inconvénient, que vous ajourniez tous deux à un an cette bataille, et que monseigneur Gauvain s'en aille, à condition qu'il s'engage auprès de mon maître de lui rapporter avant un an, sans autre délai, la lance dont la pointe verse des larmes d'un sang tout clair, et dont il est écrit qu'il viendra une heure où tout le royaume de Logres, qui fut jadis la terre des Ogres, sera détruit par cette lance. C'est

sur cela que monseigneur le roi exige que vous vous enga-
giez par serment.

– Assurément, répondit monseigneur Gauvain, je me laisserais mourir en ce lieu ou languir sept années plutôt que
de faire ce serment et de vous y engager ma foi [1]. Je n'ai
pas de ma mort une telle peur que je ne préfère souffrir et
endurer la mort dans l'honneur que de vivre dans la honte
en me parjurant.

– Cher seigneur, reprit le vavasseur, vous n'en serez
jamais déshonoré, et, je crois, votre situation n'en sera pas
pire, si on l'entend comme je vais vous dire : vous jurerez
que, pour rechercher la lance, vous ferez votre possible. Si
vous ne la rapportez pas, revenez vous mettre dans cette
tour, et vous serez quitte du serment.

– Aux conditions que vous dites, fit-il, je suis prêt à faire
le serment. »

On a aussitôt sorti un très précieux reliquaire, et il fait le
serment de mettre toute sa peine à rechercher la lance qui
saigne. C'est ainsi qu'on a ajourné et reporté à une année
la bataille entre lui et Guinganbrésil. Il a échappé à un grand
péril, puisqu'il s'est sorti de celui-ci. Avant de quitter la
tour, il a pris congé de la jeune fille et dit à tous ses valets
de retourner dans leur pays et de remmener ses chevaux à
la seule exception du Gringalet. En pleurant, les valets se
séparent de leur seigneur. Ni d'eux ni de leur chagrin je n'ai
envie d'en dire davantage. Sur monseigneur Gauvain, le
conte se tait ici même et revient à Perceval.

Perceval, nous raconte l'histoire, avait si bien perdu la
mémoire qu'il ne se souvenait plus de Dieu. Cinq fois passèrent avril et mai, c'est-à-dire cinq ans tout entiers, avant
qu'il n'entrât dans une église, ni qu'il adorât Dieu et sa croix.

---

1. Gauvain, lucide, refuse d'abord : il ne veut pas s'engager, sans plus
de renseignements, dans la quête de la lance.

Ainsi demeura-t-il pendant cinq ans sans pour autant renoncer aux exploits chevaleresques. Toujours en quête d'aventures étranges, de celles qui sont périlleuses et difficiles, il en trouva tant qu'il éprouva toute sa valeur, et jamais il n'affronta d'entreprise si terrible qu'il ne la menât à bonne fin. À la cour du roi Arthur il envoya prisonniers soixante chevaliers d'élite durant ces cinq années. Ainsi occupa-t-il les cinq années sans jamais se souvenir de Dieu [1].

Au bout des cinq ans, il arriva que, cheminant à travers un désert, comme d'habitude armé de toutes ses armes, il rencontra trois chevaliers et, avec eux, jusqu'à dix dames [2], la tête recouverte de leur chaperon, qui allaient tous à pied, en vêtements de laine, sans chaussures. À le voir s'avancer en armes, portant la lance et le bouclier, les dames furent frappées d'étonnement : pour le salut de leurs âmes, elles allaient par pénitence à pied, pour expier les péchés commis. L'un des trois chevaliers l'arrêta et lui dit :

« Bien cher seigneur, ne croyez-vous donc pas en Jésus-Christ qui a écrit la Nouvelle Loi et l'a donnée aux chrétiens ? Assurément, il n'est ni raisonnable ni juste de porter des armes, et c'est même une grave faute, le jour où Jésus-Christ est mort. »

Et lui qui n'avait aucune idée du jour ni de l'heure ni de la saison, tant il avait en son cœur de tourments, répondit :

« Quel jour sommes-nous donc ?

---

1. Selon J. Ribard, « Ces cinq ans – et Dieu sait si l'auteur insiste lourdement sur ce nombre *cinq* qu'il répète à satiété – pendant lesquels l'activité de Perceval a comme tourné à vide symbolisent assez clairement l'échec de l'homme, fût-il le meilleur des chevaliers, quand il est laissé à lui-même, quand il a "oublié" l'étincelle divine qui sommeille en lui » (*Le Moyen Âge. Littérature et symbolisme, op. cit.*, p. 29).

2. Ces chiffres rappellent ceux du début du roman, quand cinq chevaliers sont lancés à la poursuite de cinq autres chevaliers et de trois jeunes filles. J. Ribard commente ainsi ce passage : « Et c'est cette vérité fondamentale, théologique, que viennent rappeler au héros, par leur nombre peut-être plus que par leurs discours qui n'en sont que la glose, ces treize pénitents : *dix* – deux fois *cinq* – et c'est la marque de l'humanité, mais aussi *trois*, et c'est l'empreinte et l'appel de la divinité » (*ibid.*, p. 29).

– Quel jour, seigneur ? Vous ne le savez pas ? C'est le Vendredi saint [1], le jour où l'on doit adorer la croix et pleurer ses péchés. Car c'est aujourd'hui que fut pendu en croix Celui qui fut vendu pour trente deniers. Celui qui était pur de tout péché vit les péchés dont le monde entier était captif et souillé, et il se fit homme à cause de nos péchés. C'est la vérité qu'il fut homme et Dieu, car la Vierge engendra un fils qu'elle conçut du Saint-Esprit. En elle Dieu prit chair et sang, et sa divinité fut revêtue d'humanité charnelle, c'est une certitude. Celui qui ne croira pas à cette vérité ne le verra jamais face à face. Il est né de la Vierge Notre-Dame, il a pris la forme et l'âme d'un homme en conservant sa sainte divinité. Le même jour qu'aujourd'hui, c'est la vérité, il fut mis en croix et il tira de l'enfer tous ses amis. Par cette très sainte mort, il sauva les vivants et il redonna la vie aux morts. Les Juifs perfides et envieux [2], qu'on devrait tuer comme des chiens, firent leur malheur et notre grand bonheur quand ils le levèrent sur la croix ; ils se perdirent et nous sauvèrent. Tous ceux qui croient en lui doivent aujourd'hui faire pénitence ; aujourd'hui personne qui croit en Dieu ne devrait porter les armes ni sur un champ de bataille ni sur un chemin.

– Mais d'où venez-vous ? fit Perceval.

– Seigneur, d'ici même, de chez un homme de bien, un saint ermite, qui habite dans cette forêt et qui ne vit, tant c'est un très saint homme, que de la gloire céleste.

---

1. Dans le credo du *Conte du graal*, on notera l'importance du Vendredi saint et de la croix, de l'incarnation et de la mort du Fils pour le salut de l'humanité, la dénonciation violente des Juifs, l'interdiction de porter les armes le Vendredi saint.

2. Les Juifs sont la cible de clichés agressifs (ils sont usuriers, sorciers, entremetteurs de Satan) qui préfigurent les débordements au XVe siècle des Mystères de la Passion. Pour F. Dubost, « Le passage se lirait autrement, bien sûr, si l'on accordait quelque crédit à l'hypothèse selon laquelle Chrétien de Troyes aurait été un Juif converti devenu chanoine et placé peut-être dans la nécessité de donner des gages quant à la sincérité de son adhésion à la nouvelle foi » (*Le Conte du graal ou l'Art de faire signe*, *op. cit.*, p. 139).

– Au nom de Dieu, seigneurs, là-bas, qu'avez-vous fait ?
Qu'avez-vous demandé ? Qu'avez-vous cherché ?

– Quoi donc, seigneur ? fit l'une des dames. Pour nos
péchés, nous lui avons demandé aide et conseil, et nous
nous sommes confessés [1]. Nous y avons accompli la tâche
la plus nécessaire qu'un chrétien puisse faire s'il veut venir
à Dieu. »

Les paroles qu'il avait entendues firent pleurer Perceval,
qui décida d'aller parler au saint homme.

« Je voudrais aller là-bas, fit-il, chez l'ermite, si je savais
le sentier et le chemin à suivre.

– Seigneur, celui qui voudrait y aller devrait suivre tout
droit le sentier par lequel nous sommes venus, à travers ces
taillis épais, et se guider sur les rameaux que nous avons
noués de nos mains quand nous sommes venus par ici. Ce
sont les marques que nous y avons faites pour que personne
ne s'y égare en allant vers le saint ermite. »

Alors ils se recommandèrent à Dieu sans se poser plus
de questions, et Perceval s'engagea dans le sentier, soupi-
rant du fond du cœur, parce qu'il se sentait coupable envers
Dieu et qu'il en éprouvait un vif repentir. En pleurant, il
s'en alla vers le bois et, arrivé à l'ermitage [2], il descendit,
se désarma, attacha son cheval à un charme, puis il entra

---

1. La confession individuelle tendait à s'imposer dans le monde chrétien, en même temps que la nécessité du repentir.

2. La chapelle de l'ermitage où Perceval arrive le Vendredi saint, par
un jour de printemps, est l'aboutissement de la quête de l'espace originel.
Comme le manoir de la mère, il se trouve au cœur de la forêt, lieu de
l'origine et de l'informel. Dans ce lieu accueillant, protecteur, l'être, loin
de tout, se recueille. Pour G. Bachelard, « la hutte de l'ermite est l'antitype
du monastère. Autour de cette solitude centrée rayonne un univers qui
médite et qui prie, un univers hors de l'univers. La hutte ne peut recevoir
aucune richesse de ce monde. De dépouillement en dépouillement, elle
nous donne accès à l'absolu du refuge » (*La Poétique de l'espace*, PUF,
1957, p. 46). Ce retour aux origines, éclairé par les révélations de l'ermite,
inaugure une nouvelle naissance de Perceval : naissance à la vérité, à la
connaissance de son passé. Il entreprend une nouvelle quête qui ne s'achè-
vera que lorsqu'il sera face à face avec Dieu.

chez l'ermite qu'il trouva dans une petite chapelle avec un prêtre et un enfant de chœur, c'est la stricte vérité : ils commençaient le service le plus haut qu'on puisse célébrer dans une sainte église, et le plus réconfortant.

Perceval se mit à genoux aussitôt qu'il entra dans la chapelle, et le saint homme l'appela à lui, le voyant humble et en pleurs : les larmes lui coulaient des yeux jusqu'au menton. Perceval, qui redoutait fort d'avoir offensé Dieu, saisit le pied de l'ermite, s'inclina devant lui et, mains jointes, le pria de l'aider de ses conseils dont il avait grand besoin.

Le saint homme lui commanda de dire sa confession, car il n'obtiendrait pas la rémission de ses fautes sans s'être confessé ni repenti.

« Seigneur, fit Perceval, cela fait bien cinq ans que je n'ai pas su où j'en étais, que je n'ai plus aimé Dieu ni cru en Dieu, que je n'ai plus jamais fait que le mal [1].

– Ah ! cher ami, dit le saint homme, dis-moi pourquoi tu t'es comporté ainsi, et prie Dieu d'avoir pitié de l'âme de son pécheur.

– Seigneur, j'ai été une fois chez le Roi Pêcheur et j'ai vu la lance dont le fer saigne, c'est une certitude, et sur cette goutte de sang que je vis pendre à la pointe du fer qui était blanc, je ne posai aucune question. Jamais depuis, c'est sûr, les choses ne s'arrangèrent. Quant au graal que j'y vis, je n'appris pas à qui on en faisait le service, et depuis j'en fus si affligé que j'aurais voulu être mort. J'en ai oublié Dieu au point de ne jamais implorer depuis sa miséricorde, et je n'ai rien fait de ce qui, à ma connaissance, m'aurait valu sa miséricorde.

– Ah ! cher ami, fit le saint homme, dis-moi donc quel est ton nom.

– Perceval, seigneur », lui répondit-il.

---

1. Perceval analyse ainsi son état de pécheur : l'oubli de Dieu a entraîné son silence et le sentiment d'avoir péché ; de là, un état constant de tristesse, sans qu'il ait songé à demander la grâce de Dieu.

À ce mot, le saint homme soupire, car il a reconnu le nom, et il lui dit :

« Mon frère, ce qui t'a causé ce malheur, c'est un péché dont tu ne sais mot : ce fut le chagrin que ta mère éprouva à cause de toi quand tu la quittas, car elle tomba évanouie sur le sol, au bout du pont, devant la porte, et c'est de ce chagrin qu'elle est morte. À cause du péché que tu en portes, il t'arriva de ne rien demander sur la lance et le graal, et il t'en est arrivé beaucoup de malheurs, auxquels tu n'aurais pas résisté si longtemps si elle ne t'avait recommandé à Dieu, sache-le [1]. Mais sa prière eut une telle vertu que Dieu, pour elle, t'a sauvé de la mort et gardé de la prison. Le péché t'a tranché la langue quand tu vis devant toi le fer qui jamais ne cessa de saigner et que tu n'en demandas pas la raison. Quant au graal, pour n'avoir pas su à qui l'on en fait le service, tu commis grande folie. Celui à qui l'on en fait le service, c'est mon frère. Ma sœur et la sienne, c'était ta mère ; et le riche Pêcheur, crois-le, c'est le fils de ce roi qui se fait servir avec le graal [2]. Mais ne t'imagine pas qu'il ait des brochets, des lamproies ou des saumons : le saint homme, d'une seule hostie qu'on lui apporte dans ce graal [3] soutient et conserve sa vie. Le graal est une

---

1. Perceval apprend enfin que c'est son indifférence à la souffrance de sa mère, qui en est morte, qui l'a empêché de poser les questions libératrices. Mais les prières de sa mère l'ont préservé de la mort et de la prison et lui ont permis de triompher de tous ses adversaires.

2. L'ermite révèle à Perceval la généalogie de sa famille : il est le frère du vieux roi à qui l'on sert le graal, et de la mère de Perceval ; celui-ci est donc le cousin du Roi Pêcheur.

3. Chrétien connaît l'art de différer, d'éloigner le voir du savoir. « Perceval voit un graal… Cinq ans plus tard il apprend que ce graal contenait une hostie » (F. Dubost, *Le Conte du graal ou l'Art de faire signe, op. cit.*, p. 95). Le vieux roi ascétique vient sans doute de l'ermite Paul du *Voyage de saint Brandan*, texte probablement daté de 1106 (*ibid.*, p. 176-177). Le graal n'est plus un grand plat rempli de brochets, de lamproies et de saumons ; il ne contient qu'une hostie qui le sacralise. Sans doute faut-il simplement comprendre que l'on apporte l'hostie avec le graal. Certains critiques ont vu dans ce passage un souvenir de mythologies anciennes : le graal s'apparenterait à de nombreux objets de la littérature celtique

si sainte chose et lui un être si spirituel que, pour vivre, il ne lui faut rien de plus que l'hostie qui vient dans le graal. Voilà déjà quinze ans qu'il est resté ainsi sans sortir de la chambre où tu as vu entrer le graal. Maintenant, je veux t'imposer une pénitence pour ton péché.

– Cher oncle, je le veux aussi, fait Perceval, du fond du cœur. Puisque ma mère fut votre sœur, vous devez m'appeler neveu, et moi, vous appeler oncle et vous aimer davantage.

– C'est vrai, cher neveu ; mais maintenant écoute-moi : si tu prends ton âme en pitié, repens-toi en ton cœur, et, en guise de pénitence, va à l'église plutôt qu'en un autre lieu chaque jour, tu en auras du profit. N'y renonce pour aucune raison, si tu te trouves en un lieu où il y ait un couvent, une chapelle ou une église de paroisse. Vas-y dès que sonnera la cloche, ou avant, si tu es levé. Jamais tu n'en subiras de préjudice, mais ton âme en sera améliorée. Si la messe est commencée, il sera d'autant mieux d'y être, et demeures-y jusqu'à ce que le prêtre ait dit et chanté tout l'office. Si tu en as la volonté, tu pourras accroître ta valeur, et tu auras l'honneur et le paradis. Crois en Dieu, aime Dieu, adore Dieu. Honore les hommes et les femmes de bien. Lève-toi devant le prêtre : c'est une politesse qui coûte peu, et que Dieu apprécie vraiment, parce que c'est un signe d'humilité. Si une jeune fille demande ton aide, aide-la, car tu t'en trouveras mieux ; de même si c'est une veuve ou une orpheline. Ce sera aumône parfaite. Aide-les, tu feras une bonne action. Garde-toi d'y manquer pour rien au monde. Cela, je veux que tu le fasses pour tes péchés, si tu veux recouvrer toutes les grâces que tu avais coutume de posséder [1]. Dis-moi donc si tu veux le faire.

– Oui, fait-il, très volontiers.

– coupes, plats, corbeilles, etc. – produisant de la nourriture et de la boisson sans discontinuer.

1. L'ermite prodigue ici à Perceval un enseignement purement religieux.

– Je te prie donc de rester deux jours entiers avec moi en
ce lieu et de prendre, comme pénitence, la même nourriture
que moi. »

Perceval le lui accorda, et l'ermite lui souffla à l'oreille
une prière qu'il lui répéta jusqu'à ce qu'il la sût. Cette prière
comportait beaucoup de noms de Notre-Seigneur [1], dont les
plus puissants qu'aucune bouche humaine ne doit proférer
sinon en péril de mort. Quand il lui eut appris la prière, il
lui défendit de la dire sauf en grand péril.

« Non, je ne le ferai pas, seigneur », fit-il.

Ainsi resta-t-il. Il écouta le service divin qui le remplit
d'une grande joie. Après le service, il adora la croix [2],
pleura ses péchés et se repentit amèrement. Il passa ainsi la
journée dans la paix. Ce soir-là, il eut à manger ce que le
saint ermite jugea bon – rien d'autre que des herbes, du
cerfeuil, des laitues et du cresson, du pain d'orge et
d'avoine, de l'eau claire de la fontaine. Son cheval eut de
la paille, une pleine bassine d'orge et l'écurie qui convenait ; on le soigna comme il fallait.

C'est ainsi que Perceval comprit que Dieu reçut la mort le
Vendredi et qu'il fut crucifié. À la Pâque [3], Perceval reçut la
communion avec beaucoup de respect. Le conte, ici, ne
parle pas plus longuement de Perceval, et vous m'aurez
entendu parler beaucoup de monseigneur Gauvain avant que
vous ne m'entendiez reparler de lui [4].

_____

1. Ce sont les noms que l'on invoquait pour se protéger des plus
graves dangers.

2. Nouvelle mention du culte de la croix.

3. « La Pasque (dont l'étymologie nous dit qu'elle est à la fois "passage"
et "nourriture") reste la seule fête que l'auteur ait voulu explicitement asso-
cier à Perceval. Elle représente pour lui le temps de la pénitence et de
la rénovation » (F. Dubost, _Le Conte du graal ou l'Art de faire signe_,
op. cit, p. 45).

4. Fin de la partie consacrée à Perceval. La rencontre du chevalier et de
l'ermite est un _topos_ de la littérature médiévale qui apparaît déjà dans _Le
Chevalier au lion_. Dans ces deux romans, le héros vit un temps dans la
forêt, au contact d'un ermite, et connaît un égarement passager avec perte
de mémoire. Mais les différences sont notables : la folie de Perceval est

Monseigneur Gauvain chemina tant, une fois échappé de la tour où les bourgeois de la commune l'avaient assailli, qu'entre neuf heures et midi, il parvint à vive allure à une colline et qu'il aperçut un chêne haut et puissant dont l'abondant feuillage donnait de l'ombre. Au chêne il vit pendre un bouclier et, à côté, une lance dressée. Il se dépêcha d'aller vers le chêne si bien qu'il vit à côté un petit cheval norvégien. Il en fut fort étonné, car ce ne sont pas choses de même nature : armes et palefroi, lui semblait-il, ne vont pas ensemble [1]. Si le palefroi avait été un cheval de bataille, il aurait supposé qu'un vassal qui chevauchait par le pays pour son honneur et pour sa gloire avait gravi cette colline. Alors, regardant sous le chêne, il y vit assise une jeune fille [2] qui lui aurait paru très belle si elle avait été joyeuse et gaie ; mais elle avait ses doigts accrochés à sa tresse pour s'arracher les cheveux et elle montrait une violente douleur : elle se désolait pour un chevalier dont elle embrassait sans cesse les yeux, le front et la bouche.

---

loin d'être complète comme celle d'Yvain ; elle est antérieure au séjour dans la forêt. Les rapports avec l'ermite sont d'ordre purement économique pour Yvain, d'ordre affectif et spirituel pour Perceval. La forêt du *Chevalier au lion* constitue l'envers de l'univers social, c'est un monde en dehors de la société et de la culture ; la forêt du *Conte du graal*, plus rassurante, est le lieu d'une révélation particulière, presque un lieu de salut. Yvain, totalement nu, n'y porte aucune trace d'une ancienne vie sociale ; Perceval ne fait que se désarmer. La nourriture est frugale, mais l'absence de viande est, pour Perceval, en rapport avec la vie et la religion chrétiennes. Par les révélations de l'ermite, Perceval est renvoyé aux personnes qu'il a connues antérieurement. Si Yvain est rendu au primitif, à l'informel, Perceval trouve dans la forêt un monde structuré d'après d'autres valeurs que celles qu'il a connues jusque-là, et qui sont des valeurs de prière, de méditation et de vie intérieure.

1. Le palefroi, qui n'est pas un destrier – un cheval de combat –, surprend en effet à côté de l'écu et de la lance.

2. Cette présentation de la jeune fille rappelle celle de la cousine de Perceval, que celui-ci a rencontrée également sous un chêne (p. 96). L'effet de parallélisme est manifeste entre les aventures des deux protagonistes, Perceval et Gauvain (voir la présentation, p. 16-18).

Lorsque monseigneur Gauvain s'approcha d'elle, il vit le chevalier : il était blessé, le visage défiguré ; il portait à la tête une plaie très large causée par un coup d'épée, et de ses deux flancs coulaient des flots de sang. Le chevalier s'était évanoui de douleur à maintes reprises, jusqu'à ce que pour finir il eût trouvé le repos. Monseigneur Gauvain, quand il y fut arrivé, ne put savoir s'il était mort ou vivant.

« Belle amie, dit-il, que pensez-vous de l'état du chevalier que vous tenez ?

– Vous pouvez voir, répondit-elle, que ses plaies sont très graves : de la moindre il pourrait mourir.

– Ma douce amie, reprit-il, réveillez-le, si vous n'y voyez pas d'inconvénient, car je veux lui demander des nouvelles sur les affaires de ce pays.

– Seigneur, je ne le réveillerai pas, fit la jeune fille. Plutôt me laisser mettre en pièces toute vive ! Car jamais je n'ai autant aimé un homme, ni n'en aimerai aucun de toute ma vie. Je serais complètement folle et misérable, quand je vois qu'il dort et se repose, si je faisais quoi que ce soit dont il pût se plaindre.

– Eh bien ! c'est moi qui le réveillerai, par ma foi, fit monseigneur Gauvain, c'est décidé. »

Il tourna alors sa lance du côté du butoir et le toucha à l'éperon sans que le chevalier en souffrît même s'il l'a réveillé, car il a bougé si doucement l'éperon qu'il ne lui a fait aucun mal [1]. Plutôt que de protester, l'autre l'en remercia :

« Seigneur, je vous remercie mille fois, dit-il, de m'avoir poussé et réveillé si gentiment que je n'en ai ressenti aucune douleur. Mais c'est dans votre intérêt que je vous prie de ne pas aller plus loin qu'ici, car ce serait une grande folie. Restez, et croyez mon conseil.

– Rester, seigneur ? Pourquoi donc ?

– Je vous le dirai, fit-il, par ma foi, puisque vous voulez le savoir. Jamais chevalier qui soit allé par ici à travers

---

1. C'est une manière de suggérer la délicatesse de Gauvain.

champs ou par chemin n'a pu en revenir, car c'est la borne de Galvoie [1]. Jamais chevalier ne peut la passer et en revenir, et personne n'en est encore revenu, sauf moi qui ai été si maltraité que je ne vivrai pas jusqu'à la nuit, je pense, car j'ai rencontré un chevalier courageux, hardi, fort et impitoyable. Jamais je n'en ai rencontré de si brave ni ne me suis mesuré à si fort. C'est pourquoi je vous conseille de vous en aller plutôt que de descendre cette colline.

– Par ma foi, fit monseigneur Gauvain, il serait méprisable de rebrousser chemin. Je ne suis pas venu pour rebrousser chemin. L'on serait en droit d'y voir une lâcheté abjecte si, une fois engagé dans cette voie, je revenais sur mes pas. Je poursuivrai ma route jusqu'à ce que je voie et sache pourquoi personne ne peut s'en retourner.

– Je vois bien que vous l'avez décidé, dit le chevalier blessé. Vous irez puisque vous tenez tant à accroître et à augmenter votre gloire. Mais, si cela ne devait pas vous importuner, je vous prierais bien volontiers, si Dieu vous accorde l'honneur que jamais aucun chevalier en aucun temps n'a pu avoir et dont je ne pense pas qu'il arrive un jour qu'aucun l'ait, que vous reveniez par ici, et vous verrez alors, je vous en supplie, si je suis mort ou vivant, si je vais mieux ou plus mal. Si je suis mort, au nom de la charité et de la Sainte-Trinité, je vous prie que vous vous préoccupiez de cette jeune fille afin qu'elle ne connaisse ni la honte ni la misère, car jamais Dieu n'en fit ni ne voulut en faire de plus noble, de plus généreuse, de plus courtoise, de mieux élevée. Il me semble maintenant que, si elle est affligée, c'est à cause de moi, et elle n'a pas tort, car elle me voit tout près de la mort. »

Monseigneur Gauvain lui promet que, s'il n'est retenu ni empêché par une prison ou un autre ennui, il reviendra auprès de lui et qu'à la jeune fille il apportera aide et conseil aussi bien qu'il pourra.

---

1. Qu'il s'agisse de Galloway, en Écosse, ou de Galway, en Irlande, cette borne semble incarner la frontière de l'Autre Monde.

Il les laissa alors et suivit sa route sans s'arrêter par plaines et par forêts jusqu'à ce qu'il vît un puissant château fort qui, d'un côté, donnait sur un très grand port de mer et sur sa flotte, et qui ne valait pas moins que Pavie, tant son aspect était noble. De l'autre s'étendaient le vignoble et le bois vaste et agréable, très beau et bien situé, avec, au-dessous, la rivière large qui entourait tous les murs et coulait jusqu'à la mer. Ainsi le château et le bourg étaient-ils fortifiés de toutes parts.

Monseigneur Gauvain est entré dans le château par un pont. Une fois arrivé en haut, dans la partie la plus forte, sous un orme dans une prairie, il a trouvé une jeune fille seule qui contemplait dans un miroir [1] son visage et sa gorge, plus blanche que neige. D'un mince cercle d'orfroi elle avait couronné sa tête. Monseigneur Gauvain, à coups d'éperons, se dirigea à l'amble vers la jeune fille qui lui cria :

« Doucement, doucement, seigneur, tout beau ! Vous allez vraiment comme un fou. Il ne faut pas vous précipiter ainsi de peur de casser l'amble. C'est être fou que de se démener pour rien.

– Dieu vous bénisse, dit monseigneur Gauvain, jeune fille ! Dites-moi donc, chère amie, ce que vous aviez dans l'esprit quand vous m'avez si vite rappelé à la mesure sans savoir pourquoi.

– Si, si, chevalier, je le savais par ma foi, car je connais vos pensées.

– Quelles sont-elles ? fit-il.

– Vous voulez me prendre et m'emporter en bas sur le cou de votre cheval.

– Vous avez dit la vérité, mademoiselle.

---

1. Le miroir a été lié, selon les contextes, à la luxure, à la connaissance de soi, à la vanité, à l'orgueil, à Vénus, à la vérité, à la vie contemplative. Voir les références dans notre édition du *Roman de la Rose* de Guillaume de Lorris, GF-Flammarion, 1999, p. 265 et 283.

– Je le savais bien, dit-elle. Maudit soit celui qui eut cette pensée ! Garde-toi de jamais songer à me prendre sur ton cheval. Je ne suis pas de ces folles Bretonnes dont les chevaliers s'amusent en les emportant sur leurs chevaux quand ils partent pour leurs aventures. Moi, tu ne m'emporteras pas. Et pourtant, si tu osais, tu pourrais m'emmener avec toi. Si tu voulais prendre la peine de me ramener de ce jardin mon palefroi, j'irais avec toi jusqu'à ce que ma compagnie t'apporte mésaventure, affliction, douleur, honte et infortune.

– Faut-il autre chose, chère amie, fit-il, que du courage ?

– Non, à mon avis, vassal.

– Mais, mademoiselle, mon cheval, où restera-t-il si je passe là-bas ? Car il ne pourrait pas y passer par cette planche que je vois.

– Non, chevalier, donnez-le-moi, et vous, passez de l'autre côté à pied. Je garderai votre cheval aussi longtemps que je pourrai le tenir, mais hâtez-vous de revenir, car ensuite je n'en pourrais mais s'il ne voulait se tenir tranquille ou s'il m'était enlevé de force avant que vous ne fussiez revenu.

– Vous dites vrai, fit-il. Si on vous l'enlève, soyez-en quitte, et de même s'il vous échappe, car jamais vous ne m'entendrez rien dire d'autre. »

Il le lui donne alors et s'en va, sans oublier d'emporter toutes ses armes avec lui, car s'il trouve dans le verger quelqu'un qui veuille lui interdire d'aller prendre le palefroi, il y aura du bruit et de la bagarre avant qu'il ne le ramène.

Alors il a passé la planche et il trouve force gens rassemblés qui le regardent stupéfaits et disent :

« Que tous les feux de l'enfer te brûlent, jeune fille, toi qui as fait tant de mal ! Que tu connaisses le malheur pour n'avoir jamais aimé de gentilhomme. À beaucoup tu as fait trancher la tête : quelle grande tristesse ! Chevalier qui veux emmener le palefroi, que ne sais-tu les maux qui s'abattront sur toi si tu y mets la main ! Ah ! chevalier, pourquoi t'en approcher ? Jamais en vérité tu ne l'approcherais si tu savais les grandes hontes, les grands maux et les grands tourments qui t'en adviendront si tu l'emmènes. »

Ainsi parlent toutes et tous, dans l'intention d'avertir monseigneur Gauvain de ne pas aller au palefroi, mais de s'en retourner. Lui les entend et les comprend bien, mais il ne renoncera pas pour autant à son projet. Il continue d'avancer en saluant les groupes, et ils lui rendent tous et toutes son salut, si bien qu'ils donnent l'impression d'en éprouver tous ensemble une extraordinaire angoisse et une grande détresse. Monseigneur Gauvain se dirige vers le palefroi et tend la main pour le prendre par le frein, car ni frein ni selle n'y manquait. Mais un grand chevalier était assis sous un olivier [1] verdoyant.

« Chevalier, lui crie-t-il, c'est en vain que tu es venu chercher le palefroi. Garde-toi de le toucher du doigt, ce serait de ta part bien orgueilleux. Pourtant, je ne veux pas te l'interdire ni t'en détourner, si tu as vraiment envie de le prendre, mais je te conseille de t'en aller, car ailleurs qu'ici, si tu le saisis, tu rencontreras de très grandes difficultés.

– Je n'y renoncerai pas pour autant, cher seigneur, fait monseigneur Gauvain, car la jeune fille qui se contemple dans un miroir, là-bas sous cet orme, m'y envoie. Et si je ne le lui amenais, que serais-je venu faire ici ? Je serais couvert de honte sur la terre comme un lâche et un pleutre.

– Mais tu en seras maltraité, cher frère, dit le grand chevalier, car par Dieu le souverain père à qui je voudrais rendre mon âme, jamais chevalier n'osa le prendre comme tu as l'intention de le faire sans qu'il lui arrivât le grand malheur d'avoir la tête tranchée. Aussi je crains que tu n'en pâtisses, et si je te l'ai interdit, je n'ai pas songé à mal, car,

---

1. Si, dans la partie consacrée à Perceval, la forêt domine, à la fois dangereuse et protectrice, et participe aux aventures du héros, la partie centrée sur Gauvain donne à voir des arbres isolés et moins sécurisants : un chêne, un olivier, un if. L'olivier est un signe de la progression du texte vers l'imaginaire : le paysage s'éloigne de tout référent réel, puisque l'olivier (arbre de la gloire terrestre) ne pousse pas en Grande-Bretagne.

si tu veux, tu l'emmèneras. Jamais je ne t'en empêcherai, ni aucun homme que tu vois ici, mais tu t'engages sur une voie très dangereuse si tu oses le sortir d'ici. Je ne te conseille pas de t'en mêler, car tu y laisserais la tête. »

Monseigneur Gauvain ne s'arrête pas une seconde après ces paroles. Devant lui il fait passer la planche au palefroi qui avait la tête noire d'un côté et blanche de l'autre [1], et qui savait très bien la passer pour l'avoir fait souvent, et on l'avait bien dressé. Monseigneur Gauvain l'a pris par sa rêne de soie, et il vient tout droit à l'orme où la jeune fille se contemplait dans un miroir. Elle avait laissé tomber à terre son manteau et sa guimpe afin qu'on pût voir sans obstacle son visage et son corps [2]. Gauvain lui remet le palefroi tout sellé et lui dit :

« Venez donc par ici, jeune fille, et je vous aiderai à monter.

– Puisse Dieu ne jamais te laisser raconter, fait la jeune fille, en quelque lieu que tu ailles, que tu puisses me tenir entre tes bras ! Si tu avais tenu de ta main nue quelque chose qui fût sur moi, ou si tu l'avais seulement frôlée et effleurée, je penserais en être déshonorée. Ce serait pour moi un très grand malheur s'il était raconté et connu que tu eusses touché à mon corps : je préférerais qu'on m'eût découpé à cet endroit même, j'ose bien le dire, la peau et la chair jusqu'à l'os. Dépêche-toi de me laisser le palefroi, car je monterai bien toute seule. Je n'ai pas besoin de ton aide, et que Dieu m'accorde en cette journée de voir à ton sujet ce que je pense. J'en aurai une grande joie avant qu'il fasse nuit. Va où tu voudras, sans qu'à mon corps ni à mes vêtements tu touches de plus près ; mais moi je te suivrai toujours jusqu'à ce que, par mon fait, il te soit arrivé une grave mésaventure qui t'accable de honte et de malheur. Je

---

1. La couleur surprenante de la tête du palefroi marque l'entrée dans le domaine de la féerie.
2. Ici, l'image de la fée tentatrice et dangereuse domine nettement : le miroir est celui de la luxure.

suis sûre et certaine que je te ferai mettre en piteux état :
pas plus qu'à la mort tu ne peux y échapper. »

Monseigneur Gauvain écoute tout ce que lui dit
l'orgueilleuse demoiselle sans souffler mot ; il se contente
de lui donner son palefroi, et elle lui rend son cheval. Monseigneur Gauvain se baisse avec l'idée de ramasser sur le
sol son manteau et de le lui mettre. La demoiselle le fixe :
elle n'était pas la dernière ni la moins hardie pour offenser
un chevalier.

« Vassal, dit-elle, toi, qu'est-ce que tu as à faire de mon
manteau et de ma guimpe ? Par Dieu, je ne suis pas aussi
simplette que tu te l'imagines, et de beaucoup. Je n'ai vraiment pas le moindre désir que tu te mêles de me servir, car
tu n'as pas les mains assez propres pour tenir de quoi me
vêtir ou me couvrir la tête. De quel droit peux-tu tenir
quelque chose qui touche à mes yeux, à ma bouche, à mon
front ou à mon visage ? Que jamais plus Dieu ne m'accorde
d'honneur si j'ai une quelconque envie d'accepter tes
services ! »

La jeune fille est alors montée à cheval, elle a fixé sa
guimpe et attaché son manteau.

« Chevalier, allez donc là où vous voulez. Mais je vous
suivrai jusqu'à ce que, par mon fait, je vous voie couvrir de
honte, et ce sera dès aujourd'hui, s'il plaît à Dieu. »

Monseigneur Gauvain se tait sans lui répondre un seul
mot. Confus, il monte à cheval, et ils s'en vont. Il s'en
retourne, tête basse [1], vers le chêne où il avait laissé la jeune
fille et le chevalier qui aurait eu grand besoin d'un médecin
à cause de ses plaies. Monseigneur Gauvain savait plus
qu'aucun homme guérir une plaie [2]. Il voit dans une haie
une herbe très efficace pour calmer la douleur d'une plaie,
et il va la cueillir. L'ayant fait, il poursuit sa route jusqu'à

---

1. Gauvain, le galant, est tout honteux d'avoir vu ses talents de séduc-
teur échouer.

2. L'image de Gauvain devient plus complexe : il apparaît maintenant
comme guérisseur.

ce qu'il trouve la jeune fille qui se lamentait sous le chêne. Elle lui dit aussitôt qu'elle le voit :

« Mon cher seigneur, je crois bien que le chevalier est mort, car il n'entend ni ne comprend plus rien. »

Monseigneur Gauvain descend de cheval et trouve que le chevalier a le pouls bien vif et que ses lèvres et ses joues ne sont pas trop froides.

« Ce chevalier, fait-il, jeune fille, est vivant, soyez-en sûre et certaine, car il a bon pouls et il respire bien. Et s'il n'a pas de plaie qui soit mortelle, je lui apporte une herbe assez puissante pour le soulager considérablement, je pense, et pour supprimer en partie les douleurs de ses plaies dès qu'il l'aura sentie sur son corps. On ne saurait appliquer sur une plaie herbe plus efficace dont les traités certifient qu'elle a une telle vertu que si on la mettait sur l'écorce d'un arbre malade, à condition qu'il ne fût pas complètement sec, la racine reprendrait et l'arbre deviendrait capable de produire des feuilles et des fleurs. Votre ami, mademoiselle, ne redouterait plus de mourir si l'on avait posé cette herbe sur ses plaies et qu'on l'eût bien appliquée. Mais il faudrait une guimpe très fine pour faire un bandage.

– Je vais vous donner aussitôt, fait-elle sans hésiter, celle-là même que je porte sur ma tête : je n'en ai pas apporté d'autre. »

Elle a ôté de sa tête la guimpe qui était très fine et blanche ; et monseigneur Gauvain la découpe, car c'est ce qu'il fallait faire, et avec l'herbe qu'il tenait il panse toutes les plaies. La jeune fille l'aide du mieux qu'elle peut et sait faire. Monseigneur Gauvain ne bouge pas jusqu'à ce que le chevalier pousse un soupir et se mette à parler :

« Que Dieu récompense celui qui m'a rendu la parole, car j'ai eu vraiment grand-peur de mourir sans confession ! Les diables, en procession, étaient déjà venus chercher mon âme. Avant que mon corps soit mis en terre, je voudrais bien me confesser. Je connais tout près d'ici un chapelain à qui j'irais, si j'avais une monture, dire et avouer mes

péchés, et de lui je recevrais la communion. Je ne redoute-
rais plus la mort, une fois confessé et communié. Mais
rendez-moi donc un service si cela ne vous déplaît pas :
donnez-moi le roussin de cet écuyer [1] qui arrive là-bas au
trot. »

Quand monseigneur Gauvain l'entend, il se retourne et
voit venir un écuyer hideux [2]. Comment il était, je vais vous
le dire. Il avait les cheveux broussailleux et roux, raides et
ébouriffés comme un porc aux poils hérissés, et de même
les sourcils qui lui couvraient tout le visage et tout le nez
jusqu'aux moustaches qu'il portait entortillées et longues. Il
avait la bouche largement fendue, la barbe abondante, four-
chue et bouclée, la tête dans les épaules et la poitrine
saillante.

Monseigneur Gauvain brûle d'aller à sa rencontre pour
savoir s'il pourrait avoir le roussin, mais il dit d'abord au
chevalier :

« Seigneur, que Notre-Seigneur m'aide ! je ne sais qui est
cet écuyer ; je vous donnerais sept destriers, si je les avais
ici avec moi, plutôt que son roussin à lui, tel qu'il est.

– Seigneur, fait-il, soyez tout à fait persuadé qu'il ne
recherche rien d'autre que votre mal, s'il le peut. »

Monseigneur Gauvain se dirige vers l'écuyer qui surve-
nait et lui demande où il va. L'autre, qui n'avait rien de
noble, lui répond :

« Vassal, en quoi cela te regarde-t-il de savoir où je vais
et d'où je viens et quelle route je peux suivre ? Puisses-tu
rencontrer le malheur ! »

Monseigneur Gauvain, comme de juste, lui donne aussitôt
ce qu'il mérite, car il le frappe de la paume ouverte d'autant
plus fort qu'il a le bras armé et bonne envie de le frapper,

---

1. Le roussin est à l'ordinaire un cheval de bât ou une monture pour les
valets et les écuyers, indigne d'un chevalier.

2. Ce personnage affreux rappelle la Demoiselle Hideuse qui survient à
la cour du roi Arthur (p. 120-121), ou le vilain que rencontre Yvain dans
Le Chevalier au lion.

si bien que l'écuyer tombe à la renverse et vide la selle ; et quand il croit se relever, il chancelle à nouveau et retombe, et il s'évanouit sept fois ou plus, sans occuper plus de place, je le dis sans rire, qu'une lance de sapin. Quand il s'est relevé, il dit :

« Vassal, vous m'avez frappé.

– Oui, fait-il, je t'ai frappé, mais je ne t'ai pas fait beaucoup de mal. Pourtant, je le regrette, Dieu me protège ! Mais tu as dit de si graves sottises.

– Malgré tout, je ne manquerai pas de vous dire quelle récompense vous en aurez : vous en perdrez la main et le bras qui m'ont donné ce coup, car jamais vous n'en serez pardonné. »

Pendant que ces événements se produisaient, le chevalier blessé recouvra ses forces après qu'il eut été bien affaibli. Il dit à monseigneur Gauvain :

« Laissez cet écuyer, cher seigneur, car vous ne lui entendrez jamais rien dire qui soit à votre honneur ; laissez-le, ce sera sagesse, mais amenez-moi son roussin et prenez cette jeune fille que vous voyez ici à côté de moi ; resserrez les sangles de son cheval ; puis aidez-la à monter, car je ne veux pas rester ici plus longtemps, mais je monterai, si je le puis, sur le roussin, et je chercherai un lieu où je puisse me confesser, car je n'aurai point de cesse que je n'aie reçu les saintes huiles, et que je n'aie été confessé et communié. »

Tout aussitôt monseigneur Gauvain prend le roussin et le remet au chevalier qui avait recouvré une vue claire, et qui a pu voir monseigneur Gauvain : il l'a alors reconnu pour la première fois. Quant à monseigneur Gauvain, il a pris la demoiselle et l'a mise sur le palefroi norvégien en noble et courtois chevalier. Pendant qu'il l'asseyait, l'autre a pris son cheval, sauté en selle et commencé à caracoler de ci de là. Monseigneur Gauvain le regarde galoper par la colline. Tout étonné, il en sourit et lui dit :

« Seigneur chevalier, par ma foi, c'est pure folie que je vois : vous caracolez sur mon cheval. Descendez, et donnez-le-moi, car vous pourriez bientôt en pâtir et faire rouvrir vos plaies.

– Gauvain, tais-toi, répond-il, prends le roussin, ce sera plus sage, car le cheval, tu l'as perdu : c'est pour mon compte que je l'ai fait caracoler, et je l'emmènerai comme mon propre bien [1].

– Eh donc ! je suis venu ici pour te rendre service, et toi, tu me ferais cette méchanceté ? N'emmène donc pas mon cheval, car tu commettrais une trahison.

– Gauvain, par cet outrage, quoi qu'il dût m'en arriver, je voudrais t'arracher le cœur de la poitrine et le tenir entre mes mains.

– Cela me rappelle, répond Gauvain, un proverbe que l'on cite ; ne dit-on pas : "À bienfait col brisé [2]" ? Mais je voudrais bien savoir pourquoi tu voudrais m'arracher le cœur et pourquoi tu m'as enlevé mon cheval. Jamais je n'ai voulu te nuire, ni ne le fis de toute ma vie. Cela, je ne pensais pas l'avoir mérité de ta part, et jamais, que je sache, je ne t'ai vu.

– Si, Gauvain, tu m'as vu quand tu m'as couvert de honte. Ne te souviens-tu pas de celui que tu traitas de manière si indigne qu'il fut contraint malgré lui de manger avec les chiens, pendant un mois, les mains liées derrière le dos [3] ? Sache-le, tu as commis une folie, car maintenant tu en subis une grande honte.

– Est-ce donc toi, Gréoréas, qui pris de force la demoiselle et en fis ton plaisir ? Pourtant tu savais bien que, sur la terre du roi Arthur, les jeunes filles sont sous sa protection. Le roi a pris en leur faveur des mesures pour assurer leur sauvegarde et la sécurité de leurs déplacements. Je ne

---

1. Gauvain n'a plus ici le beau rôle : il apparaît dans une posture ridicule.

2. C'est le proverbe n° 463 du recueil de J. Morawski, *Proverbes français antérieurs au XVe siècle, op. cit.*

3. Gauvain, qui a imposé ce châtiment infamant, n'est pas un héros parfait, encore qu'il l'ait fait pour appliquer la *leal justise* (la « stricte justice ») ordonnée par le roi Arthur.

pense pas ni ne crois que toi, ce soit pour cette faute-ci que tu me haïsses, ni que pour cette raison tu me fasses aucun mal, car je n'ai fait qu'appliquer la stricte justice qui est établie et instaurée sur toute la terre du roi.

– Gauvain, c'est sur moi que tu l'as exercée, ta justice, je m'en souviens bien ; aussi as-tu maintenant à supporter ce que je ferai, car j'emmènerai le Gringalet : je ne peux pas maintenant exercer d'autre vengeance. Il te faut l'échanger contre le roussin de l'écuyer que tu as jeté à bas, car tu n'auras rien d'autre en échange. »

Alors Gréoréas le quitte et s'élance après son amie qui s'éloignait rapidement à l'amble, et il la suit à vive allure. Et la méchante jeune fille se met à rire, et dit à monseigneur Gauvain :

« Vassal, vassal, que ferez-vous ? Maintenant on peut bien dire en toute certitude que "de méchant nigaud il n'y a pas faute". Je sais bien que j'ai tort de vous suivre, Dieu me garde ! jamais vous ne sauriez prendre une direction sans que je vous suive très volontiers. Ah ! si seulement le roussin que vous avez dérobé à l'écuyer était une jument [1] ! Je le voudrais, vous le savez, parce que ce serait encore plus honteux pour vous. »

Aussitôt monseigneur Gauvain monta sur le roussin qui trottait sottement : que pouvait-il faire de mieux ? Ce roussin était une bête affreuse [2] qui avait le cou maigre, la tête énorme, les oreilles longues et pendantes, les dents si vieilles que l'une des lèvres ne touchait pas l'autre de deux bons doigts, les yeux troubles et vitreux, les pieds pleins d'escarres, les flancs décharnés, lacérés de coups d'éperon. Le roussin était efflanqué, tout en longueur, il avait une croupe maigre et une longue échine. Quant aux rênes et à la têtière de la bride, c'étaient des bouts de ficelle. Plus de couverture sur la selle, car il y avait longtemps qu'elle

---

1. C'était une monture indigne d'un chevalier, encore plus que le *roncin* (voir note 1, p. 168).

2. Suit un nouveau portrait de la laideur, caractérisant cette fois une monture.

n'était plus neuve. Les étriers lui semblaient si courts et si fragiles qu'il n'osa s'y dresser.

« Ah ! oui, tout va bien, fit la jeune fille qui aime à railler. Maintenant je serai heureuse et joyeuse d'aller en quelque endroit que vous voudrez. Maintenant il est tout à fait normal et légitime que je vous suive volontiers huit jours ou une bonne quinzaine ou trois semaines ou un mois. Maintenant vous voilà bien équipé, monté sur un fringant destrier ; maintenant vous avez tout d'un chevalier qui doive escorter une jeune fille ! Maintenant je veux avant tout me divertir à contempler vos malheurs. Votre cheval, piquez-le un peu des éperons, essayez-le, et soyez sans inquiétude : il est fougueux et rapide. Je vous suivrai, car il est convenu que je ne vous abandonnerai jamais jusqu'à ce que honte vous advienne. Certainement que vous n'y échapperez pas ! »

Gauvain répondit :

« Chère amie, vous direz ce que vous jugerez bon, mais il n'est pas convenable pour une demoiselle d'être si médisante, une fois passé dix ans, mais elle doit être bien élevée, courtoise et polie.

– Chevalier de malheur, je n'ai rien à faire de vos leçons. Mais allez votre chemin et taisez-vous, car vous voilà dans le bel état où je voulais vous voir. »

Ainsi chevauchent-ils jusqu'au soir, sans se dire un mot, lui devant et elle derrière. Mais il ne sait que faire de son roussin, car il ne peut en tirer ni galop ni trot, quelque peine qu'il y mette. Bon gré mal gré, il le mène au pas, car s'il le frappe des éperons, la bête se précipite sur un chemin si rude qu'elle lui secoue les entrailles à un point tel qu'il ne peut supporter qu'elle aille plus vite qu'au pas en fin de compte. Ainsi s'en va-t-il sur le roussin par les forêts désertes et solitaires si bien qu'il arrive dans des plaines près d'une rivière profonde et si large qu'aucune machine de guerre ni pierrier n'aurait pu jeter de projectile de l'autre côté, ni aucune arbalète n'aurait pu y lancer de trait [1].

---

1. Ce passage rappelle l'arrivée de Perceval au château de Blanche-fleur (p. 61).

Sur l'autre rive se dressait un château très bien disposé, exceptionnellement fort et riche – je ne crois pas qu'il me soit possible de mentir. Le château se dressait sur la falaise, si bien fortifié que jamais si puissante forteresse n'avait été vue par des yeux humains, car sur une roche vive se tenait un palais fort bien situé, tout entier de marbre bis, qui comptait bien jusqu'à cinq cents fenêtres ouvertes, toutes couvertes de dames et de demoiselles qui regardaient devant elles les prés et les vergers fleuris. Les demoiselles étaient pour la plupart vêtues de satin ; un bon nombre étaient habillées de tuniques de diverses couleurs et d'étoffes de soie brochées d'or [1].

Ainsi se tenaient aux fenêtres les jeunes filles dont étaient visibles les éclatantes chevelures et les corps gracieux que du dehors on voyait à partir de la ceinture. Or la plus méchante créature du monde, qui poussait monseigneur Gauvain, vint tout droit à la rivière ; elle s'arrêta ensuite, descendit de son petit palefroi tacheté et trouva sur la rive une barque fermée par un cadenas et fixée à un bloc de pierre. Dans la barque il y avait un aviron, et sur le bloc la clef du cadenas. La demoiselle au cœur méchant entra dans la barque, et après elle son palefroi, qui l'avait fait maintes et maintes fois.

« Vassal, fit-elle, descendez de cheval, et après moi entrez ici même avec votre espèce de roussin qui est plus maigre

---

1. Le château des Demoiselles, situé au bord d'une rivière, sur une falaise, et où Gauvain sera retenu prisonnier, est d'abord décrit de l'extérieur : sa solidité lui confère un caractère défensif. Puis il est décrit en termes fantastiques, à la différence de la maison du nautonier (p. 178) : il appartient à l'Autre Monde. Les êtres y sont comme immobilisés, ils n'évoluent plus : Ygerne, la mère d'Arthur, et celle de Gauvain sont mortes depuis des années. Ce sont des femmes qui dirigent le lieu. Dans une profusion de matières riches et brillantes qui l'apparentent à la Jérusalem céleste, ce château donne une impression de transparence, de clarté, sans perspective, avec ses cinq cents fenêtres et ses verrières : c'est une sorte d'univers marin où Gauvain est comme enserré, prisonnier d'une intimité dangereuse. Son modèle se trouve peut-être dans la *Vita Merlini*, poème de l'écrivain gallois Geoffroy de Monmouth (vers 1150).

qu'un coucou, et désancrez ce bateau, car bientôt vous connaîtrez de sales moments, si vous ne passez pas bien vite cette eau, ou si vous ne pouvez fuir bien vite.

– Holà ! pourquoi donc, mademoiselle ?

– Ne voyez-vous pas ce que je vois, chevalier ? Vous vous dépêcheriez de fuir si vous le voyiez. »

Monseigneur Gauvain tourne aussitôt la tête et voit venir à travers la lande un chevalier armé de pied en cap.

« Ne vous en déplaise, demande-t-il à la jeune fille, dites-moi qui est cet homme, assis sur mon cheval que m'a volé le traître que j'ai guéri de ses plaies ce matin même ?

– Je te le dirai, par saint Martin, fit la jeune fille toute joyeuse. Mais sois sûr et certain que pour rien au monde je ne te le dirais si j'y voyais pour toi un quelconque avantage. Mais, comme je suis assurée qu'il vient pour ton malheur, je ne te le cacherai pas. C'est le neveu de Gréoréas qu'il envoie ici à ta poursuite, et je te dirai bien pourquoi, puisque tu me l'as demandé. Son oncle lui a commandé de te suivre jusqu'à ce qu'il t'ait tué, et de lui rapporter ta tête en cadeau. C'est pourquoi je te conseille de descendre de cheval si tu ne veux pas attendre la mort. Entre dans cette barque et fuis.

– Ce qui est sûr, c'est que je ne fuirai jamais à cause de lui, mademoiselle, mais que je l'attendrai [1].

– Jamais, non jamais je ne vous l'interdirai, fait la jeune fille, je vais plutôt me taire, car ce sont de beaux galops et de beaux assauts que vous ferez bientôt devant les jeunes filles qui sont là-bas, élégantes et belles, appuyées aux fenêtres. C'est pour vous qu'elles se plaisent en ce lieu, c'est pour vous qu'elles y sont venues. Elles seront au comble de la joie aussitôt qu'elles vous verront dégringoler. Vous avez tout d'un chevalier déterminé à en affronter un autre.

---

1. Fidèle à lui-même, Gauvain refuse le déshonneur.

– Quoi qu'il doive m'en coûter, jeune fille, jamais je ne me déroberai, mais j'irai à sa rencontre, car si je pouvais récupérer mon cheval, j'en serais fort aise. »

Aussitôt il se dirige vers la lande et tourne la tête de son roussin vers celui qui par la grève arrivait, piquant des éperons. Monseigneur Gauvain l'attend et se dresse si violemment sur ses étriers qu'il en rompt tout net le gauche ; il abandonne alors le droit, et c'est ainsi qu'il attend le chevalier, car le roussin ne bouge pas d'un pouce : il a beau l'éperonner tant et plus, impossible de le faire bouger.

« Hélas ! dit-il, comme il est mauvais pour un chevalier d'être assis sur un roussin quand il veut se distinguer aux armes ! »

Cependant, sur un cheval qui ne boite pas, le chevalier éperonne dans sa direction et lui donne un tel coup de sa lance qu'elle plie et se brise par le milieu, et que le fer reste dans le bouclier. Monseigneur Gauvain l'atteint dans son bouclier, au bord supérieur, et le frappe si fort qu'il lui traverse le bouclier et le haubert de part en part et qu'il l'abat sur le sable fin. Tendant la main, il a retenu le cheval, et il sauta en selle. Ce fut pour lui une belle aventure qui remplit son cœur d'une telle joie que jamais de toute sa vie une affaire comme celle-ci ne le rendit si heureux. Il s'en retourna vers la jeune fille qui était entrée dans la barque, mais il n'a trouvé trace ni de la barque ni d'elle-même [1]. Il fut fort affligé de l'avoir ainsi perdue sans qu'il sût ce qu'elle était devenue.

Tandis qu'il pensait à la jeune fille, il vit venir un petit bateau que conduisait un nautonier [2], en provenance du château. Dès qu'il fut parvenu au port, il dit :

---

1. La méchante jeune fille disparaît mystérieusement, sans avoir réussi dans sa tentative. Elle représente la perpétuation du mal dans l'Autre Monde.
2. Emprunté à l'ancien provençal *nautanier*, le mot désigne le marin. Passeur de l'Autre Monde, c'est un avatar du Charon de l'*Énéide*.

« Seigneur, je vous apporte le salut de ces demoiselles qui, d'autre part, vous demandent que vous ne reteniez pas ce qui est mon bien [1]. Rendez-le-moi, si vous le voulez bien.

– Que Dieu bénisse tout ensemble, répondit Gauvain, la compagnie des demoiselles et puis toi aussi ! Tu ne perdras par ma faute jamais rien que tu puisses légitimement réclamer. Je n'ai pas l'intention de te faire du tort. Mais quel est ce bien que tu me demandes ?

– Seigneur, vous avez abattu ici, sous mes yeux, un chevalier dont je dois avoir le destrier. Si vous ne voulez pas me causer du tort, vous devez me remettre le destrier.

– Ami, dit-il, ce bien, il m'en coûterait beaucoup de le donner, car il me faudrait repartir à pied.

– Holà ! chevalier, dès maintenant je vous tiens bel et bien pour déloyal, et c'est une très grave faute pour ces jeunes filles que vous voyez que de ne pas me livrer mon bien [2], car jamais il n'arriva ni il ne fut dit que sur ce port on eût abattu un chevalier, pour autant que je l'aie su, sans que j'en eusse le cheval, ou bien, si je n'avais pas le cheval, je ne pouvais manquer d'avoir le chevalier. »

Monseigneur Gauvain lui répondit :

« Ami, prenez le chevalier, je ne m'y oppose pas, et gardez-le.

– Il n'est pas encore trop accablé, par ma foi, fit le nautonier. Vous-même, à ce que je crois, vous auriez fort à faire

---

1. C'est la traduction du mot *fié*. De *fevum*, qui a remplacé *beneficium* au XIᵉ siècle, le mot a désigné « les biens meubles qui servent à entretenir le vassal », puis « ce qui sert à entretenir le vassal », enfin « toutes richesses immobilières autant que mobilières ». Le fief était, selon la définition de F.-L. Ganshof, « une tenure concédée gratuitement par un seigneur à son vassal en vue de procurer à celui-ci l'entretien légitime et le mettre à même de fournir à son seigneur le service requis » (*Qu'est-ce que la féodalité ?*, *op. cit.*). Le plus souvent, c'était une terre d'étendue très variable selon le cas, ou un château. Ce pouvait être une fonction, un droit (par exemple, charges de châtelain, de maire, de justice, monnayage, etc.). Ce pouvait être un droit à un revenu ou à une bourse (« fief de revenu », « fief de rente »).

2. Traduction de *mon fié* : le nautonier fait appel au droit de dépouille, qui consiste à obtenir le destrier d'un chevalier vaincu.

pour le prendre, s'il voulait se défendre contre vous. Pourtant, si vous avez tant de valeur, allez le prendre et amenez-le-moi, et alors vous serez quitte à mon égard.

– Ami, si je mets pied à terre, pourrai-je me fier à toi pour garder loyalement mon cheval ?

– Oui, fit-il, certainement. Je vous le garderai loyalement et je vous le rendrai volontiers. Jamais je ne commettrai la moindre faute envers vous tant que je serai vivant : je vous le promets et vous le garantis.

– Eh bien ! moi, je te le confie et je me fie à ta bonne foi. »

Il descend aussitôt de son cheval et le lui remet. L'autre le prend en disant qu'il le lui gardera en toute bonne foi. Monseigneur Gauvain s'en va, l'épée dégainée, vers celui qui n'a pas besoin de plus d'ennuis, car il avait au côté une si grave blessure qu'il avait perdu beaucoup de sang. Monseigneur Gauvain l'attaque.

« Seigneur, je ne sais pas pourquoi je vous le cacherai, fait l'autre, épouvanté : je suis si grièvement blessé que je n'ai pas besoin d'en recevoir pis ; j'ai perdu des litres de sang. Je me mets à votre merci.

– Relevez-vous donc », dit Gauvain.

L'autre se lève à grand-peine, et monseigneur Gauvain l'emmène au nautonier qui l'en remercie. Monseigneur Gauvain le prie de lui dire à propos d'une jeune fille qu'il avait amenée là, s'il en a quelque nouvelle, de quel côté elle s'en est allée.

« Seigneur, répond-il, ne vous préoccupez pas de la jeune fille, où qu'elle puisse aller, car ce n'est pas une jeune fille, mais elle est pire que Satan : en ce port, elle a fait trancher maintes têtes de chevaliers. Mais si vous vouliez m'en croire, pour aujourd'hui vous viendriez vous loger dans une maison comme la mienne, car ce ne serait pas votre intérêt de rester sur cette rive : c'est une terre sauvage, toute pleine d'étonnantes merveilles.

– Ami, puisque tu me le conseilles, je veux m'en tenir à ton avis, quoi qu'il doive m'arriver. »

Suivant la suggestion du nautonier, il tira son cheval après lui et il entra dans le bateau. Puis ils s'en allèrent. Les voici sur l'autre rive où, près de l'eau, se trouvait le logis du nautonier, qui était digne qu'un comte pût y descendre tant il était confortable et plaisant. Le nautonier emmena son hôte et son prisonnier, en manifestant une joie on ne peut plus grande. De tout ce qui convient à un gentilhomme fut servi monseigneur Gauvain : on lui donna pour le souper des pluviers, des faisans, des perdrix, de la venaison ; quant aux vins, il y en eut des corsés et des légers, des blancs et des rouges, des nouveaux et des vieux. Le nautonier fut enchanté de son prisonnier comme de son hôte. Après qu'ils eurent bien mangé, on enleva la table, et ils se lavèrent de nouveau les mains. Cette nuit-là, monseigneur Gauvain eut un gîte et un hôte à sa convenance, en sorte qu'il apprécia et goûta fort les services du nautonier.

Le lendemain, dès qu'il se rendit compte que paraissait le jour, il se leva comme il le devait, car c'était son habitude, et le nautonier en fit de même par amitié pour lui. Tous deux étaient appuyés aux fenêtres d'une tourelle. Monseigneur Gauvain contempla la contrée qui était fort belle ; il vit les forêts, il vit les plaines et le château sur la falaise.

« Cher hôte, fit-il, si vous le permettez, je veux vous demander de me dire qui est le seigneur de cette terre et de ce château ici même. »

Et son hôte lui répondit aussitôt :

« Seigneur, je ne le sais pas.

– Vous ne le savez pas ? C'est une chose bien étrange, car vous m'avez dit que vous servez au château et que vous en retirez des profits très appréciables, et vous ne savez pas qui en est le seigneur !

– Vraiment, fit-il, je puis vous affirmer que je ne le sais pas ni ne l'ai jamais su.

– Cher hôte, dites-moi donc qui défend le château et le garde.

– Seigneur, il est très bien gardé par cinq cents arcs et arbalètes, qui sont toujours prêts à tirer [1]. Si quelqu'un voulait lui causer du dommage, jamais ils ne cesseraient de tirer, jamais ils ne s'en lasseraient : leur agencement est d'une telle ingéniosité ! Mais je peux ajouter, à propos de son état, qu'une reine [2] y habite, une très noble dame riche et sage, de très haute naissance. La reine, avec le très grand trésor qu'elle possédait, de l'argent et de l'or, s'en vint résider en ce pays où elle a fait construire le si puissant manoir que vous pouvez voir ici ; et elle amena avec elle une dame qu'elle aime tant qu'elle lui donne les noms de reine et de fille [3]. Celle-ci a, de son côté, une autre fille [4] qui ne rabaisse pas son lignage ni ne lui apporte le moindre déshonneur : je ne crois pas que sous le ciel il en soit de plus belle ni de mieux éduquée. La salle est fort bien gardée par des artifices magiques, comme vous le saurez prochainement s'il vous plaît que je vous les dise. Un clerc, savant astrologue, que la reine amena en ce lieu, a réalisé, dans ce grand palais qui se dresse ici, un ensemble de si extraordinaires merveilles que jamais vous n'avez entendu parler de pareilles : impossible à un chevalier qui y pénètre de pouvoir y rester, le temps de parcourir une lieue, sain et sauf s'il est plein de convoitise ou entaché de ces vices pernicieux que sont la médisance et l'avarice ; lâche ni traître n'y résistent, pas plus que félon ni parjure [5]. Ces gens-là y meurent si rapidement qu'ils ne peuvent y survivre.

« Mais il y a beaucoup de jeunes gens, venus de mainte et mainte terre, qui servent là pour apprendre les armes. Il

---

1. Ce sont des armes magiques, d'origine orientale, qui tirent sans discontinuer.

2. Ygerne, la mère d'Arthur.

3. L'épouse de Lot, la mère de Gauvain et de Clarissant.

4. Clarissant, sœur de Gauvain.

5. Ces armes magiques permettent donc de déceler les vices des chevaliers.

y en a bien jusqu'à cinq cents [1], les uns barbus, les autres
non : cent ne portent ni barbe ni moustache ; à cent autres
la barbe commence à pousser ; cent rasent et taillent leur
barbe chaque semaine ; il en est cent plus blancs que laine
et cent autres grisonnants. Il y a aussi des dames âgées qui
n'ont plus ni maris ni seigneurs, et qu'on a injustement privées de leurs héritages, terres et domaines, après que leurs
maris furent morts. Des demoiselles orphelines vivent aussi
avec les deux reines qui les traitent fort honorablement.
Voilà les gens qui vont et viennent dans le palais, vivant
dans une folle attente qui ne saurait se réaliser : ils attendent
la venue en ce lieu d'un chevalier qui les protège, qui rende
aux dames leurs domaines, donne aux jeunes filles des maris
et fasse des jeunes gens des chevaliers [2].

« Mais la mer sera entièrement gelée avant qu'on ne
trouve un tel chevalier qui puisse demeurer dans le palais,
car il le faudrait parfaitement sage et généreux, sans convoitise, beau et noble, hardi et loyal, sans bassesse et sans
vice [3]. Si un tel homme pouvait y venir, cet homme pourrait
tenir le palais, cet homme rendrait aux dames leurs terres et
apaiserait bien des guerres, il marierait les jeunes filles et
adouberait les jeunes gens, il supprimerait sans délai les
enchantements du palais. »

Monseigneur Gauvain se réjouit de ces nouvelles qui lui
furent très agréables.

« Cher hôte, fit-il, descendons, et faites-moi rendre sans
tarder mes armes et mon cheval, car je ne veux pas attendre
ici davantage, mais je m'en irai.

– Seigneur, de quel côté ? Dieu vous garde ! restez donc
aujourd'hui et demain, et plus longtemps encore.

---

1. Il y a cinq cents valets (dont certains sont âgés) comme il y a cinq
cents fenêtres.

2. Le chevalier attendu doit être protecteur et libérateur : c'est la tâche
de Gauvain que de dissiper les enchantements.

3. Portrait du chevalier idéal.

– Cher hôte, ce ne sera pas pour aujourd'hui. Que bénie soit votre demeure ! Mais je m'en irai, avec l'aide de Dieu, voir ces dames là-haut, et les merveilles qui s'y passent.

– Taisez-vous, seigneur ! Cette folie, s'il plaît à Dieu, vous ne la ferez pas, mais croyez-moi, et restez.

– Taisez-vous, cher hôte. Vous me tenez donc pour un lâche et pour un couard ! Que Dieu ne s'occupe plus de moi si j'en crois quelque conseil !

– Ma foi, seigneur, je me tairai donc, car ce serait peine perdue. Puisqu'il vous convient d'y aller, vous irez donc, mais je le regrette. Il est normal que je vous y conduise, car une autre escorte, sachez-le bien, ne vous y serait d'aucune utilité. Mais je veux que vous m'accordiez un don.

– Cher hôte, quel don ? Je veux le savoir.

– Pas avant que vous ne me l'ayez promis.

– Mon cher hôte, je ferai votre volonté, pourvu que je n'en retire pas de honte. »

Il commande alors qu'on lui sorte de l'écurie son destrier tout équipé pour chevaucher, il a aussi demandé ses armes qu'on lui a apportées. Il s'arme, monte à cheval et se met en route, cependant que, de son côté, le nautonier se prépare à monter sur son palefroi, tout au désir de le conduire loyalement contre son gré là où il se rend. Ils parviennent au pied de l'escalier qui était devant le palais : ils y trouvent, sur une botte de joncs, assis tout seul, un homme qui avait une jambe artificielle en argent, ornée d'incrustations et de dorures, recouverte de place en place de bandes d'or et de pierres précieuses [1]. Les mains de l'infirme n'étaient pas inactives, car il tenait un canif dont il s'appliquait à tailler un bâton de frêne. Il n'adresse pas une parole à ceux qui passent devant lui, et eux ne lui ont pas dit un mot. Le nautonier tire à lui monseigneur Gauvain.

---

1. Ce gardien infirme (*eschacier*) fait penser au Roi Pêcheur du château du Graal. Voir S. Fynn, « The *eschacier* in Chrétien's *Perceval* in the Light of Medieval Art », *The Modern Language Review*, t. XLVII, 1952, p. 52-55.

« Seigneur, lui dit-il, de cet homme au pilon que vous semble-t-il ?

– Son pilon n'est pas en bois de tremble, par ma foi, fait monseigneur Gauvain ; je trouve très beau ce que je vois.

– Mais grand Dieu ! fait le nautonier, c'est qu'il est riche, l'homme au pilon, riche de très grosses et belles rentes ! Vous en auriez déjà entendu des nouvelles qui vous auraient causé bien des ennuis, si je n'étais là pour vous tenir compagnie et vous escorter. »

C'est ainsi qu'ils passèrent tous les deux si bien qu'ils arrivèrent au palais dont l'entrée était très haute et les portes riches et belles : les gonds et les anneaux des verrous étaient en or fin, à en croire l'histoire. L'un des vantaux était en ivoire, recouvert de fines sculptures ; l'autre, en ébène, était par-dessus aussi délicatement ouvré [1]. Chacun était enluminé d'or et de pierres précieuses. Le pavement du palais était vert et vermeil, violet et bleu sombre, multicolore, fort bien ouvragé et finement poli. Au milieu de la salle se tenait un lit [2], sans aucune pièce de bois, sans rien qui ne fût en or, hormis seulement les cordes du sommier qui étaient toutes en argent. Sur ce lit, je ne raconte pas d'histoires. À chacun des entrelacs des cordes pendait une clochette. Sur le lit on avait étendu une grande couverture de soie. À chacune des colonnes du lit était fixée une escarboucle, et elles répandaient une aussi vive clarté que quatre cierges allumés. Le lit reposait sur quatre petites figurines qui grimaçaient, et

---

1. À rapprocher de la table du château du Graal faite d'un plateau d'ivoire et de tréteaux d'ébène (p. 93). « Correspondance hautement significative d'ailleurs, selon J. Ribard, si l'on pense qu'il s'agit de deux châteaux incontestablement initiatiques et que sont concernés les deux héros, Perceval et Gauvain, dont les destins parallèles mais différents sont le sujet même de l'œuvre ultime de Chrétien de Troyes » (*Le Moyen Âge. Littérature et symbolique, op. cit.*, p. 42). Ces portes rappellent les portes du Sommeil au chant VI de l'*Énéide*.

2. C'est le Lit de la Merveille, un lit magique, qui constitue une nouvelle épreuve pour Gauvain. Ce lit, qui rappelle le lit à la lance enflammée qu'affronte Lancelot dans *Le Chevalier de la charrette*, a quelque chose de funèbre et d'infernal.

qui étaient montées sur quatre roues si légères et si mobiles qu'avec un seul doigt on eût fait traverser au lit toute la pièce d'un bout à l'autre, pour peu qu'on le poussât. Le lit était tel, à vrai dire, que jamais pour un roi ni pour un comte on n'en fit ni on n'en fera de semblable.

Ce palais, entièrement recouvert de tentures de soie, n'était pas fait de craie, vous pouvez m'en croire : les murs en étaient de marbre. Tout au-dessus, il y avait des verrières si claires que, si on y eût fait attention, on aurait vu tous ceux qui entraient dans le palais et passaient la porte. Le verre était teint des plus belles et des meilleures couleurs qu'on puisse imaginer et faire [1] ; mais je ne veux pas maintenant rapporter ni décrire tout en détail. Dans le palais, il y avait bien quatre cents fenêtres fermées, et cent étaient ouvertes. Monseigneur Gauvain se mit résolument à examiner le château de haut en bas, d'un côté et de l'autre.

Quand il eut tout observé, il a appelé le nautonier et lui a dit :

« Cher hôte, je ne vois en ce lieu rien qui puisse rendre redoutable ce palais au point qu'on ne doive pas y entrer. Dites-moi donc à quoi vous pensiez quand vous me défendiez si fort de m'y risquer. Sur ce lit je veux m'asseoir et me reposer seulement un instant, car jamais je n'ai vu lit aussi riche.

– Ah ! cher seigneur, que Dieu vous garde de vous en approcher ! Car si vous le faisiez, vous mourriez de la pire mort dont mourut jamais un chevalier.

– Cher hôte, que dois-je donc faire ?

---

1. Les verrières permettent de voir sans être vu. C'est un *topos* qui entre dans la catégorie des « merveilles sans merveilleux ». Voir F. Dubost, *Aspects fantastiques de la littérature narrative médiévale (XIIᵉ-XIIIᵉ siècles). L'Autre, l'Ailleurs, l'Autrefois*, 2 vol., Champion, 1991, t. I, p. 427-428, t. II, p. 905, note 3 ; et J.-R. Valette, *La Poétique du merveilleux dans le Lancelot en prose*, Champion, 1998, p. 190-192. Le verre ne réfléchit aucune image, mais il attire l'attention sur l'acte de voir (cf. F. Dubost, *Le Conte du graal ou l'Art de faire signe, op. cit.*, p. 94).

– Quoi, seigneur ? Je vous le dirai, puisque je vous vois disposé à préserver votre vie. Quand ce fut le moment pour vous de venir ici, je vous demandai dans mon hôtel un don sans que vous sachiez lequel [1]. Voici maintenant le don que je veux vous demander : retournez dans votre terre, et vous raconterez à vos amis et aux gens de votre pays que vous avez vu un palais tel que nul n'en connaît aucun d'aussi riche, ni vous ni personne d'autre.

– Cela voudra dire que Dieu me hait et qu'en même temps je suis déshonoré. Néanmoins, cher hôte, il me semble que vous le dites pour mon bien. Mais je ne renoncerais pour rien au monde à m'asseoir sur le lit et à voir les jeunes filles que j'ai vues hier soir appuyées à ces fenêtres-ci [2]. »

L'hôte, qui recule déjà pour mieux fuir, lui répond :

« Vous ne verrez aucune des jeunes filles dont vous parlez. Mais repartez de la même manière que vous êtes venu en ce lieu, car il n'est pas du tout question pour vous de les voir. Mais elles vous voient nettement en ce moment même à travers les vitres des fenêtres, les jeunes filles, les reines et les dames qui, Dieu me garde ! sont dans les chambres de l'autre côté.

– Par ma foi, fait monseigneur Gauvain, je m'assiérai au moins sur le lit à défaut de voir les jeunes filles, car je ne pense ni ne crois qu'on eût fait un tel lit sinon pour que quelqu'un s'y étendît, noble seigneur ou grande dame. Et moi, j'irai m'y asseoir, par mon âme, quoi qu'il doive m'arriver. »

L'hôte voit qu'il ne peut le retenir, et il se tait ; mais il lui est impossible de s'attarder dans le palais pour le voir s'asseoir sur le lit ; il reprend donc sa route en affirmant :

« Seigneur, votre mort me peine et m'afflige beaucoup : jamais aucun chevalier ne s'est assis sur ce lit sans qu'il en mourût, car c'est le Lit de la Merveille où personne ne dort

---

1. C'est ce qu'on appelle un « don contraignant ».
2. Gauvain allie toujours au goût de la prouesse celui des femmes.

ni ne sommeille, ne se repose ni ne s'assied pour s'en relever sain et sauf. Quel grand dommage que votre perte,
puisque vous y laisserez votre tête en gage, sans espoir de
rachat ni de rançon ! Puisque ni mon amitié ni mes arguments ne peuvent vous éloigner d'ici, que Dieu ait pitié
de votre âme, car mon cœur ne saurait supporter de vous
voir mourir. »

Il sort alors du palais, tandis que monseigneur Gauvain
s'assied sur le lit, avec les armes qu'il avait, le bouclier
suspendu au cou. À l'instant même où il s'assied, les cordes
jettent un cri, toutes les clochettes sonnent, si bien que tout
le palais en résonne. Toutes les fenêtres s'ouvrent, et les
merveilles de se manifester, les enchantements d'apparaître,
car par les fenêtres volèrent à l'intérieur carreaux d'arbalète
et flèches [1] : plus de cinq cents frappèrent le bouclier de
monseigneur Gauvain, mais il ne sut qui l'avait frappé.
L'enchantement était tel que personne ne pouvait voir d'où
venaient les carreaux, ni les archers qui les tiraient. Vous
pouvez facilement imaginer l'énorme vacarme que faisaient,
en se détendant, les arbalètes et les arcs. Même pour un
trésor monseigneur Gauvain n'aurait pas voulu y être en cet
instant. Mais les fenêtres tout aussitôt se refermèrent sans
que personne les eût poussées. Monseigneur Gauvain enleva
les carreaux plantés dans son bouclier et qui l'avaient blessé
en de nombreux endroits de son corps, si bien que le sang
en jaillissait.

Avant qu'il ne les eût tous retirés, voici que surgit une
autre épreuve : un vilain, d'un pieu, a frappé une porte, qui
s'est ouverte, et un lion, prodigieux de force et de férocité,
tout efflanqué, bondit d'une chambre par la porte et attaque
monseigneur Gauvain avec une sauvagerie et une fureur

---

1. Surenchère par rapport à Lancelot. Plutôt que de l'ironie, il faut voir
dans cette scène la volonté de grandir Gauvain, qui ne doit pas être inférieur à Perceval.

extraordinaires [1] si bien que, comme dans de la cire, il plante dans son bouclier toutes ses griffes et le renverse, le faisant tomber à genoux. Mais monseigneur Gauvain se redresse aussitôt et tire du fourreau sa bonne épée dont il frappe si fort le lion qu'il lui coupe la tête et les deux pattes. Il exulte de voir les pattes demeurer suspendues à son bouclier par les griffes, l'une visible à l'intérieur et l'autre pendant à l'extérieur.

Quand il eut tué le lion, il s'est de nouveau assis sur le lit, et son hôte, le visage rayonnant de joie, revient aussitôt dans le palais et, le trouvant assis sur le lit, lui dit :

« Seigneur, je vous assure que vous n'avez plus rien à redouter. Enlevez toute votre armure, car les merveilles du palais ont cessé pour toujours grâce à vous qui êtes venu ici. Les jeunes et les vieux vont vous servir et vous honorer en ce lieu, rendons-en grâce à Dieu ! »

Alors arriva une foule de jeunes gens, très bien habillés de tuniques, qui se mirent tous à genoux :

« Très cher, très doux seigneur, nous vous offrons nos services comme à celui que nous avons tant attendu et désiré, car vous avez trop tardé à nous secourir, à ce qu'il nous semble. »

Aussitôt l'un d'eux le prit et commença à le désarmer ; les autres conduisirent à l'écurie son cheval qui était dehors. Tandis qu'il se désarmait, une jeune fille entra [2], toute beauté et toute grâce, un fin diadème d'or sur la tête et les cheveux aussi blonds que l'or et même davantage. Elle avait le visage blanc que Nature avait enluminé d'un teint vermeil et pur. Jeune fille parfaite, elle était belle et bien faite, grande et élancée. Après elle vinrent d'autres jeunes filles, tout aussi gracieuses et belles ; puis un jeune homme seul

---

1. C'est le combat décisif du héros pour prouver son courage. Il s'agit de merveilles païennes, bien différentes de celles du château du Graal. Ce passage montre la grandeur de Gauvain, qui ne cède jamais à la peur et triomphe des enchantements, auxquels il met fin.

2. Cette jeune fille à la beauté canonique se révélera être Clarissant.

qui tenait devant lui un costume, cotte, manteau et tunique. Le manteau, qui était doublé d'hermine et de zibeline noire comme mûre, était recouvert d'une fine étoffe vermeille.

Monseigneur Gauvain admire les jeunes filles qu'il voit venir, et il ne peut se retenir de se redresser pour aller à leur rencontre :

« Jeunes filles, dit-il, soyez les bienvenues ! »

La première s'incline devant lui :

« Ma dame la reine, bien cher seigneur, dit-elle, vous adresse son salut et commande à toutes ces jeunes filles de vous tenir pour leur seigneur légitime et de venir toutes vous servir. Je vous promets mes services, moi la toute première, sans arrière-pensée, et ces jeunes filles qui arrivent ici vous tiennent toutes pour leur seigneur : elles ont tant désiré votre venue, et sont heureuses de voir le meilleur de tous les gentilshommes. Seigneur, il n'y a plus qu'à vous dire que nous sommes prêtes à vous servir. »

À ces mots, toutes se sont agenouillées et s'inclinent devant lui en femmes qui s'engagent à le servir et à l'honorer, et lui, sans attendre, les fait se relever et s'asseoir, car il a beaucoup de plaisir à les voir, pour une part parce qu'elles sont belles, et davantage parce qu'elles font de lui leur prince et leur seigneur. Il éprouve une joie comme il n'en a jamais connue pour l'honneur dont Dieu l'a gratifié.

Alors la jeune fille s'est avancée et lui a dit :

« Ma dame vous envoie ces habits pour que vous les revêtiez avant qu'elle ne vous voie, car elle pense, en princesse qui ne manque pas de courtoisie ni de sagesse, que vous avez enduré beaucoup de tourments, de fatigues et de peines. Mais revêtez-les donc et essayez-les pour voir s'ils sont à votre taille car, après avoir eu chaud, les gens sages se gardent du froid qui gèle et fige le sang. Ma dame la reine vous envoie des habits d'hermine pour que le froid ne vous cause pas de mal, car, de même que l'eau devient glace, le sang se fige et se coagule quand, après avoir eu chaud, on tremble de froid. »

Monseigneur Gauvain répondit comme l'homme le plus courtois du monde :

« Que le Seigneur, qui n'est que perfection, garde ma dame la reine, et vous qui parlez si bien et qui êtes si courtoise, si gracieuse ! Elle est sans aucun doute très sage, la dame dont les messagères sont si courtoises. Elle sait bien ce qui est utile et convient à un chevalier, puisqu'elle m'envoie ici, et je l'en remercie, des habits à revêtir. Remerciez-la beaucoup de ma part.

– Je le ferai, c'est promis, fit la jeune fille, et de bon cœur ; et vous pourrez, pendant ce temps, vous habiller et contempler par ces fenêtres le paysage ; vous pourrez aussi, si cela vous plaît, monter sur cette tour pour contempler les forêts, les plaines et les rivières, jusqu'à ce que je revienne. »

Alors la jeune fille s'en retourna, et monseigneur Gauvain revêtit les luxueux habits, fermant à son cou l'agrafe du manteau qui pendait au col. Puis il eut envie d'aller voir l'agencement de la tour. Lui et son hôte montèrent par un escalier à vis, tout à côté de la grande salle voûtée, et parvinrent au sommet de la tour d'où ils voyaient alentour le pays d'une beauté indescriptible [1]. Monseigneur Gauvain admira à la fois la rivière, les plaines et les forêts pleines de gibier. Il se tourna vers son hôte et lui dit :

« Cher hôte, par Dieu, il me plaît beaucoup de rester ici pour aller chasser et tirer à l'arc dans ces forêts qui sont devant nous.

– Seigneur, sur ce point, vous feriez bien mieux de vous taire, dit le nautonier, car j'ai souvent entendu dire, à propos de celui que Dieu aimerait assez pour qu'on le proclamât maître, seigneur et protecteur de ces lieux, qu'il est établi

---

1. Il est à remarquer que, dans la partie consacrée à Gauvain, les paysages sont à plusieurs reprises montrés d'en haut, depuis le point de vue du héros monté sur une tour, en particulier dans le château des Demoiselles. Serait-ce pour dissiper, par l'élargissement de la vision, une atmosphère étouffante ?

et fixé, à tort ou à raison, qu'il ne sortirait jamais de ces maisons. C'est pourquoi il ne faut pas parler de chasser ni de tirer à l'arc, car c'est ici que vous devez séjourner : jamais de votre vie vous n'en sortirez.

– Cher hôte, fit-il, taisez-vous ! Oui, vous me rendriez fou si je vous l'entendais dire encore. Avec l'aide de Dieu, je ne saurais vivre en ce lieu [1], pas plus sept jours que cent quarante ans, si tant est que je ne puisse sortir toutes les fois que je le voudrais. »

Alors il est redescendu et rentré dans la grande salle en proie à de sombres pensées. Il s'est rassis sur le lit, la mine triste et affligée, jusqu'au retour de la jeune fille qui y était déjà venue auparavant. À sa vue, il s'est levé à sa rencontre, tout courroucé qu'il était, et il l'a aussitôt saluée. Elle a bien remarqué qu'il avait changé de ton et de contenance : il était évident, à son attitude, que quelque chose l'irritait. Mais elle n'osa pas le lui montrer, et elle lui dit :

« Seigneur, quand il vous plaira, ma dame viendra vous voir, mais le repas est prêt, et vous pouvez manger si vous voulez ici en bas ou là-haut. »

Monseigneur Gauvain lui répondit :

« Belle amie, je ne pense pas à manger. Que le malheur me frappe si je mange ou si je manifeste de la joie avant d'entendre d'autres nouvelles dont je puisse me réjouir, car j'ai grand besoin d'en entendre ! »

La jeune fille, troublée, est aussitôt repartie. La reine, l'appelant, lui demande quelles sont les nouvelles :

« Chère nièce, fait-elle, dans quel état d'esprit avez-vous trouvé le bon seigneur que Dieu nous a donné en ce château ?

– Ah ! Madame, noble reine honorée, la douleur me navre à mort le cœur à voir que du noble et du généreux seigneur on ne peut tirer aucune parole qui ne soit de colère et d'irritation. Et je ne puis vous en dire le pourquoi, car il ne me

---

1. Gauvain ne saurait se soumettre à la discipline (celle des moines ?) consistant à rester enfermé dans le château.

l'a pas dit, et je ne le sais pas : je n'ai pas osé le lui demander. Mais ce que je puis vous dire de lui, c'est que, quand je l'ai vu aujourd'hui pour la première fois, je l'ai trouvé si bien élevé, si éloquent, si raffiné qu'on n'aurait pu se rassasier d'écouter ses paroles ni de voir son beau visage. Et le voici si rapidement différent qu'il voudrait, je crois, être mort, car il n'entend rien qui ne l'afflige.

– Chère nièce, ne vous tourmentez pas, car il aura tôt fait de s'apaiser dès qu'il me verra : il n'aura pas au cœur de colère si grande que je ne la chasse aussitôt et que l'allégresse ne remplace la tristesse. »

La reine se dirigea alors vers la grande salle avec l'autre reine, toute joyeuse d'y aller. Elles emmenèrent à leur suite bien cent cinquante demoiselles et au moins autant de jeunes gens. Aussitôt que monseigneur Gauvain vit la reine qui venait en tenant l'autre par la main, son cœur lui dit et devina que c'était cette reine dont il avait entendu parler ; mais il pouvait tout autant le deviner à voir les tresses blanches qui lui tombaient sur les hanches. Elle était vêtue d'une robe de soie blanche diaprée de fleurs d'or et finement brodée. Quand monseigneur Gauvain la vit, il se hâta d'aller à sa rencontre et il la salua. Elle lui rendit son salut en disant :

« Je suis après vous la dame de ce palais. Je vous en laisse la seigneurie, car vous l'avez bien gagnée. Mais êtes-vous de la maison du roi Arthur ?

– Oui, madame, tout à fait.

– Et êtes-vous, je veux le savoir, des chevaliers de la Garde royale qui ont accompli tant de hauts faits ?

– Non, madame.

– Je vous crois. Mais êtes-vous, dites-le-moi, de ceux de la Table ronde qui sont les plus réputés de la terre ?

– Madame, fit-il, je n'oserais pas dire que je suis parmi les plus réputés [1] ; mais, si je ne me range pas parmi les meilleurs, je ne crois pas être parmi les pires.

---

1. Malgré ses exploits et sa renommée, Gauvain demeure un modèle de modestie et de courtoisie, comme le souligne la reine. C'est le meilleur

– Cher seigneur, vous faites preuve de beaucoup de courtoisie en ne vous comptant pas parmi les meilleurs ni parmi
les plus méprisables. Mais dites-moi donc, le roi Lot, combien a-t-il eu de fils de sa femme ?

– Madame, quatre.

– Dites-moi donc leurs noms !

– Madame, Gauvain est l'aîné ; le second, c'est Agravain
l'Orgueilleux aux mains rudes ; Gaheriet et Guerehet sont
les noms des deux suivants. »

La reine ajouta :

« Seigneur, que Notre-Seigneur m'aide ! oui, ce sont
leurs noms, à ce qu'il me semble. Plût à Dieu qu'ils fussent
tous ensemble ici maintenant avec vous ! Mais dites-moi :
connaissez-vous le roi Urien ?

– Oui, madame.

– Et a-t-il à la cour quelque fils ?

– Oui, madame, deux, qui sont très renommés. L'un se
nomme monseigneur Yvain, le courtois, le bien élevé. Je
suis plus heureux toute la journée quand je puis le voir le
matin, tant je le trouve sage et courtois. Quant à l'autre, il
s'appelle aussi Yvain, mais ce n'est pas son vrai frère : aussi
le nomme-t-on le Bâtard. Il triomphe de tous les chevaliers
qui se mesurent à lui. Tous les deux sont à la cour très
courageux, très sages et très courtois.

– Cher seigneur, fit-elle, le roi Arthur, comment se
porte-t-il ?

– Bien mieux que jamais : il est plus robuste, plus alerte
et plus fort.

– Ma foi, seigneur, c'est bien normal, car c'est encore un
enfant, le roi Arthur : s'il a cent ans, il n'en a pas plus, il
ne peut en avoir davantage [1]. Mais je veux encore savoir de

représentant d'un monde arthurien parfait, et l'idéal que Chrétien de Troyes
propose aux chevaliers qui ne peuvent se lancer dans la même aventure
spirituelle que Perceval.

1. L'Autre Monde est caractérisé par une durée immobile, si bien qu'Arthur a toujours le même âge.

vous quelque chose : parlez-moi seulement de la manière dont se comporte la reine, si cela ne vous ennuie pas.

– Madame, oui, vraiment, elle est si courtoise, elle est si belle et si sage que Dieu ne fit pas de pays – quelles qu'en soient la religion ou la langue – où l'on trouvât dame si sage. Depuis que Dieu a formé la première femme de la côte d'Adam, il n'a pas existé de dame aussi renommée, et elle mérite bien de l'être, car tout comme le maître plein de sagesse instruit les petits enfants, de même ma dame la reine enseigne et éduque le monde entier. C'est d'elle que procède tout le bien, c'est d'elle qu'il provient et découle. Personne ne peut quitter ma dame et s'en aller désemparé, car elle sait bien ce que veut chacun et ce qu'on doit faire à chacun pour lui faire plaisir. Personne ne se comporte selon le bien et l'honneur sans qu'il l'ait appris de ma dame ; jamais personne ne sera si affligé qu'il quitte ma dame fâché [1].

– Vous ne le ferez pas non plus avec moi, seigneur.

– Madame, dit-il, je vous en crois volontiers, car, avant de vous voir, rien n'était à mon goût tant j'étais abattu et triste. Or maintenant je suis si heureux et si joyeux que je ne pourrais l'être davantage.

– Seigneur, par Dieu qui m'a fait naître, fit la reine aux tresses blanches [2], vos joies redoubleront encore, et votre bonheur augmentera toujours, sans jamais vous faire défaut. Et puisque vous êtes revigoré et allègre, le repas est prêt, et vous mangerez quand il vous plaira, dans le lieu de votre choix : si cela vous plaît, vous mangerez ici en haut, et si cela vous plaît mieux, vous viendrez manger dans les appartements du bas.

– Madame, je ne désire pas échanger cette salle contre aucune autre pièce, car on m'a dit que jamais chevalier ne s'y assit pour manger.

---

1. Cet éloge de la reine Guenièvre est un écho à la présentation de la reine dans *Le Chevalier de la charrette*.

2. Ygerne, la mère du roi Arthur.

– Non, seigneur, du moins aucun qui en ressortît vivant ou qui restât en vie le temps de parcourir une lieue, ou même la moitié.

– Madame, j'y mangerai donc, si vous m'en accordez la permission.

– Je vous l'accorde volontiers, seigneur, et vous serez le tout premier chevalier à y avoir mangé. »

Alors la reine s'en alla et, de ses jeunes filles elle lui en laissa bien cent cinquante parmi les plus belles, qui mangèrent à côté de lui dans la grande salle et le servirent en l'entretenant de tous les sujets qui lui étaient agréables. Plus de cent serviteurs servirent à table, les uns tout blancs, les autres grisonnants et d'autres pas ; d'autres enfin n'avaient ni barbe ni moustache, et de ceux-là deux se tinrent à genoux devant lui : leur service consistait pour l'un à découper la viande et pour l'autre à verser le vin. Monseigneur Gauvain fit manger son hôte tout à côté de lui. Le repas, loin d'être bref, dura plus que ne dure une journée de la période de Noël, car il faisait déjà une nuit noire et opaque et l'on avait brûlé beaucoup de grosses torches avant que le repas ne fût fini. Il fut suivi de longs entretiens, puis de nombreuses danses et de rondes. Après le repas, avant de se coucher, tous se donnèrent beaucoup de peine à fêter leur seigneur qui leur était très cher.

Quand il voulut aller se coucher, il s'étendit sur le Lit de la Merveille. Une des jeunes filles lui mit sous la tête un oreiller qui le fit dormir paisiblement [1]. Le lendemain à son réveil, on lui avait fait préparer des vêtements d'hermine et de soie. Le nautonier vint au matin devant son lit ; il l'aida à se lever, à s'habiller, à se laver les mains. Assista aussi à son lever Clarissant, elle qui était vaillante, belle et gracieuse, sage et courtoise dans ses paroles. Elle se rendit ensuite dans la chambre de la reine son aïeule, qui lui demanda en la serrant dans ses bras :

---

1. Cet oreiller magique qui fait dormir se retrouve dans *Galeran de Bretagne*, de Renaut (vers 1220).

« Mon enfant, par la foi que vous me devez, votre seigneur est-il déjà levé ?

– Oui, madame, il y a déjà un bon moment.

– Et où est-il, ma chère enfant ?

– Madame, il est allé dans la tourelle, je ne sais pas s'il en est redescendu.

– Mon enfant, je veux aller jusqu'à lui, et s'il plaît à Dieu, il n'aura de toute cette journée que du bonheur, de la joie et du plaisir. »

Aussitôt la reine se redressa, toute au désir d'aller le voir. Elle finit par le trouver en haut aux fenêtres d'une tourelle où il regardait une jeune fille, et il vit un chevalier en armes qui descendait un pré. Tandis qu'il les contemplait, voici que vinrent de l'autre côté les deux reines côte à côte. Elles ont trouvé monseigneur Gauvain et son hôte chacun à une fenêtre.

« Seigneur, font les deux reines, que ce soit une bonne journée pour vous ! Que ce jour vous apporte liesse et joie ! Puissiez-vous recevoir ce don du glorieux Père qui de sa fille a fait sa mère !

– Madame, puisse-t-il vous combler de joie Celui qui envoya son Fils sur terre pour fonder la Chrétienté ! Mais, si c'est votre volonté, venez jusqu'à cette fenêtre et dites-moi qui peut être cette jeune fille qui vient ici, avec un chevalier qui porte un écu écartelé.

– Je vous le dirai bien volontiers, fit la dame qui les regarde. C'est celle qui hier soir vous amena ici – puisse-t-elle brûler en enfer ! Mais ne vous souciez plus d'elle, car elle est trop orgueilleuse et trop méprisable. Quant au chevalier qu'elle mène, je vous prie aussi de ne pas vous en soucier, car il est, soyez-en absolument certain, plus courageux que tous les autres chevaliers. Combattre avec lui n'est pas un jeu : il a sous mes yeux, sur ce port, vaincu et tué maint chevalier.

– Madame, dit-il, je veux aller parler à la demoiselle, si vous m'en donnez la permission.

– Seigneur, ne plaise à Dieu que moi, je vous permette de faire votre malheur ! Laissez aller à ses affaires cette méchante demoiselle. Non, s'il plaît à Dieu, ce n'est pas pour une telle sottise que vous sortirez de votre palais. Vous n'en devez jamais sortir, si vous ne voulez pas nous causer du tort.

– Holà ! noble reine, vous m'embarrassez terriblement. Je me tiendrais pour mal partagé si, du palais, je ne sortais jamais. Ne plaise à Dieu que j'y sois jamais ainsi longtemps prisonnier !

– Ah ! madame, fit le nautonier, laissez-le agir à sa guise. Non, ne le retenez pas malgré lui : il pourrait en mourir de chagrin.

– Eh bien ! je le laisserai donc sortir, fit la reine, à la condition que, si Dieu le préserve de la mort, il revienne ce soir même.

– Madame, répondit-il, ne vous tourmentez pas, car je reviendrai si je le puis. Mais j'ai un don à vous demander, s'il vous plaît et si c'est votre volonté ; ne me demandez pas mon nom avant sept jours, si cela ne vous ennuie pas.

– Eh bien ! seigneur, puisque vous y tenez, je m'en passerai, fit la reine, car je ne veux pas encourir votre haine, et pourtant c'est la première chose dont je vous aurais prié, de me dire votre nom, si vous ne me l'aviez pas défendu. »

Ils descendirent alors de la tourelle ; et jeunes gens d'accourir et de lui rapporter ses armes pour l'en revêtir. Ils lui ont sorti son cheval sur lequel il monta tout armé. Il se rendit au port, accompagné du nautonier. Tous deux entrèrent dans une barque et ils ramèrent avec une telle ardeur que les voici sur l'autre rive où monseigneur Gauvain descendit.

L'autre chevalier a demandé à la jeune fille sans pitié [1] :

« Chère amie, ce chevalier-ci, qui vient en armes à notre rencontre, dites-moi, le connaissez-vous ?

---

1. Ce chevalier incarne la permanence du mal dans l'Autre Monde de Gauvain.

– Non, dit la jeune fille ; mais je sais bien que c'est celui qui hier m'amena par ici.

– Dieu me garde ! répondit le chevalier ; je ne cherchais personne d'autre. J'ai eu grand-peur qu'il ne m'eût échappé, car il n'est pas de chevalier né d'une femme qui ait passé les cols de Galvoie – pour peu que je le voie et que je le trouve devant moi – et qui puisse jamais se vanter ailleurs d'être revenu de ce pays. Celui-ci sera lui aussi retenu prisonnier du moment que Dieu me le laisse voir. »

Aussitôt le chevalier s'élance sans le défier ni le menacer, il éperonne son cheval et met en place son bouclier. Monseigneur Gauvain se dirige aussi vers lui et le frappe si fort qu'il le blesse grièvement au bras et au côté, mais le coup n'est pas mortel, car le haubert résiste si bien que le fer ne peut le traverser, sauf qu'il lui enfonce dans le corps, d'un bon doigt, la pointe de la lance et qu'il le jette à terre. L'autre se relève et voit, anxieux, son sang qui, du bras et du côté, coule sur le haubert blanc ; il l'attaque pourtant à l'épée, mais il est vite épuisé au point de ne pouvoir se tenir debout, et il lui faut demander grâce. Monseigneur Gauvain reçoit sa parole, puis il le remet au nautonier qui l'attendait. Quant à la méchante jeune fille, elle était descendue de son palefroi. Monseigneur Gauvain vient à elle et la salue :

« Remontez à cheval, chère amie, lui dit-il. Je ne vous laisserai pas ici, mais je vous emmènerai avec moi de l'autre côté de cette eau où je dois passer.

– Hé ! hé ! chevalier, fait-elle, vous faites bien le fier-à-bras. Vous auriez eu à vous battre bien plus, si mon ami n'avait pas été épuisé par d'anciennes blessures. Vos plaisanteries auraient vite pris fin, vous ne fanfaronneriez pas tant, et vous seriez plus muet qu'un joueur échec et mat. Mais avouez donc la vérité devant moi : vous imaginez-vous valoir mieux que lui parce que vous l'avez abattu ? Il arrive souvent, vous le savez bien, que le faible abat le fort. Mais si vous quittiez ce port et veniez avec moi vers cet arbre là-bas, et que vous fassiez ce que mon ami, que vous

avez mis dans la barque, faisait pour moi quand je le voulais, alors, oui vraiment, je témoignerais que vous valez
mieux que lui, et je ne vous mépriserais plus.

– S'il s'agit d'aller là-bas, jeune fille, fait-il, rien ne
m'empêchera de faire votre volonté.

– À Dieu ne plaise, répondit-elle, que je vous en voie
revenir ! »

Ils se mettent alors en route, elle devant et lui après. Les
jeunes filles du palais et les dames s'arrachent les cheveux,
déchirent et mettent en pièces leurs vêtements en disant [1] :

« Hélas ! quel malheur ! Désormais pourquoi être en vie,
quand nous voyons marcher à la mort et au supplice celui
qui devait être notre seigneur ? La méchante jeune fille
l'escorte et l'emmène, la canaille, là d'où ne revient nul
chevalier. Hélas ! nous voici frappées au cœur, nous qui
avions eu la chance extraordinaire que Dieu nous ait envoyé
celui qui avait toutes les qualités, celui à qui rien ne manquait, ni le courage ni aucune autre vertu. »

Ainsi s'abandonnent-elles à leur douleur, de voir leur seigneur suivre la méchante demoiselle. L'un et l'autre arrivent
sous l'arbre. Une fois là, monseigneur Gauvain l'interpelle :

« Jeune fille, fait-il, dites-moi donc si je puis désormais être
quitte. S'il vous plaît que j'en fasse davantage, plutôt que de
perdre vos bonnes grâces, je le ferai si jamais je le puis.

– Voyez-vous maintenant, répond-elle, ce gué profond
dont les rives sont si hautes ? Mon ami avait coutume de le
passer quand je voulais, et il allait me cueillir des fleurs que
vous voyez dans ces arbres et dans ces prés.

– Jeune fille, comment passait-il ? Je ne sais où le gué
peut être. L'eau est trop profonde, je le crains, et les rives
si hautes de tous côtés qu'on ne pourrait y descendre.

– Vous n'oseriez y entrer, fait la jeune fille, je le sais
bien. Jamais, assurément, je n'ai eu dans l'esprit que vous
auriez assez de cœur pour oser y passer. C'est le Gué

---

1. Nouvelle scène de lamentations collectives, que Chrétien de Troyes
se plaît à renouveler.

périlleux [1] que personne, s'il n'est d'un courage exception-
nel, n'ose passer à quelque prix que ce soit. »

Aussitôt monseigneur Gauvain amène son cheval jusqu'à
la rive : il voit, en bas, l'eau profonde et, vers le haut, la
rive escarpée ; mais la rivière n'était pas large. À sa vue, il
se dit que son cheval avait sauté force fossés plus impor-
tants, et il se rappelle avoir entendu dire et raconter en beaucoup d'endroits que celui qui pourrait passer l'eau profonde
du Gué périlleux recueillerait toute la gloire du monde.

Il s'éloigne alors de la rivière et s'en revient au grand
galop pour bondir de l'autre côté, mais il échoue, car il a
mal pris son élan, et il a sauté en plein milieu du gué. Son
cheval, lui, a tant nagé que le voici des quatre pieds sur la
terre ferme, et qu'il a pris appui pour sauter, et il s'élança
si bien qu'il bondit sur la rive qui était très haute. Une fois
là, il resta immobile, debout, sans pouvoir bouger. Aussi
fallut-il de toute nécessité que monseigneur Gauvain des-
cendît de cheval, car il sentit que sa monture était épuisée.
Il descendit donc aussitôt avec l'idée de lui ôter la selle, ce
qu'il fit, et il la posa sur le côté pour la sécher. Quand il lui
eut enlevé le harnais du poitrail, il fit couler l'eau du dos,
des flancs et des jambes. Puis il remit la selle, monta dessus
et s'en alla au petit pas, jusqu'au moment où il vit un chevalier tout seul qui chassait à l'épervier, et devant lui, dans le
pré, trois petits chiens pour la chasse aux oiseaux. Le chevalier était si beau qu'on ne saurait l'exprimer par des mots.

Monseigneur Gauvain, s'approchant de lui, le salua et
lui dit :

« Cher seigneur, puisse Dieu, qui vous fit plus beau que
toute créature, vous accorder une heureuse journée ! »

L'autre ne perdit pas de temps à lui répondre :

« C'est toi qui as la bonté et la beauté ! Mais dis-moi, si
cela ne te déplaît pas, comment tu as laissé toute seule de

---

1. Nouvelle épreuve, qui rappelle le Pont de l'Épée que franchit
Lancelot.

l'autre côté la méchante jeune fille. Son escorte, où est-elle passée ?

– Seigneur, fit-il, un chevalier qui porte un écu écartelé l'emmenait quand je l'ai rencontrée.

– Et alors, qu'as-tu fait de lui ?

– Je l'ai vaincu par les armes.

– Que devint donc le chevalier ?

– Le nautonier l'a emmené : il m'a dit qu'il devait l'avoir.

– Oui, cher seigneur, il vous a dit la vérité. La jeune fille, elle, était mon amie [1], mais elle ne l'était pas assez pour accepter de m'aimer et pour daigner m'appeler son ami. Jamais, sinon de force, je n'obtins d'elle un baiser, je vous le garantis, et jamais elle ne m'accorda ses faveurs, car, si je l'aimais, c'est malgré elle. Je l'avais enlevée à son ami dont elle avait coutume de se faire accompagner, et que je tuai. Je l'emmenai donc et m'évertuai à la servir. Mais mon service n'eut aucun effet, car, aussitôt qu'elle le put, elle chercha une occasion de me laisser, et elle prit pour ami celui à qui tu l'as enlevée aujourd'hui même. Ce n'était pas un chevalier de pacotille : il était d'une valeur exception-nelle, que Dieu m'aide ! mais jamais assez pour oser venir un jour en un lieu où il pensât me trouver. Mais toi, tu as fait aujourd'hui ce qu'aucun chevalier n'ose faire, et, pour l'avoir osé, c'est la gloire du monde entier que tu as conquise par ton exceptionnelle prouesse. En sautant le Gué périlleux, tu as montré un extraordinaire courage, et sois sûr et certain que jamais chevalier n'en ressortit.

– Seigneur, fit-il, elle m'a donc menti, la demoiselle, en me disant et en me faisant prendre pour la vérité qu'une fois par jour son ami y passait par amour pour elle !

– Elle a dit cela, la renégate ? Ah ! plût au ciel qu'elle s'y fût noyée, car elle est possédée par le démon pour raconter une telle histoire ! Elle vous hait, c'est évident, et elle voulait que vous vous noyiez dans les profondeurs de cette eau

---

1. Chrétien se plaît à enrichir son roman d'une nouvelle histoire d'amour dont il esquisse les péripéties.

tumultueuse, cette diablesse, que Dieu la détruise ! Mais donne-moi donc ta parole, et nous nous engagerons l'un envers l'autre : si tu veux me poser une question, que j'en éprouve de la joie ou du chagrin, jamais pour rien au monde je ne te cacherai la vérité, si je la connais ; et toi aussi, de ton côté, tu me diras, sans commettre le moindre mensonge, tout ce que je voudrai savoir, si tu peux m'en dire la vérité. »

Tous deux ont pris cet engagement [1], et monseigneur Gauvain se met à poser la première question :

« Seigneur, je vous le demande, je vois là-bas une cité, à qui est-elle et quel est son nom ?

– Mon ami, fit-il, sur la cité je vous dirai la vérité, car elle est à moi en toute propriété sans que je doive à personne la moindre redevance : je la tiens tout entière de Dieu seul. Elle se nomme Orquelanes.

– Et vous, quel est votre nom ?

– Guiromelant.

– Seigneur, vous êtes très brave et très valeureux, je l'ai souvent entendu dire, et vous êtes le seigneur d'un territoire très important. Mais comment s'appelle la jeune fille dont on ne dit aucun bien, ni près d'ici, ni au loin, comme vous-même pouvez en témoigner ?

– Oui, je puis attester, dit-il, qu'il vaut mieux la tenir à distance, car elle est extraordinairement méchante et orgueilleuse. Aussi l'appelle-t-on l'Orgueilleuse de Logres [2] ; c'est le pays où elle est née et d'où on l'a amenée toute petite.

– Et son ami, comment s'appelle-t-il, lui qui, bon gré mal gré, est allé en prison chez le nautonier ?

– Mon ami, ce chevalier, sachez qu'il est extraordinaire et qu'il s'appelle l'Orgueilleux de la Roche à l'Étroite Voie et garde les passages de Galvoie.

---

1. Tous deux promettent de révéler ce que nous ignorons encore.

2. Tel est le nom de la méchante demoiselle, qui fait écho à l'Orgueilleux de la Lande que rencontre Perceval. L'orgueil est un vice partagé entre les hommes et les femmes, les ennemis et les fidèles de la Table ronde.

– Et comment s'appelle le château, qui est d'une telle puissance et d'une telle beauté là-bas, de l'autre côté, d'où je suis venu aujourd'hui et où j'ai mangé et bu hier soir ? »

À ces mots, le Guiromelant s'est détourné en homme accablé de chagrin, et il commence à s'en aller. Gauvain le rappelle :

« Seigneur, seigneur, répondez-moi : souvenez-vous de votre promesse. »

Le Guiromelant s'arrête et, le regardant de biais, lui dit :

« Que l'heure où je te vis et où je t'ai engagé ma foi soit une heure maudite et réprouvée ! Va-t'en, je te rends ta parole, et toi rends-moi la mienne, car sur ce qui est là-bas de l'autre côté je croyais te demander des nouvelles, mais tu en sais autant sur la lune que sur ce château, à ce que je pense.

– Seigneur, fait-il, j'y ai couché cette nuit, j'ai couché dans le Lit de la Merveille, auquel nul lit n'est comparable, et jamais personne n'en vit de pareil.

– Par ma foi, je m'émerveille fort des nouvelles que tu me dis. Je me régale et me délecte à écouter tes mensonges, et j'écouterais les histoires d'un conteur avec le même plaisir que les tiennes : tu n'es qu'un jongleur [1], je le vois bien, alors que je croyais que tu étais un chevalier et que tu avais accompli là-bas quelque exploit. Mais peu importe : informe-moi maintenant si tu as accompli une prouesse et quelles choses tu y as vues. »

Monseigneur Gauvain lui répondit :

---

1. En ancien français *joglere*, *jogleor*, formes anciennes de « jongleur », qui a subi l'attraction de *janglere/jangleor* (du francique *jangalon*), lequel désigne quelqu'un qui fait un mauvais usage de la parole, qui médit, calomnie, ridiculise, bafoue, plaisante, bavarde à tort et à travers, trompe. *Joglere/jogleor* désignait à l'origine un amuseur qui, par sa parole et ses tours très divers, distrayait des publics variés, et qui devint bientôt un personnage suspect, à qui on reprochait d'être faux, menteur, joueur, médisant, affabulateur, débauché, etc. Voir S. Menegaldo, *Le Jongleur dans la littérature narrative des XIIe et XIIIe siècles. Du personnage au masque*, Champion, 2005 ; et notre article « Quelques exemples de la défense des jongleurs au Moyen Âge », *Mélanges offerts à Robert Lafont*, Montpellier-Nîmes, Centre d'études occitanes, 1990, p. 41-58.

« Seigneur, quand je m'assis sur le lit, dans le palais éclata une grande tourmente, je n'ai pas envie de vous mentir : les cordes du lit crièrent, et sonnèrent toutes les clochettes qui y étaient suspendues ; les fenêtres, qui étaient fermées, s'ouvrirent d'elles-mêmes ; sur mon bouclier frappèrent carreaux d'arbalète et flèches affilées, et y restèrent plantées les griffes d'un lion féroce et tout hérissé, que depuis longtemps on avait retenu enchaîné dans une chambre. L'on amena vers moi le lion qu'un vilain avait lâché, et qui s'élança sur moi, se jetant contre mon bouclier si violemment que de ses griffes il y fut retenu sans pouvoir les en retirer. Si vous estimez qu'il n'y en a pas de preuve, voyez les griffes qui y sont encore, car la tête, Dieu merci, je l'ai tranchée ainsi que les pattes. De ces marques, que pensez-vous ? »

Le Guiromelant, à ces mots, mit pied à terre le plus vite qu'il put ; il s'agenouilla, joignit les mains et le pria de lui pardonner la folie de ses propos :

« Je vous en déclare totalement quitte, dit monseigneur Gauvain, mais remontez à cheval. »

L'autre se remit en selle, tout confus de sa sottise.

« Seigneur, Dieu me garde ! dit-il. Je ne pensais pas que nulle part, à proximité ou au loin, il pût exister, d'ici cent ans, un homme qui eût l'honneur qui vous a été dévolu. Mais la reine aux cheveux blancs, dites-moi si vous l'avez vue et si vous lui avez demandé qui elle est et d'où elle est venue.

– À aucun moment je n'y ai pensé ; mais je l'ai vue et je lui ai parlé.

– Eh bien ! moi, dit-il, je vous le dirai : c'est la mère du roi Arthur.

– Par la foi que je dois à Dieu et à sa toute-puissance, le roi Arthur, à ce que je crois, n'a plus de mère depuis longtemps, car il a bien soixante ans passés [1], à mon avis, voire beaucoup plus.

---

1. On peut comprendre aussi : « il y a plus de soixante ans que sa mère est morte ». Explications retardées : Ygerne est la mère du roi Arthur. La femme du roi Lot est la mère de Gauvain. Elle accoucha dans l'Autre Monde de Clarissant, qui est la sœur de Gauvain.

– Et pourtant c'est vrai, seigneur : c'est sa mère. Quand son père Uterpendragon fut mis en terre, alors la reine Ygerne vint en ce pays avec tout son trésor, et elle bâtit, sur ce rocher là-bas, le château et le palais si riche et si beau que je vous ai entendu décrire. Et vous y avez vu aussi, je le sais bien, l'autre reine, l'autre dame, qui est grande et belle, et qui fut la femme du roi Lot et la mère de celui que je voue aujourd'hui à tous les diables : c'est la mère de Gauvain.

– Gauvain, cher seigneur, je le connais bien et je puis affirmer qu'il n'a plus de mère, ce Gauvain, depuis vingt ans passés au moins.

– Si, il l'a encore, seigneur, n'en doutez pas. À la suite de sa mère elle vint ici, enceinte d'un enfant, de la très belle et grande demoiselle, qui est mon amie et la sœur, je ne vous le cacherai pas, de celui que je prie Dieu de couvrir de honte, car, vraiment, il ne sauverait pas sa tête si je le tenais et l'emportais sur lui, comme je vous tiens ici même : je la lui trancherais aussitôt, et toute l'aide de sa sœur ne m'empêcherait pas de lui arracher de mes mains le cœur du ventre, tant je le hais.

– Par mon âme, répondit monseigneur Gauvain, vous n'aimez pas comme moi j'aime : si j'aimais une jeune fille ou une dame, par amour pour elle j'aimerais et je servirais tout son lignage.

– Vous avez raison, et je suis d'accord avec vous. Mais quand, à propos de Gauvain, je me rappelle comment son père a tué le mien, je ne puis lui vouloir du bien. Lui-même, de ses mains, il a tué un de mes cousins germains, un chevalier valeureux et brave [1]. Jamais je n'ai pu trouver l'occasion de le venger d'aucune manière. Mais rendez-moi donc un service : retournez à ce château, et de ma part vous porterez cet anneau à mon amie, donnez-le-lui. Je veux que vous y alliez pour moi et que vous lui disiez que j'ai une confiance si totale en son amour qu'elle préférerait que son frère

---

1. Lot, le père de Gauvain, a tué le père de Guiromelant, et Gauvain lui-même a tué le roi d'Escavalon.

Gauvain mourût d'une mort atroce plutôt que je ne sois blessé, fût-ce au plus petit doigt de mon pied. Vous saluerez mon amie de ma part et vous lui donnerez cet anneau pour moi qui suis son ami. »

Alors monseigneur Gauvain a glissé l'anneau à son petit doigt en disant :

« Seigneur, par la foi que je vous dois, vous avez une amie qui est courtoise et sage, une noble femme de haut lignage, belle, gracieuse et généreuse, si elle accepte de se comporter comme vous venez de le dire.

– Seigneur, reprit l'autre, vous me ferez une grande faveur, je vous l'assure, si vous allez de ma part offrir mon anneau à mon amie qui m'est si chère que je l'aime de tout mon cœur. En guise de récompense, je vous dirai le nom de ce château que vous m'avez demandé : le château, si vous ne le savez pas, se nomme la Roche de Champguin [1]. L'on y teint mainte bonne étoffe verte et rouge sang, et maint tissu d'écarlate [2] ; il s'en vend et s'en achète beaucoup. Je vous ai donc dit ce que vous vouliez savoir, sans vous mentir d'un seul mot. Et vous, de votre côté, vous m'avez bien répondu. Voulez-vous me demander autre chose ?

– Non, seigneur, sinon de prendre congé.

– Seigneur, fit l'autre, c'est votre nom que vous me direz, si vous le voulez bien, avant que je ne vous permette de partir.

– Seigneur, répondit monseigneur Gauvain, aussi vrai que je demande à Dieu de m'aider, mon nom ne vous sera pas caché : je suis celui que vous haïssez tant, je suis Gauvain.

– Tu es Gauvain ?

– Oui, le neveu du roi Arthur.

---

1. Le même château est appelé dans d'autres manuscrits la « Roche de Sanguin », à cause sans doute de la rime avec *sanguin*.

2. Du flamand *skarlaten*, « drap à retondre ». Les draps fins avaient besoin de l'opération de retondage. Comme on appliquait en général au drap le plus cher la teinture la plus vive et la plus solide (le rouge au kermès ou à la graine), peu à peu support et couleur se confondirent, et finalement « écarlate », à l'origine « drap fin », ne signifia plus que « drap fin teint en graine ».

– Ma foi, il faut que tu sois bien hardi ou bien fou pour me dire ton nom, alors que tu sais que je te hais à mort. Je suis vraiment fâché de ne pas avoir mon heaume lacé ni le bouclier au bras, car si j'étais armé comme tu l'es, tu peux être sûr et certain que je te trancherais la tête sur-le-champ, sans y renoncer pour rien au monde. Mais si tu osais m'attendre, j'irais prendre mes armes, puis je viendrais combattre contre toi, en amenant trois ou quatre hommes pour arbitrer notre bataille ; ou bien, si tu le préfères, qu'il en aille autrement : nous attendrons sept jours et nous reviendrons le septième en ce lieu, armés de pied en cap, après que tu auras fait venir le roi, la reine et tous leurs gens, et moi, de mon côté, mes troupes par tout le pays. Ainsi notre bataille ne se fera-t-elle pas en catimini, mais au su et au vu de tous ceux qui voudront la voir, car la bataille de deux gentilshommes de notre qualité, comme on le dit, ne doit pas se faire à la dérobée, mais c'est justice qu'il y ait beaucoup de dames et de chevaliers. Et quand l'un de nous sera épuisé et que tout le monde le verra, il y aura mille fois plus d'honneur pour le vainqueur qu'il n'en aurait si personne d'autre que lui ne le savait.

– Seigneur, répondit monseigneur Gauvain, je me contenterais volontiers de bien moins s'il était possible et s'il vous convenait qu'il n'y eût pas de bataille. Et si je vous ai causé du tort, je le réparerai bien volontiers par le moyen de vos amis et des miens, dans le respect de la raison et de la justice.

– Je n'arrive pas à comprendre, repartit l'autre, pour quelle sorte de raison tu n'oses pas combattre contre moi. Je t'ai proposé deux solutions, choisis celle que tu voudras : si tu l'oses, tu m'attendras ici, et j'irai chercher mes armes, ou bien tu convoqueras toutes les forces de ta terre pour dans sept jours, car à la Pentecôte la cour du roi Arthur se rassemblera en Orcanie [1], j'en ai appris la nouvelle, et il n'y

---

1. Le roi Arthur rendra-t-il visite au roi Lot en Orcanie (les îles Orcades) ?

a pas plus de deux journées de marche. Ton messager pourra y trouver le roi et ses gens tout prêts. Envoies-y quelqu'un, ce sera sagesse de ta part, car un jour de répit vaut bien cent sous [1].

– Que Dieu me sauve ! répliqua Gauvain, la cour sera là-bas, c'est sûr, vous en savez l'exacte vérité. Je vous jure d'y envoyer quelqu'un demain, ou avant même que je ferme l'œil.

– Gauvain, fit l'autre, eh bien ! je veux te conduire au meilleur port du monde. Ce fleuve est si rapide et si profond qu'aucun être vivant ne peut le passer ni sauter sur l'autre rive. »

Mais monseigneur Gauvain lui répondit :

« Jamais je ne rechercherai ni gué ni pont, quoi qu'il puisse m'arriver. Ah ! pour que la méchante demoiselle y voie de la lâcheté ? Je tiendrai plutôt la promesse que je lui ai faite, et je m'en irai tout droit vers elle. »

Il piqua alors des deux, et son cheval bondit aisément de l'autre côté de l'eau, sans la moindre difficulté. Le voyant passer de son côté, la jeune fille, qui l'avait tant malmené de ses paroles, attacha son cheval à l'arbre et vint à pied vers lui. Elle avait changé de sentiment et d'humeur, car tout aussitôt elle le salua et dit qu'elle était venue lui demander pardon de sa mauvaise conduite ; par sa faute il avait subi de pénibles épreuves :

« Cher seigneur, fit-elle, écoute donc pourquoi j'ai été si arrogante envers tous les chevaliers du monde qui m'ont emmenée à leur suite. Ce chevalier qui te parla là-bas, de l'autre côté – que Dieu le détruise ! –, a eu tort de placer en moi son amour, car il m'aimait et, moi, je le haïssais. Il m'a causé un immense chagrin en tuant, je ne le cacherai pas, celui dont j'étais l'amie. Ensuite, il crut qu'à m'entourer de tant d'égards, il pourrait m'amener à l'aimer. Mais il n'en obtint jamais rien, car dès que j'en eus l'occasion, je

---

1. Proverbe n° 2451 du recueil de J. Morawski, *Proverbes français anté-rieurs au XVe siècle*, *op. cit.*

lui faussai compagnie et je me joignis au chevalier à qui tu m'as à ton tour enlevée aujourd'hui, et dont je me moque éperdument. Mais pour mon premier ami, quand la mort me sépara de lui, j'ai été si longtemps folle, si virulente dans mes paroles, si grossière, si sotte que je ne cherchais jamais à savoir qui je harcelais, mais je le faisais délibérément, avec l'idée d'en trouver un de si violent que je réussirais à le jeter dans une telle colère qu'il me mettrait en pièces. Depuis si longtemps j'aurais voulu être morte ! Cher seigneur, châtie-moi donc de telle manière que jamais aucune jeune fille qui connaisse mon histoire n'ose tenir à un chevalier des propos honteux.

– Belle amie, répondit-il, moi, pourquoi vous châtierais-je ? Que jamais il ne plaise au Fils de Dieu Notre-Seigneur que vous, par mon fait, enduriez quelque mal ! Mais montez donc à cheval sans perdre de temps, et nous irons jusqu'à ce château fort. Voyez sur le port le nautonier [1] qui nous attend pour traverser.

– Ce que vous voulez, seigneur, je le ferai de point en point », fit la jeune fille.

Elle monte alors sur le petit palefroi à la longue crinière, et ils rejoignent le nautonier qui leur fait passer l'eau sans fatigue ni peine. Les dames le voient venir, ainsi que les jeunes filles, qui avaient pour lui montré tant d'affliction ; pour lui, de leur côté, tous les jeunes gens du palais avaient été fous de douleur. Maintenant, leur allégresse est telle que jamais on n'en connut de si grande. Devant le palais était assise la reine, pour l'attendre. Elle avait demandé à ses suivantes de se prendre toutes par la main pour danser et pour commencer les réjouissances. Elles l'accueillent en le fêtant par des chants, des rondes et des danses. Lui s'avance et descend de cheval au milieu d'elles. Les dames, les demoiselles, les deux reines le prennent par le cou et lui adressent de joyeux compliments. Tout en le fêtant elles le

---

1. Passeur très important qui suggère l'idée d'un va-et-vient constant entre les deux mondes.

désarment, jambes, bras, pieds et tête. Quant à celle qu'il a amenée, on l'accueille elle aussi très joyeusement, mais si tous et toutes la servent, c'est pour lui, et en rien pour elle.

Dans l'allégresse générale, on se rend au palais, et tous se sont assis à l'intérieur. Monseigneur Gauvain, prenant sa sœur par la main, l'a fait asseoir près de lui sur le Lit de la Merveille. Il lui dit tout bas à l'oreille :

« Mademoiselle, je vous apporte de l'autre côté du port un petit anneau dont l'émeraude verdoie. Un chevalier vous l'envoie comme gage d'amour, il vous salue et dit que vous êtes sa bien-aimée.

– Seigneur, fait-elle, je le crois vraiment, mais si j'ai de l'amour pour lui, c'est de loin que je suis son amie, car il ne m'a jamais vue, ni moi lui, sinon par-dessus cette eau. Mais il m'a donné son amour depuis longtemps, et je lui en sais gré, sans qu'il soit jamais venu par ici ; mais ses messagers m'ont tant suppliée que je lui ai donné mon amour, c'est la vérité. De plus, je ne suis pas encore son amie.

– Mais, belle amie, il s'est vanté que vous préféreriez, et de beaucoup, que fût mort monseigneur Gauvain, votre frère, plutôt que lui eût mal à son orteil.

– Çà, par exemple, seigneur, je m'étonne fort qu'il ait dit une si grande folie. Par Dieu, je ne croyais pas qu'il fût si mal élevé. Quelle impudence que de me faire tenir un tel propos ! Hélas ! il ignore ma naissance, mon frère, et jamais il ne m'a vue. Le Guiromelant en a médit, car, par mon âme, je ne voudrais pas plus le malheur de mon frère que le mien. »

Tandis que ces deux-là parlaient ainsi, et que les dames les écoutaient, la vieille reine s'assit à côté de sa fille et lui dit :

« Chère fille, que pensez-vous de ce seigneur qui s'est assis à côté de votre fille, ma petite-fille ? À voix basse il lui a parlé un long moment de je ne sais quoi, mais c'est loin de me déplaire, et il n'y a pas de raison que vous en soyez contrariée, car c'est une grande noblesse de cœur qui le pousse à se tenir auprès de la plus belle et de la plus sage qui soit en ce palais, et il a raison. Plût à Dieu qu'il l'eût épousée et qu'elle lui convînt autant que Lavine à Énée[1] !

– Ah ! Madame, fit l'autre reine, que Dieu lui accorde de disposer si bien son cœur qu'ils soient comme frère et sœur, et qu'il l'aime tant, et elle lui, que tous deux ne fassent plus qu'un ! »

Ce que la dame exprime dans sa prière, c'est qu'il l'aime et qu'il la prenne pour femme : elle ne reconnaît pas son fils[2]. Ils seront bien comme frère et sœur, il n'y aura pas d'autre amour entre eux. Quand l'un et l'autre sauront qu'elle est sa sœur et lui son frère, la mère éprouvera une grande joie, mais différente de celle qu'elle attend.

Monseigneur Gauvain, quand il eut longtemps parlé avec sa sœur, se leva et appela un jeune homme qu'il vit sur sa droite, celui qui lui semblait le plus vif, le plus courageux et dévoué, le plus sage et le plus sensé parmi tous les jeunes gens de la salle. Il descendit dans une chambre, avec seulement le jeune homme.

Une fois qu'ils furent tous deux en bas, il lui dit :

« Jeune homme, je te crois très courageux, très sage et très avisé. Si je te confie un secret à moi, je te conjure de le garder avec soin dans ton propre intérêt. Je veux t'envoyer en un lieu où l'on t'accueillera avec joie.

– Seigneur, je préférerais qu'on m'arrachât la langue de la bouche plutôt qu'il ne m'échappât une seule parole que vous voudriez tenir secrète.

– Frère, tu iras donc chez mon seigneur le roi Arthur. En effet, je me nomme Gauvain, je suis son neveu. Le chemin n'est pas long ni pénible, car c'est en la cité d'Orcanie que le roi a décidé de tenir sa cour à la Pentecôte[3]. Et si le voyage te coûte quelque chose jusque là-bas, compte sur moi. Quand tu

---

1. Allusion au *Roman d'Énéas* (vers 1160).

2. La mère de Gauvain et de Clarissant n'est donc pas omnisciente.

3. Ce n'est pas l'aspect religieux qui domine, mais la grande fête de la chevalerie idéale et de la convivialité aristocratique. Voir F. Dubost, *Le Conte du graal ou l'Art de faire signe, op. cit.*, p. 42-53.

viendras devant le roi, tu le trouveras tout chagrin. Mais lorsque tu le salueras de ma part, il sera au comble de la joie. Il n'y en aura pas un seul qui, d'entendre la nouvelle, ne soit heureux. Tu diras au roi, par la foi qu'il me doit puisqu'il est mon seigneur et que je suis son vassal, qu'il ne manque pour aucune raison de se trouver, avant le cinquième jour de la fête, logé sous cette tour, au bas de la prairie, en compagnie de tous les gens qui seront venus à sa cour, grands et petits. En effet, j'ai entrepris de me battre contre un chevalier qui n'a pas la moindre estime pour moi ni pour lui. C'est le Guiromelant, c'est bien lui, qui me hait d'une haine mortelle. De même tu diras à la reine qu'elle y vienne en raison de la grande loyauté qui doit exister entre elle et moi, car elle est ma dame et mon amie. Elle ne laissera pas de le faire dès qu'elle saura la nouvelle. Qu'elle y amène les dames et les jeunes filles qui seront ce jour-là à sa cour, par amitié pour moi. Mais ce que je redoute, c'est que tu n'aies pas un coursier qui puisse te porter rapidement jusque là-bas. »

L'autre lui répond qu'il en a un, qui est grand, rapide, robuste et bon, qu'il montera comme son cheval.

« Voilà qui ne me gêne pas », fait Gauvain.

Et le jeune homme sur-le-champ l'emmène vers une écurie d'où il sort et lui amène des coursiers robustes et frais dont l'un était tout prêt pour une chevauchée : il l'avait fait ferrer de neuf, et il ne lui manquait ni selle ni frein.

« Ma foi, jeune homme, fait monseigneur Gauvain, te voilà bien équipé. Va donc, et que le Roi des rois t'accorde de faire un bon voyage à l'aller comme au retour, et de rester dans le droit chemin ! »

C'est ainsi qu'il dépêcha le jeune homme. Il l'accompagna jusqu'à l'eau et commanda au nautonier de le transporter de l'autre côté. Ce que fit le nautonier sans aucune fatigue, car il avait force rameurs. Le jeune homme, une fois de l'autre côté, se dirigea tout droit vers la cité d'Orcanie. Qui sait demander son chemin peut aller partout dans le monde.

Monseigneur Gauvain retourna dans son palais où il se reposa dans l'allégresse et les divertissements, car il y était aimé et servi de tout le monde. La reine fit chauffer l'eau des étuves dans cinq cents cuves où elle fit entrer tous les jeunes gens pour qu'ils s'y baignent. On avait taillé pour eux des habits qui étaient tout prêts à leur sortie du bain. L'étoffe en était tissée d'or, et la fourrure était d'hermine. Dans l'église, jusques après matines, les jeunes gens veillèrent debout, sans jamais s'agenouiller. Au matin, monseigneur Gauvain chaussa à chacun, de ses propres mains, l'éperon droit ; il leur ceignit l'épée et leur donna la colée [1]. Dès lors il fut accompagné d'au moins cinq cents nouveaux chevaliers.

Quant au jeune homme, à force d'aller, il est parvenu à la cité d'Orcanie où le roi tenait la cour qui convenait à ce jour. Les estropiés et ceux que brûle le feu de saint Antoine, quand ils voient passer le jeune homme, disent :

« Cet homme est bien pressé. Je crois que, de loin, il apporte à la cour d'étranges nouvelles. Il trouvera le roi complètement muet et sourd, quoi qu'il puisse dire, car son cœur est rempli de douleur et de chagrin. Qui sera donc capable de lui donner un conseil, quand il aura entendu du messager ce qui se passe ?

– Allons donc ! font d'autres, en quoi sommes-nous concernés par le conseil du roi ? Vous devriez être épouvantés, désemparés, désespérés pour avoir perdu celui qui, par Dieu, nous habillait tous et nous procurait tout bien par ses aumônes et sa charité. »

Ainsi, par toute la cité, les pauvres gens regrettaient monseigneur Gauvain : ils l'aimaient tant ! Le jeune homme passa son chemin et finit par trouver le roi assis dans son palais, parmi cent comtes palatins, cent ducs et cent rois qui

---

1. Cérémonie d'adoubement lors de laquelle Gauvain prend la place d'Arthur. La *colée* (qui vient de *col*) désigne un coup porté sur la nuque. Le terme s'applique aussi, comme dans ce passage, au coup de paume administré par le « parrain » au jeune chevalier qui est adoubé. Au XIVᵉ siècle, la colée fut remplacée par l'*accolade*, qui consistait à donner sur l'épaule du récipiendaire trois coups du plat de l'épée.

étaient assis. Le roi était triste et pensif [1] à voir que, parmi ses illustres barons, il n'y avait pas trace de son neveu : de désespoir il tomba évanoui. Pour le relever on rivalisa de zèle parmi ceux qui purent arriver les premiers, car tous coururent le soutenir. Madame Lore, assise dans une galerie, entendit les plaintes qui venaient de la salle. Elle descendit de la galerie et, toute bouleversée, rejoignit la reine qui, à sa vue, lui demanda ce qu'elle avait...

---

1. Le roi Arthur apparaît souvent vieillissant, fatigué, pensif, comme inscrit dans la finitude.

CHRONOLOGIE

Malgré les hypothèses qui ont été émises, on ne sait pratiquement rien de la vie de Chrétien de Troyes.

1160-1169

Vers 1160 apparaissent le *Roman d'Énéas* – qui suit la trame de l'*Énéide* de Virgile et contribue à la naissance du roman français –, les *Niebelungen*, *Floire et Blancheflor*. De ces années datent les *Lais* de Marie de France et les poèmes latins de l'Archipoète, le plus grand des poètes goliards. Averroès entreprend son commentaire d'Aristote.

Autour de 1165, premières œuvres de Chrétien de Troyes : *Philomena*, deux chansons d'amour, *Guillaume d'Angleterre*.

À la même époque : le *Roman de Troie* de Benoît de Sainte-Maure, non pas d'après Homère, mais d'après les œuvres tardives attribuées à Darès (VIᵉ siècle apr. J.-C.) et Dictys (IVᵉ siècle) ; *Vie de saint Édouard le Confesseur*, de la religieuse de Barking.

À partir de 1160 : exploitation des mines de fer en Dauphiné. De 1160 à 1207 : construction de la cathédrale gothique de Laon. En 1162 : grande famine en Occident. De 1163 à 1268 : construction de Notre-Dame de Paris. En 1164 : création de l'archevêché d'Uppsala, en Suède. En 1165 : canonisation de Charlemagne ; prise de Rome par Frédéric Barberousse. En 1167 : concile cathare à Saint-Félix-de-Caraman.

1170-1179

En 1170 : *Érec et Énide*, de Chrétien de Troyes ; *Historia rerum in partibus transmarinis gestarum* (ou *Historia Hierosolymitana*), de Guillaume, archevêque de Tyr et historien latin de la deuxième croisade ; *Ars versificatoria*, de Mathieu de Vendôme ; *Livre des Manières*, d'Étienne de Fougères (consistant en un tableau critique des états du monde) ; *Vie de saint Gilles*, de Guillaume de Berneville. Entre 1172 et 1175 : le *Tristan* de Thomas. En 1174 : *Vie de saint Thomas Becket*, de Guernes de Pont-Sainte-Maxence. Entre 1174 et 1179 : branches les plus anciennes du *Roman de Renart*. Vers 1176 : *Cligès*, de Chrétien de Troyes ; *Éracle* et *Ille et Galeron*, romans de Gautier d'Arras, concurrent de Chrétien de Troyes ; *Ipomédon*, d'Hue de Rotelande. Entre 1177 et 1181, Chrétien de Troyes compose simultanément *Le Chevalier au lion* (Yvain) et *Le Chevalier de la charrette* (Lancelot).

En 1170, Thomas Becket est assassiné, et le commerçant lyonnais Valdès se convertit à une vie pauvre et évangélique : c'est la naissance du mouvement vaudois. Entre 1170 et 1180 : achèvement de Saint-Trophime d'Arles. En 1171 : émeutes antivénitiennes à Constantinople. En 1174 : Baudouin IV le Lépreux devient roi de Jérusalem (il régnera jusqu'en 1185) ; privilège du pape Clément III accordé aux maîtres et aux étudiants de Paris ; canonisation de saint Bernard ; campanile de Pise ; création par le comte de Champagne de gardes de foire pour en assurer le bon fonctionnement ; pèlerinage du roi Henri II sur le tombeau de Thomas Becket. Entre 1175 et 1184 : construction de la cathédrale de Cantorbéry. En 1176 : l'Asie Mineure tombe sous la domination turque ; les villes lombardes l'emportent sur l'empereur à Legnano. En 1177 : Raymond V de Toulouse écrit à l'ordre de Cîteaux pour exposer le péril cathare.

1180-1190

Vers 1182, Chrétien de Troyes compose *Le Conte du graal*.

De ces années datent le *Roman d'Alexandre* de Lambert le Tort, les chansons de Conon de Béthune, de Blondel de Nesle, du Châtelain de Couci, le roman de *Partonopeus de Blois*, la chanson de geste *Raoul de Cambrai*, le roman occitan *Jaufré*, les *Fables* de Marie de France. Vers 1185, André le Chapelain expose l'art d'aimer courtois dans son *De Amore* ; paraissent *Protheselaüs*, d'Hue de Rotelande, et la *Vie de saint Thomas de Cantorbéry*, de Benoît. En 1188, Aimon de Varennes rédige *Florimont*.

De 1180 à 1223 : règne de Philippe Auguste. En 1180, les vaudois sont condamnés par l'Église. Vers cette date : apparition du moulin à vent en Normandie et en Angleterre. En 1183, Frédéric Barberousse reconnaît la liberté des villes lombardes ; porche de la Gloire (gothique) à Saint-Jacques-de-Compostelle. En 1184 : construction du pont d'Avignon et débuts de l'inquisition épiscopale. En 1187, Saladin prend Jérusalem. De 1187 à 1191 : troisième croisade. En 1189, Richard Cœur de Lion monte sur le trône ; il régnera jusqu'en 1199.

BIBLIOGRAPHIE

Eu égard à l'immense production des études critiques sur *Le Conte du graal*, nous nous bornons ici à un certain nombre d'ouvrages et d'articles qui proposent des approches variées du roman, tout en comportant souvent d'amples bibliographies.

MANUSCRITS

Il existe quinze manuscrits du *Conte du graal* qui sont couramment désignés par les sigles suivants :

A : Paris, Bibliothèque nationale, fonds français 794 (entre 1230 et 1250).

B : Berne, Burgerbibliothek, 354 (XIVe siècle).

C : Clermont-Ferrand, bibliothèque municipale, 248 (fin du XIIIe siècle).

E : Édimbourg, National Library of Scotland, 19.I.5 (1re moitié du XIIIe siècle).

F : Florence, Biblioteca Riccardiana, 2943, (XIIIe siècle).

H : Londres, Herald's College, Arundel 14 (2e moitié du XIVe siècle).

L : Londres, British Museum, Additional 36614 (2e moitié du XIIIe siècle).

M : Montpellier, bibliothèque de la faculté de médecine, H. 249 (fin du XIIIe siècle).

P : Mons, bibliothèque publique, 331/206 (XIIIe siècle).

Q : Paris, Bibliothèque nationale, fonds français 1429 (2e moitié du XIIIe siècle).

R : Paris, Bibliothèque nationale, fonds français 1450 (1re moitié du XIIIe siècle).

S : Paris, Bibliothèque nationale, fonds français 1453 (XIVe siècle).

T : Paris, Bibliothèque nationale, fonds français 12576 (2e moitié du XIIIe siècle).

U : Paris, Bibliothèque nationale, fonds français 12577 (XIVᵉ siècle).

V : Paris, Bibliothèque nationale, nouvelles acquisitions françaises 6614 (fin du XIIIᵉ siècle).

ÉDITIONS ET TRADUCTIONS

Les éditions les plus utiles sont celle de Félix LECOY, 2 vol. (Champion, « Classiques français du Moyen Âge », 1972-1975) qu'accompagne la traduction de Jacques RIBARD (Champion, 1975), et les éditions bilingues de :
– Charles MÉLA, Le Livre de Poche, « Lettres gothiques », 1990 ;
– Daniel POIRION, Gallimard, « Bibliothèque de la Pléiade », 1994 ;
– Jean DUFOURNET, GF-Flammarion, 1997.

ÉTUDES CRITIQUES

Ouvrages généraux et recueils d'étude sur Perceval
et le graal

Emmanuèle BAUMGARTNER, *Chrétien de Troyes. Le Conte du graal*, PUF, 1999.

Annie BERTIN et Annie COMBES, *Écritures du graal, XIIᵉ-XIIIᵉ siècles*, PUF, 2001.

Chrétien de Troyes et le graal (colloque de Bruges), Paris, Nizet, 1984.

Francis DUBOST, *Le Conte du graal ou l'Art de faire signe*, Champion, « Unichamp », 1998.

Jean FRAPPIER, *Autour du graal*, Genève, Droz, 1977.

–, *Chrétien de Troyes et le mythe du graal. Étude sur Perceval ou le Conte du graal*, Paris, SEDES, 1972 ; 2ᵉ éd., 1979.

Denis HÜE, *Polyphonie du graal*, Orléans, Paradigme, 1998.

Claude LACHET, *Le Conte du graal de Chrétien de Troyes*, Paris, L'École des Lettres, 1996.

–, *Personnages autour du graal*, université Jean-Moulin-Lyon 3, Centre d'études des interactions culturelles, 2008.

Paule LE RIDER, *Le Chevalier dans le Conte du graal*, Paris, SEDES, 1978 ; 2ᵉ éd., 1996.

René NELLI, *Lumière du graal*, Paris, Cahiers du Sud, 1951.

Danielle QUÉRUEL, *Le Conte du graal*, Ellipses, 1998.

Michelle SZKILNIK, *Perceval ou le Roman du graal de Chrétien de Troyes*, Gallimard, « Foliothèque », 1998.

À quoi il convient d'ajouter :

Robert BAUDRY, *Graal et littératures d'aujourd'hui*, Rennes, Terre de Brume, 1998.

Claude LACHET, *Les Métamorphoses du graal* (anthologie), GF-Flammarion, 2012.

Michel STANESCO, *La Légende du graal dans les littératures européennes* (anthologie), Le Livre de Poche, « La Pochothèque », 2006.

Philippe WALTER, *Album du graal*, Gallimard, 2009.

Pour aller plus loin

Roger DRAGONETTI, *La Vie de la lettre au Moyen Âge (Le Conte du graal)*, Seuil, 1980.

Pierre GALLAIS, *Perceval et l'initiation. Essais sur le dernier roman de Chrétien de Troyes, ses correspondances « orientales » et sa signification anthropologique*, Paris, Éd. du Sirac, 1972.

Jean-Guy GOUTTEBROZE, *Qui perd gagne. Le « Perceval » de Chrétien de Troyes comme représentation de l'Œdipe inversé*, Nice, publication du Centre d'études médiévales, 1983.

Laurent GUYÉNOT, *La Lance qui saigne. Métatextes et hypertextes du Conte du graal de Chrétien de Troyes*, Champion, 2010.

Jean MARX, *La Légende arthurienne et le graal*, PUF, 1952.

Charles MÉLA, *La Reine et le Graal. La conjointure dans les romans du graal, de Chrétien de Troyes au Livre de Lancelot*, Seuil, 1984.

Henri REY-FLAUD, *Le Sphinx et le Graal,* Payot, 1998.

–, *Le Chevalier, l'Autre et la Mort*, Payot, 1999.

Jacques RIBARD, *Du Philtre au graal. Pour une interprétation théologique, du Roman de Tristan au Conte du graal*, Champion, 1984.

Mireille SÉGUY, *Les Romans du graal ou le Signe imaginé*, Champion, 2001.

Jean-René VALETTE, *La Pensée du graal*, Champion, 2008.

Philippe WALTER, *Perceval, le pêcheur et le graal*, Paris, Imago, 2004.

Ouvrages généraux sur le contexte

Dominique BOUTET, *Charlemagne et Arthur ou le Roi imaginaire*, Champion, 1992.

Paul BRETEL, *Les Ermites et les moines dans la littérature française du Moyen Âge* (1150-1250), Champion, 1995.

Francis DUBOST, *Aspects fantastiques de la littérature narrative médiévale (XIIᵉ-XIIIᵉ siècles). L'Autre, l'Ailleurs, l'Autrefois*, Champion, 1991, 2 vol.

Erich KÖHLER, *L'Aventure chevaleresque. Idéal et réalité dans le roman courtois*, Gallimard, 1974.

Philippe WALTER, *La Mémoire du temps. Fêtes et calendriers de Chrétien de Troyes à la Mort Artu*, Champion, 1989.

INSTRUMENTS DE TRAVAIL

Les livraisons annuelles du *Bulletin bibliographique de la Société internationale arthurienne* ; et Gabriel ANDRIEU et Jacques PIOLLE, *Concordancier complet des formes graphiques occurrentes du Perceval de Chrétien de Troyes*, Champion, 1976.

RÉPERTOIRE DES NOMS PROPRES

ABRAHAM, patriarche ; dans la Genèse, il est présenté comme le père du peuple hébreu.

ABSALON, modèle de la beauté masculine.

ADAM, le premier homme.

AGRAVAIN L'ORGUEILLEUX, fils du roi Lot, frère de Gauvain qui joue un rôle important dans *Lancelot*.

ALEXANDRE LE GRAND, un des modèles du preux conquérant dans l'imaginaire médiéval, mais désavoué dans *Perceval* par Chrétien de Troyes.

ANGUINGUERON, sénéchal de Clamadeu des Îles.

ARTHUR, roi de Bretagne. Voir la présentation, p. 5-6.

BAN DE GOMERET, roi auprès de qui l'un des frères de Perceval a fait son apprentissage de chevalier.

BERTHE, mère de Garin. Nom venu de la chanson de geste.

BERTRAND, fils de Garin, hôte de Gauvain à Tintagel. Nom venu de la chanson de geste.

BLANCHEFLEUR, amie de Perceval.

Carduel ou Carlisle (Cumberland), résidence principale du roi Arthur, que les auteurs du Moyen Âge situent au pays de Galles.

Carlion ou Caerleon-on-Usk, en Galles du Sud, autre résidence du roi Arthur, citée par Girard de Cambrai et Wace.

Château Orgueilleux, château défendu par cinq cent soixante-six chevaliers, que Girflet se dit prêt à attaquer.

CHEVALIER VERMEIL DE LA FORÊT DE QUINQUEROI, chevalier que tue Perceval au début de son itinéraire pour s'emparer de ses armes vermeilles.

CLAMADEU DES ÎLES, ennemi de Blanchefleur, il cherche à la soumettre. Son nom évoque l'orgueil : *il clame à Dieu*, « il s'en prend à Dieu ». Vaincu par Perceval, il se rend comme prisonnier à la cour du roi Arthur.

CLARISSANT, sœur de Gauvain. Son nom évoque la beauté.

Cotoatre, lieu-dit dont le forgeron Trébuchet est le voisin. Le nom équivaut en moyen anglais à « Scottewabre », qui désigne le Firth of Forth, entre l'Angleterre et l'Écosse.

DAVID, saint honoré et prié au pays de Galles.

Dinasdaron, résidence d'Arthur au pays de Galles. Faut-il rapprocher ce nom de Dinas, personnage du *Tristan* de Béroul ? C'est ce qu'a fait l'auteur du manuscrit B de *Perceval* conservé à Berne (Burgerbibliothek, 354, XIVᵉ siècle).

ÉNÉAS, héros du roman d'Antiquité du même nom, une réécriture de l'*Énéide* de Virgile qui est à l'origine du roman français avec le *Roman de Thèbes*.

Escavalon, royaume dont Gauvain aurait tué le roi. On retrouve dans ce nom Avalon, le royaume de la fée Morgue.

EXCALIBUR, épée du roi Arthur, utilisée par Gauvain.

FORTUNE, déesse de la fatalité et du hasard.

GAHERIET, frère de Gauvain.

Galvoie, pays montagneux à l'entrée de l'Autre Monde, dont le nom vient probablement de Galloway (Écosse) ou de Galway (Irlande).

GARIN, hôte de Gauvain à Tintagel.

GAUVAIN, neveu du roi Arthur, fils du roi Lot, frère de Clarissant. Voir la présentation, p. 8.

GIRFLET, fils de Do, chevalier du roi Arthur, qui se propose d'aller au Château Orgueilleux.

GORNEMANT DE GORT, oncle de Blanchefleur ; hôte de Perceval qu'il initie à la chevalerie. Le mot *gort*, qui se trouve dans les deux parties du nom, désigne un « golfe ».

GRÉORÉAS, ennemi de Gauvain qui le châtie durement pour avoir violé une jeune fille et enfreint la justice du roi Arthur.

GRINGALET (le), cheval de Gauvain. Le terme désigne également le destrier de Gauvain dans *Érec et Énide*.

GUEREHET, frère de Gauvain.

GUINGANBRÉSIL, précepteur du jeune roi d'Escavalon ; il accuse Gauvain d'avoir tué par félonie le vieux roi d'Escavalon.

GUIROMELANT (le), chevalier, ami de Clarissant, sœur de Gauvain.

Îles de la Mer, pays du père et de la mère de Perceval. Peut-être, comme on l'a suggéré, les Hébrides (archipel situé au nord-ouest de l'Écosse).

KAHÉDIN, chevalier à la cour d'Arthur, qui se porte volontaire pour l'aventure du Mont Douloureux. Dans le *Tristan* de Thomas, il est le frère d'Iseut aux blanches mains.
KEU, sénéchal du roi Arthur. Voir la présentation, p. 7.

LAVINE, une des trois héroïnes, avec Didon et Camille, la reine des Amazones, du roman d'Antiquité *Énéas*.
Logres, royaume que le roi Arthur a conquis sur les ogres, des géants, appartenant à une société archaïque.
LORE, dans *Perceval*, dame appartenant à la compagnie de la reine. Plus tard, elle deviendra une fée et, dans *Les Merveilles de Rigomer*, elle sera l'amante de Gauvain.
LOT, roi, père de Gauvain ; dans le *Brut* de Wace, roi de la Norvège, de l'Orcanie et du Leonois. Mentionné dans *Érec et Énide* et dans *Le Chevalier au lion*.

MÉLIANT DE LIS, chevalier, ami de la sœur aînée de la Demoiselle aux Petites Manches ; il est vaincu par Gauvain, qui est le champion de la cadette. Mentionné à la septième place parmi les bons chevaliers dans *Érec et Énide*.
Mont Douloureux, sommet où Kahédin veut réaliser un exploit.
Montéclaire, château où est assiégée la demoiselle que veut délivrer Gauvain, et où se trouve l'épée à l'extraordinaire baudrier.

Orcanie, un des lieux où réside la cour d'Arthur.
ORGUEILLEUSE DE LOGRES, nom de la *male pucele*, la méchante jeune fille qui ne cesse d'essayer de nuire à Gauvain dans les aventures de la Roche de Champguin.
ORGUEILLEUX DE LA LANDE, chevalier vaincu par Perceval.
ORGUEILLEUX DE LA ROCHE À L'ÉTROITE VOIE, chevalier vaincu par Gauvain.
Orquelanes, cité de Guiromelant.

PERCEVAL LE GALLOIS, héros du roman. On a proposé de décomposer son nom en *perd-ce-val*, *perce-val*, *perce-voile*.

PHILIPPE DE FLANDRE, Philippe comte de Flandre, né en 1143, croisé en 1190, mort en 1191. Chrétien de Troyes lui a dédié *Le Conte du graal*.

RION, roi vaincu par Arthur.
Roche de Champguin, château de la reine Ygerne.
ROI PÊCHEUR, roi du château du Graal.

SAGREMOR, chevalier de la cour du roi Arthur, abattu par Perceval lors de la scène des gouttes de sang. Appelé le *desréé*, c'est-à-dire le déréglé, l'emporté. Il apparaît dans la liste des chevaliers d'*Érec et Énide*. Vaincu dans un tournoi par Cligès.

THIBAUT ou TIÉBAUT DE TINTAGEL, père des deux filles dont la plus jeune, la Demoiselle aux Petites Manches, se dispute avec sa sœur aînée et est soutenue par Gauvain. Il fut le maître de Méliant de Lis, le fils du seigneur.
Tintagel, localité de la côte nord-ouest du comté de Cornuailles, en Angleterre ; Tiébaut en est le seigneur.
TRAÉ D'ANET, chevalier que connaît bien Gauvain et qui se rend au tournoi entre Tiébaut et Méliant.
TRÉBUCHET, forgeron, le seul à pouvoir réparer l'épée reçue par Perceval au château du Graal. Avatar de Vulcain, le forgeron passe pour avoir des pouvoirs magiques.

URIEN, roi, père d'Yvain, le chevalier au lion, et d'Yvain le Bâtard. Frère du roi Lot.
UTERPENDRAGON, roi, père d'Arthur. Amoureux d'Ygerne, l'épouse du duc de Cornouailles, il prit, grâce à Merlin, l'apparence du duc et engendra Arthur. Au cours de la même nuit, le duc fut tué, en sorte qu'Ygerne put devenir l'épouse d'Uterpendragon.

Valdonne, défilé montagneux proche du manoir de la mère de Perceval.

YGERNE, épouse d'Uterpendragon et mère d'Arthur.
YONET, valet de la cour du roi Arthur qu'on retrouve au service de Gauvain. Ce nom fait penser à Yonec, le héros de Marie de France.
YVAIN, le chevalier au lion, fils du roi Urien.
YVAIN LE BÂTARD, demi-frère du précédent, nommé parmi les chevaliers dans *Érec et Énide*.

TABLE

Présentation 3
Note sur la traduction 20

PERCEVAL
ou
LE CONTE DU GRAAL

Chronologie 213
Bibliographie 216
Répertoire des noms propres 220

Mise en page par Meta-systems
59100 Roubaix

N° d'édition : L.01EHPN000278.N001
Dépôt légal : octobre 2012
Imprimé en Espagne par Novoprint (Barcelone)